La casa de Bernarda Alba

Letras Hispánicas

Federico García Lorca

La casa de Bernarda Alba

Edición de M.ª Francisca Vilches de Frutos

QUINTA EDICIÓN

CÁTEDRA

LETRAS HISPÁNICAS

1.ª edición, 2005
5.ª edición, 2009

Ilustración de cubierta: Foto del estreno
de *La casa de Bernarda Alba*. Compañía Margarita Xirgu,
teatro Avenida (Buenos Aires), 8 de marzo de 1945
© Fundación Federico García Lorca

© Herederos de Federico García Lorca, 2005, 2009
Ediciones Cátedra (Grupo Anaya, S. A.), 2005, 2009
Juan Ignacio Luca de Tena, 15. 28027 Madrid
Depósito legal: B. 29.536-2009
I.S.B.N.: 978-84-376-2245-3
Composición: Grupo Anaya
Printed in Spain
Impreso en Novoprint (Barcelona)

Índice

Introducción

A Isabel García Lorca y Francisca de Frutos,
símbolos de su generación.

I. FEDERICO GARCÍA LORCA Y EL CANON INTERNACIONAL

I.1. *Una vocación teatral*

Una revisión de las ediciones de textos teatrales y ensayos críticos publicados en los últimos años[1] y de las programaciones de los principales escenarios mundiales pone de manifiesto la importancia de la obra dramática de Federico García Lorca. Puede considerarse, sin lugar a dudas, uno de los principales representantes del canon internacional. Él mismo, con el curso de los años, se ha convertido en fuente de inspiración para otros escritores y creadores escénicos[2].

Sin embargo, la valoración de la significación de su obra dramática constituye un fenómeno relativamente reciente. Durante muchos años la atención de los críticos se centró en su faceta poética en detrimento de otras manifestaciones artísticas en las que descolló García Lorca: el teatro, sobre todo, pero también la música y las artes pictóricas[3]. El

---

[1] Véase la exhaustiva bibliografía publicada por Andrew Anderson en el *Boletín de la Fundación Federico García Lorca* desde 1987 y Francesca Colecchia, «Federico García Lorca: A Selectively Updated Bibliography», en Durán y Colecchia, 1991, págs. 239-264.

[2] Han recreado su figura en espectáculos recientes de amplia proyección: Lluís Pasqual, Alfredo Alcón y Nuria Espert *(Haciendo Lorca* [1996]); Ernesto Caballero *(María Sarmiento* [1998]); el ya citado Pasqual y Juan Echanove *(Cómo canta una ciudad de noviembre a noviembre* [1998]), y La Fura dels Baus *(Ombra* [1998]). A partir de este momento utilizaré los corchetes para indicar los años de representación de las obras, mientras que los paréntesis quedarán para señalar su año de publicación.

[3] Pueden encontrarse dos interesantes acercamientos a sus aportaciones en estos campos en Mario Hernández, *Libro de los dibujos de Federico García Lorca,*

desarrollo de nuevos planteamientos metodológicos que priman los estudios multidisciplinares y señalan la estrecha imbricación entre los distintos fenómenos culturales, sociales, científicos y psicológicos ha incidido positivamente en la recuperación de otras vertientes del universo lorquiano. Entre ellas, sus aportaciones a la escena.

El interés de García Lorca por el ámbito teatral fue notorio[4]. Es larga la relación de obras dramáticas que escribió, ya desde su juventud, algunas de las cuales llegaron a ser representadas todavía en vida del escritor. Desde 1920, fecha de la puesta en escena en el teatro Eslava, de Madrid, de *El maleficio de la mariposa*, comedia en 3 cuadros, en verso, hasta su fallecimiento, en 1936, accedieron a los escenarios nueve de sus creaciones dramáticas: *La niña que riega la albahaca y el príncipe preguntón*, viejo cuento andaluz en 3 estampas y un cromo [1923]; *Mariana Pineda*, romance popular en tres estampas [1927]; *La zapatera prodigiosa*, farsa violenta en un prólogo y dos actos [1930]; *Bodas de sangre*, tragedia en tres actos y siete cuadros [1933]; *Amor de don Perlimplín con Belisa en su jardín*, aleluya erótica en cuatro cuadros (versión de cámara) [1933]; *Yerma*, poema trágico en tres actos y seis cuadros, en prosa y verso [1934]; *Retablillo de don Cristóbal*, farsa para guiñol [1934], y *Doña Rosita la soltera o El lenguaje de las flores*, poema granadino del Novecientos, dividido en varios jardines, con escenas de canto y baile [1935].

No fueron éstas sus únicas aportaciones a la creación textual dramática. García Lorca dejó terminadas otras obras teatrales que fueron representadas con carácter póstumo: *Los títeres de Cachiporra. Tragicomedia de don Cristóbal y la señá Rosita*, farsa guiñolesca en seis cuadros y una advertencia [1937];

Madrid, Tabapress/Fundación Federico García Lorca, 1990 y Roger D. Tinnell, *Federico García Lorca y la música*, Madrid, Fundación Juan March/Fundación Federico García Lorca, 1993.

[4] Su búsqueda del éxito teatral es analizada por Antonio Gallego Morell, «El teatro lorquiano: del fracaso inicial a la apoteosis», en *Philologica Hispaniensia in honorem Manuel Alvar*, Madrid, Gredos, 1986-1987, págs. 153-164, y *Sobre García Lorca*, Granada, Universidad de Granada, 1993, y Mª Francisca Vilches de Frutos y Dru Dougherty, *Los estrenos teatrales de Federico García Lorca (1920-1945)*, Madrid, Fundación Federico García Lorca/Tabapress, 1992 (en adelante citado como *Los estrenos teatrales*).

La casa de Bernarda Alba, drama de mujeres en los pueblos de España [1945]; *Así que pasen cinco años*, leyenda del tiempo [1945]; *El paseo de Buster Keaton, La doncella, el marinero y el estudiante, Diálogo del Amargo* y *Escena del teniente coronel de la Guardia Civil*, aglutinados junto con su *Retablillo* en el espectáculo *5 Lorcas 5* [1986]; *El público*, drama [1986]; *Comedia sin título* [1989], y *Quimera* (1990).

Gracias a la labor pionera de Marie Laffranque conocemos la existencia de otros proyectos teatrales: *La Comedianta (Lola la Comedianta)*, de la que se conserva sólo un libreto y un guión; *Los sueños de mi prima Aurelia*, con un único acto y un argumento recogido de una entrevista publicada en el periódico *Heraldo de Madrid*; *Posada* (tres escenas); *Diego Corrientes*, tópico andaluz en tres actos, esbozo de un «Don Juan ideal, casto»; *Ampliación fotográfica*, drama, y *Drama fotográfico*, dos proyectos de dramas impregnados «de ese terrible silencio de las fotos de muertos»; *Rosa mudable* (primera escena); *La destrucción de Sodoma*, tragedia; *La bola negra*, «drama de costumbres actuales»; *Casa de maternidad*, de la que existe únicamente una lista de personajes, y *Dragón*[5].

A su vez, Andrés Soria Olmedo ha recogido recientemente en un volumen de esta misma editorial otros títulos: *Del amor. Teatro de animales*, poema dramático; *Diálogos de sombras*, poema en prosa; *Comedieta ideal*; *Cristo*, subtitulada «poema dramático» en un manuscrito y «tragedia religiosa» en otro; *Teatro de almas. Paisajes de una vida espiritual*; *[Comedia de la Carbonerita]*[6]; *La viudita que se quería casar*, poema trágico; *[Jehová]*; *Señora M[uerte]*, poema; *Elenita*, romance; *Ilusión*, comedia, y *Dios, el Mal y el Hombre*. La nómina se completaría con el inédito

---

[5] Marie Laffranque da cuenta en el mismo volumen de la existencia de una relación de títulos de obras que pensaba acometer: *Quimera*, drama; *El sabor de la sangre*, drama del deseo; *El miedo del mar*, drama de la costa cantábrica; *El hombre y la jaca*, mito andaluz; *La hermosa*, poemas de la mujer deseada; *La piedra oscura*, drama epéntico; *Carne de cañón*, drama contra la guerra; *Los rincones oscuros*, obra flamenca, y *Las monjas de Granada*, crónica poética (Federico García Lorca, *Teatro inconcluso. Fragmentos y proyectos inacabados*, Granada, Universidad de Granada, 1987, págs. 343-345).

[6] Como señala Andrés Soria Olmedo en su introducción, el título no es de García Lorca (Federico García Lorca, *Teatro inédito de juventud*, Madrid, Cátedra, 1994, pág. 345).

Fondo gris y varios diálogos: *El Loco y la Loca*; *Diálogo de la Residencia*; *Diálogo de Fabricio y Se (Diálogo de don Fabricio y señora)*; *Diálogo de Pan y la sirena (Diálogo del dios Pan)*[7]; *Diálogo Mudo de los Cartujos*; *Diálogo de los caracoles* y *Diálogo con Luis Buñuel*[8].

Conviene apuntar, que cuando Federico irrumpió en la escena comercial, tenía sólo 22 años y que su gran triunfo le llegó a los 35 años, con ocasión del estreno en Argentina de *Bodas*, unas edades muy tempranas en un medio como el teatral en el que otros escritores solían necesitar una década más para hallar el reconocimiento del público mayoritario[9].

El éxito de Federico García Lorca como poeta y como autor de textos dramáticos ha contribuido a soslayar, como se verá más adelante, su condición de director de escena que, sin embargo, influyó de manera decisiva a la hora de componer sus obras. Esta vocación se manifestó tempranamente, ya desde el comienzo de los años veinte, en distintas vertientes. Es bien conocida su extraordinaria labor al frente del que fuera uno de los primeros intentos de creación de un Teatro Nacional, el grupo La Barraca[10], pero se ha escrito poco sobre la destacada participación de Federico en la dirección de sus propias obras que se estrenaron en los circuitos comerciales con prestigiosas compañías, como la Compañía Martínez Sierra, la Compañía Díaz de Artigas-Collado, la Compañía Margarita Xirgu y la Compañía Lola Membrives. También ha pasado prácticamente desapercibida su condición de fundador de grupos independientes de teatro, desde el juvenil

---

[7] Véase Christian de Paepe (ed.), *Catálogo general de los fondos documentales de la Fundación Federico García Lorca, IV, manuscritos y documentos relacionados con las obras teatrales*, Madrid, Junta de Andalucía/Fundación Federico García Lorca, 1997.

[8] Editados estos tres últimos por Andrés Soria Olmedo, en Federico García Lorca, *Tres diálogos*, Granada, Universidad, 1985. Pueden encontrarse también en la edición de Miguel García Posada de Federico García Lorca, *Obras completas. Teatro*, II, Madrid, Galaxia Gutenberg/Círculo de Lectores, 1997.

[9] El fenómeno sigue estando vigente en la actualidad. Fuera de los teatros públicos dependientes de las Comunidades Autónomas son escasos los autores que acceden a los grandes escenarios antes de los treinta y cinco años.

[10] Véanse Luis Sáenz de la Calzada, *«La Barraca» teatro universitario*, Madrid, Revista de Occidente, 1976 y Juan Aguilera Sastre, *El debate sobre el Teatro Nacional en España (1900-1936). Ideología y estética*, Madrid, CDT, 2002.

Teatro Cachiporra Andaluz, con el que montaría su primera obra escenificada, hasta su más tardío Títeres de Cachiporra. Esta actividad no le impidió colaborar con otros colectivos de aficionados al frente de los cuales se hallaban dos personalidades de indiscutible relevancia para la historia de la dirección escénica en España[11]: Pura Maortua de Ucelay, directora del Club Teatral Anfistora[12], y Cipriano de Rivas Cherif, *alma mater* de Caracol[13].

Estos datos a los que me he referido antes —el número de obras escritas y representadas, su condición de director de escena y su juventud a la hora de acceder a los grandes espacios escénicos— equiparan su trayectoria a la de algunos de los grandes creadores dramáticos coétaneos del siglo XX: Eugene O'Neill (1888), Jean Cocteau (1889), Elmer Rice (1892), Ernest Töller (1893) y Bertolt Brecht (1898), por citar a algunos de los más relevantes. También nos llevan a preguntarnos sobre el alcance de su proyección mundial de haber agotado su ciclo vital natural, truncado por las desgraciadas circunstancias de su muerte[14].

I.2. *El teatro de Federico García Lorca entre la tradición y la vanguardia*

Gran parte de la popularidad alcanzada por el escritor granadino se debe a su original recreación del mundo andaluz, un referente indiscutible en el panorama mundial de las se-

---

[11] Puede verse una trayectoria de ésta en Mª Francisca Vilches de Frutos, «Directors of the Twentieth Century Spanish Stage», en Delgado, 1998, págs. 1-23.

[12] Margarita Ucelay, «Federico García Lorca y el Club Teatral Anfistora: el dramaturgo como director de escena», en Soria, 1986, págs. 51-64.

[13] Analizan su importancia Juan Aguilera Sastre y Manuel Aznar Soler en *Cipriano de Rivas Cherif y el teatro español de su época (1891-1967)*, Madrid, ADE, 2000.

[14] Sobre su trayectoria vital, consúltense los volúmenes de Ian Gibson *Federico García Lorca. 1. De Fuente Vaqueros a Nueva York (1898-1929)*, Barcelona/Buenos Aires/México, D.F., Grijalbo, 1985; *Federico García Lorca. 2. De Nueva York a Fuente Grande (1929-1936)*, Barcelona/Buenos Aires/México D.F., Grijalbo, 1987, y *Granada en 1936 y el asesinato de Federico García Lorca*, Barcelona, Crítica, 1986.

ñas de identidad españolas, como lo prueban las numerosas manifestaciones literarias, musicales y artísticas que a lo largo de la historia han buscado su fuente de inspiración en España. Conviene no escatimar tampoco la relevancia que para el conocimiento de su obra en el extranjero tuvo su trágico final[15]. No obstante, es necesario señalar que la consideración de Federico García Lorca como uno de los principales valores canónicos de la escena mundial le viene dada no por estas circunstancias sino por su capacidad para aunar la tradición y la vanguardia a través de un teatro poético de índole muy personal. Sus textos muestran a un autor en constante experimentación con géneros, temas y personajes de la tradición teatral que conocía en profundidad y a los que filtró por el tamiz de unas modernas técnicas expresivas, deudoras de las corrientes más renovadoras de la vanguardia teatral del momento. No son únicamente las creaciones de un autor dramático. Son textos de un gran hombre de teatro que logró imprimir el sello de la modernidad en la tradición gracias a sus excelentes conocimientos de la práctica escénica, adquiridos debido a su trabajo como director de escena, como ya se ha señalado[16].

I.2.1. La tradición literaria: géneros, temas, arquetipos

Quizás donde mejor se perciba el entronque del escritor granadino con la tradición literaria sea en su utilización de uno de los principales vehículos de ésta, los géneros: el drama, la comedia, la tragedia, la farsa, los diálogos... Pero, como sus coétaneos, los grandes renovadores de la escena del mo-

---

[15] Véanse Luis Fernández Cifuentes, «García Lorca: historia de una evaluación, evaluación de una historia», en Loureiro, 1988, págs. 233-262, y Francisco Torres Monreal, «La recepción del teatro de Lorca en París (1938-1955)», en Reichenberger y Rodríguez, 1992, págs. 33-38.

[16] Joaquín Forradellas recogerá esta idea en la reedición de *La casa de Bernarda Alba* aparecida en 1997 (1.ª ed. en 1973). Este aspecto fue decisivo en el éxito de sus representaciones en la década de los sesenta (Mª Francisca Vilches, «La representación en España del teatro de Federico García Lorca durante la década de los sesenta», *BFFGL*, 1999, 25, págs. 81-106).

mento, Federico experimentó con ellos y fusionó elementos propios de unos y otros; incluso, trascendió los límites teatrales y adaptó elementos de la tradición lírica y narrativa como poemas *(Yerma, Doña Rosita, Del Amor, Diálogos de sombras, Cristo, La viudita)*, romances *(Mariana Pineda, Elenita)*, cuentos *(La niña que riega)*, aleluyas *(Amor de don Perlimplín)*, y leyendas *(Así que pasen)*. Los sometió a procesos de humanización y los revistió de connotaciones a través de los sustantivos y epítetos que acompañan sus denominaciones genéricas —drama de mujeres, viejo cuento andaluz, aleluya erótica, farsa violenta. No dudó en crear nuevas denominaciones como tópico andaluz *(Diego Corrientes)* o pantacomedia *(La zapatera)*[17].

En efecto, se puede apreciar la gran contribución de Federico García Lorca al drama en sus múltiples vertientes, desde las que gozaban en aquel momento de mayor prestigio, el drama rural y el poético, hasta el simbolista y el histórico[18]. Ofreció uno de los mejores exponentes de la tradición del drama rural con *La casa de Bernarda Alba*, donde presentó la represión que el medio rural andaluz ejercía sobre las mujeres, un paradigma de la existente en otros lugares españoles, como se apunta en el subtítulo de la obra, «drama de mujeres en los pueblos de España». Aprovechó las posibilidades brindadas por el drama histórico en *Mariana Pineda*, basada en un romance popular que narraba la historia de la heroína gra-

---

[17] Federico le dio el subtítulo de «farsa violenta en un prólogo y dos actos», aunque con el transcurso de los años realizó varias declaraciones donde hacía referencia a la necesidad de modificarlo de manera que respondiera mejor a las variaciones que había ido sufriendo la obra con el tiempo. En unas declaraciones realizadas en *La Razón* de Buenos Aires (28-XI-1933, págs. 148-151) exclamó: «Yo hubiera clasificado a *La zapatera prodigiosa* como pantacomedia, si la palabra no me sonara a farmacia [...]; la obra es casi un ballet, es una pantomima y una comedia al mismo tiempo».

[18] Sobre la situación de estos géneros durante el período, véanse Dru Dougherty y M.ª Francisca Vilches de Frutos, *La escena madrileña entre 1918 y 1926. Análisis y documentación*, Madrid, Fundamentos, 1990; M.ª Francisca Vilches de Frutos y Dru Dougherty, *La escena madrileña entre 1926 y 1931. Un lustro de transición*, Madrid, Fundamentos, 1997 (en adelante citado como *La escena madrileña 1926-1931*), y Jesús Rubio Jiménez, *El teatro poético en España. Del Modernismo a las vanguardias*, Murcia, Universidad, 1993.

17

nadina ajusticiada por defender sus ideas liberales frente al régimen absolutista de Fernando VII. Indagó en los recursos expresivos del teatro poético que tantos éxitos habían dado a Eduardo Marquina, Francisco Villaespesa y los hermanos Machado en *Doña Rosita*, convertida en tragicomedia, que suponía un alegato en favor de la libertad de las solteras, sacrificadas por el ambiente social de la época. Profundizó en la fuerza dramática de los personajes del drama simbólico en *Yerma*, quien, como sus predecesoras de la tragedia clásica, mata a su marido cuando comprueba que jamás le dará los hijos añorados para satisfacer sus instintos maternales, y en *El maleficio*, que, bajo el equívoco subtítulo de comedia, esconde, sin embargo, el drama de un macho cucaracha enamorado de una mariposa sin alas.

Al igual que Valle-Inclán y otros creadores de la vanguardia española, la farsa fue para Federico uno de sus vehículos preferidos a la hora de plantear algunos de sus experimentos teatrales más interesantes y aprovechar las posibilidades expresivas de otros géneros[19]. La posibilidad de recrear sus temas y personajes, la indefinición de sus tipos, sus conexiones con los estilizados protagonistas del teatro de títeres, el juego con la realidad y la fantasía en sus tramas, y la potencial apertura de su formato breve le permitieron concretar sus ansias vanguardistas. Así ocurre en *Amor de don Perlimplín*, cuyo personaje, un viejo cornudo enamorado de su mujer, asume, disfrazado, el papel de amante y muere dramáticamente para dejar el recuerdo de este amor en el corazón de su esposa, o en *La zapatera*, presentada genéricamente como farsa, pero que rebasó sus límites para acercarse al entremés y a las comedias de costumbres. También realizó dentro de los cauces farsescos sugestivas recreaciones de temas y personajes infantiles en obras como *Los títeres*, *Tragicomedia* y el *Retablillo*,

---

[19] Véase Barry E. Weingarten, «La estética de la farsa violenta lorquiana y el esperpento valleinclanesco», *HJo*, XII, 1991, 1, págs. 47-57, y Dru Dougherty, «Poética y práctica de la farsa: *La Marquesa Rosalinda*, de Valle-Inclán», en Vilches y Dougherty, 1996, págs. 125-144. No es la única relación con Valle. Ruiz Ramón ha señalado también su atracción por la trilogía como estructura («Lorca y la trilogía clásica: introducción a un proceso», en Berchem y Laitenberg, 2000, págs. 117-132).

donde sus populares protagonistas (en especial, Cristobica), se tratan en clave de tragicomedia.

Si bien en los textos antes citados utilizó elementos de la tragedia, es en *Bodas* donde mejor se aprecia su interés por ofrecer a unos personajes dominados por la fuerza inexorable de un destino que los lleva a unirse y provoca así la muerte de los dos jóvenes que aman a la novia —el marido y el antiguo amante— sin que se pueda evitar el enfrentamiento, presagiado ya desde el comienzo. Incluso en sus tentativas más alejadas de los cauces genéricos tradicionales —*El público, Así que pasen* y *Comedia sin título*— jugó con algunos de sus elementos más significativos al ofrecer en clave de tragedia la historia del amor no correspondido del joven hacia la novia y la mecanógrafa en *Así que pasen,* o la frustración de la actriz que ama al autor sin ser correspondida en *Comedia sin título,* sin olvidar la compleja relación de las figuras de los pámpanos y los cascabeles, los dos amantes de *El público.*

Pocos hombres de teatro han abordado con tanta sensibilidad algunos de los temas clásicos de la literatura universal: la percepción del amor como algo inasequible, como un sentimiento sin límites que sobrevive exclusivamente en el recuerdo, única alternativa a su fugacidad; la dialéctica entre *eros* y *thanatos*; la defensa de la identidad y de la libertad frente a las convenciones sociales; el rechazo a la envidia y la maledicencia; las graves consecuencias de la ambición humana...

Todo el teatro lorquiano es un canto al amor imposible, fugaz, prohibido, incapaz de concretarse en una realidad tangible sin que conlleve la muerte o la renuncia a la propia identidad: «Si de ella te enamoras, ¡ay de ti!, morirás» (pág. 193)[20], exclama la Curiana nigromántica al joven curianito de *El maleficio,* quien, poco consciente de su condición de cucaracha *«espera un gran misterio que ha de decidir su vida...»* (pág. 180). Al retomar este tema de la tradición literaria, García Lorca deja

---

[20] Las citas correspondientes a *El maleficio de la mariposa,* proceden de la edición de Miguel García Posada de Federico García Lorca, *Obras completas. Primeros escritos,* IV, Madrid, Galaxia Gutenberg/Círculo de Lectores, 1997.

en él la impronta de una época, marcada por lo que más adelante será una de las características que definan el siglo que le tocó vivir. Es un tema que en su obra se asocia una y otra vez a la defensa de la propia individualidad, a una militancia casi ciega por la libertad, como condiciones sustanciales del ser humano.

Quizás sus textos más representativos sean aquellos en los que reflexiona sobre la tragedia del amor no correspondido en el medio rural de la Andalucía profunda de comienzos de siglo. Como más adelante se podrá ver con más detalle en el análisis de *La casa de Bernarda Alba*, García Lorca defiende la fuerza de los instintos amorosos por encima de los criterios de la razón, de las decisiones personales de los individuos frente a las convenciones sociales, a pesar del trágico fin que puedan acarrear. Lo hace también en *Bodas*, otra historia de trasgresión afectiva con proyección social que finaliza con la muerte de los dos antagonistas. A pesar de la desgracia, a punto de caer el telón, la novia se dirige con valentía a la madre defendiendo su acción:

> ¡Porque yo me fui con el otro, me fui! *(Con angustia.)* Tú también te hubieras ido. Yo era una mujer quemada, llena de llagas por dentro y por fuera, y tu hijo era un poquito de agua de la que yo esperaba hijos, tierra, salud; pero el otro era un río oscuro, lleno de ramas que acercaba a mí el rumor de sus juncos y su cantar entre dientes. Y yo corría con tu hijo que era como un niñito de agua fría y el otro me mandaba cientos de pájaros que me impedían el andar y que dejaban escarcha sobre mis heridas de pobre mujer marchita, de muchacha acariciada por el fuego (pág. 472)[21].

Insiste en ello con *Yerma*, la enamorada esposa que desea trascender su naturaleza humana a través del único medio posible para la condición mortal, la perpetuación por la maternidad. Un mismo instinto que lleva al grito del maniquí de *Así que pasen* al comprender que nunca se celebrará la

---

[21] Las citas del resto de los textos lorquianos proceden de la edición de Miguel García Posada de las *Obras completas. Teatro*, II, Madrid, Galaxia Gutenberg/Círculo de Lectores, 1997.

boda entre el joven y la muchacha: «Mi hijo. ¡Quiero a mi hijo! / Por mi falda lo dibujan / estas cintas que me estallan / de alegría en la cintura. / ¡Y es tu hijo!» (pág. 366).

Pero también introdujo este tema universal, el amor imposible[22], en el marco de las pequeñas ciudades de provincias, una de las cuales, Granada, constituye el universo de algunas de sus mejores creaciones teatrales. En *Doña Rosita* es el rechazo social hacia la soltería lo que impide a la protagonista, Rosita, vivir feliz esperando la llegada de su prometido que había emigrado años atrás a América para buscar fortuna y le había prometido regresar para casarse con ella. Cuando su tía pretende sacarla de su aparente engaño y aislamiento, reivindica la necesidad de vivir en el engaño, de crear unos paraísos propios en un complicado sistema de relaciones que rezuma hostilidad hacia los seres humanos:

> Yo lo sabía todo. Sabía que se había casado; ya se encargó un alma caritativa de decírmelo, y he estado recibiendo sus cartas con una ilusión llena de sollozos que aun a mí misma me asombra. Si la gente no hubiera hablado; si vosotras no lo hubiérais sabido; si no lo hubiera sabido nadie más que yo, sus cartas y su mentira hubieran alimentado mi ilusión como el primer año de su ausencia. Pero lo sabían todos y yo me encontraba señalada por un dedo que hacía ridícula mi modestia de prometida y daba un aire grotesco a mi abanico de soltera (pág. 574).

En *Mariana Pineda* son los imperativos políticos los que impiden la unión entre Pedro de Sotomayor y la joven heroína, luchadores ambos contra el régimen absolutista. Recluida ya en el convento de Santa María Egipcíaca y, a punto de ser ajusticiada, la protagonista, Mariana, confiesa sus desvelos y las motivaciones de su conducta, un alegato en favor de la diversidad de opciones:

---

[22] Véanse Jean-Paul Borel, *El teatro de lo imposible,* Madrid, Guadarrama, 1966 *(Théâtre de l'impossible,* Neuchâtel, Baconnière, 1963), e Ian Gibson, «Federico García Lorca y el amor imposible», en Díez de Revenga y De Paco, 1999, págs. 135-160.

¡Morir! ¡Qué largo sueño sin ensueños ni sombras!
Pedro, quiero morir
por lo que tú no mueres,
por el puro ideal que iluminó tus ojos:
¡¡Libertad!! Porque nunca se apague tu alta lumbre,
me ofrezco toda entera.
¡¡Arriba, corazón!!
¡Pedro, mira tu amor
a lo que me ha llevado!
Me querrás, muerta, tanto, que no podrás vivir (págs. 170-171).

El marco escénico se presenta más intemporal en sus obras surrealistas, dentro de las que se ha incluido a *Así que pasen*, *El público* y *El sueño de la vida*[23]. Ya en uno de sus diálogos juveniles, *Quimera*, planteaba la imposibilidad de disfrutar de un verdadero amor en el presente cuando al salir la mujer a la ventana a despedir al protagonista, Enrique, el viejo le recuerda la pasión de sus relaciones en su juventud, a lo que ambos contestan que lo recordarán hasta la muerte. García Lorca reflexiona en ellas sobre una de las facultades que más ayudan al ser humano en el arduo camino hacia el envejecimiento, su capacidad para volver a vivir mediante el recuerdo. En la claustrofóbica habitación de *Así que pasen*, donde se defiende la necesidad de alejar el amor de la cotidianeidad y someterlo a la prueba del paso del tiempo, dos de sus personajes, denominados genéricamente *el joven* y *el viejo*, conversan sobre la irrealidad del amor y defienden la importancia del recuerdo como alternativa a su naturaleza fugaz:

---

[23] Véanse Manuel Durán, «El surrealismo en el teatro de Lorca y Alberti», *Hispa*, 1957, págs. 61-67; C. Brian Morris, *Surrealism and Spain. 1920-1936*, Cambridge, Cambridge University Press, 1972; Miguel García-Posada, «Lorca y el surrealismo: una relación conflictiva», *Íns*, XLIV, 1989, 515, págs. 7-9; Andrew Anderson, «Bewitched, Bothered and Bewildered: Spanish Dramatists and Surrealism, 1924-1936», en Morris, 1991, págs. 240-281, y *«El público, Así que pasen cinco años* y *El sueño de la vida*: Tres dramas expresionistas de García Lorca», en Dougherty y Vilches 1992 (en adelante citado como *El teatro en España*), págs. 215-226; Paul Julian Smith, «Lorca and Foucault», en *The Body Hispanic. Gender and Sexuality in Spanish American Literature*, Oxford, Clarendon, 1989, págs. 105-137; Julio Huélamo, «La influencia de Freud en el teatro de García Lorca», *BFFGL*, 1989, 6, págs. 59-83, e Inés Marful Amor, *Lorca y sus dobles*, Kassel, Reichenberger, 1991.

Me gusta tanto la palabra recuerdo. Es una palabra verde, jugosa. Mana sin cesar hilitos de agua fría (pág. 332).

Es ese mismo valor el que Rosita reivindica cuando exclama ante el hijo de su amiga María, ya muerta: «no hay cosa más viva que un recuerdo» (pág. 577). Enlaza, además, como en un juego de muñecas rusas, con otros grandes temas universales: los peligros que para el hombre conlleva una inadecuada percepción de la realidad, o la casualidad que rige los destinos humanos, una nueva recreación del pensamiento clásico sobre la irreversibilidad del destino. En *El público,* uno de los jóvenes estudiantes alerta a otro sobre el hecho de que «la Julieta que estaba en el sepulcro era un joven disfrazado, un truco del Director de escena, y que la verdadera Julieta estaba amordazada debajo de los asientos» (pág. 317). En *Comedia sin título,* al comentar *El sueño de una noche de verano,* el autor/personaje declara la casualidad que rige el amor:

> Todo en la obra tiende a demostrar que el amor, sea de la clase que sea, es una casualidad y no depende de nosotros en absoluto (pág. 776).

Esta inexorabilidad, unida a la dialéctica permanente entre *eros* y *thanatos*[24], aparece asimismo en otro espacio de límites inconcretos, el creado en *El maleficio,* donde sus protagonistas, pertenecientes al mundo animal —cucarachas, alacranes, gusanos y mariposas— luchan por amar y trascender a la muerte, congénita a su condición de bichos, o en *Amor de don Perlimplín,* donde esta imposibilidad se concreta en el fallecimiento del protagonista y, de esta manera, le permite abordar las consecuencias de unir el amor con la fealdad y la vejez:

> PERLIMPLÍN.—Ya muerto, lo podrás acariciar siempre en tu cama tan lindo y peripuesto sin que tengas el temor de que deje de amarte. Él te querrá con el amor infinito de los difuntos y yo quedaré libre de esta oscura pesadilla de tu cuerpo grandioso (pág. 262).

---

[24] Véase José Gerardo Manrique de Lara, «El sentido de la muerte en la obra de Federico García Lorca», en Alvar, 1988, págs. 127-168.

Ofreció otra vertiente de este mismo tema en *La zapatera*, donde se trata otro de los temas claves de la literatura universal, la defensa de la libertad del individuo frente a las convenciones sociales, y se evidencia las desgraciadas consecuencias de la envidia y la maledicencia. Recordemos que la envidia y la maledicencia son los desencadenantes de la marcha del zapatero y que es la iniciativa de los dos protagonistas la que, en definitiva, encauza la obra hacia un desenlace feliz, si así puede considerarse un final en el que la zapatera insulta a su marido llamándole pillo y granuja y se pelea con todos, como en el comienzo de la obra. La unidad temática de ambas creaciones fue puesta de relieve por la directora de escena Pura Maortua de Ucelay, quien, al frente del Club Teatral Anfistora, la repuso el 5 de abril de 1933 junto con *Amor de don Perlimplín*. En las dos obras se juega con otro de los temas preferidos por la tradición literaria española, el del «viejo y la niña», es decir, las consecuencias de los matrimonios entre personas de distinta edad. Abordado por Rodrigo de Cota, Cervantes, Fernández de Moratín, Ramón de la Cruz, Alarcón, y Pérez Galdós, entre otros, García Lorca lo actualiza incorporando variantes que modifican la moraleja. Al plantear el reconocimiento final del amor mutuo en las dos obras, bien directamente, bien a través del disfraz, se defiende la superación de las barreras sociales[25]. Pero, además, al escribir la escena de la idealización de su marido en la distancia, *La zapatera* plantea una concepción del amor como un sentimiento inseparable de la discordia, inasequible al fin y al cabo, y enlaza así con el trasfondo de su teatro más surrealista, la imposibilidad de concretarse en una realidad tangible sin que ello conlleve la renuncia a la propia identidad. En *Amor de don Perlimplín* sólo la voluntad del esposo, que adopta a través de la artimaña del disfraz la personalidad de un amante, logra obtener la correspondencia deseada, el amor de su mujer.

Pocos escritores han logrado transmitir como García Lorca la modernidad de algunos de los arquetipos de la tradición literaria clásica y popular. Las referencias a las heroínas clási-

---

[25] Véase Luis Fernández Cifuentes, «El viejo y la niña: tradición y modernidad en el teatro de García Lorca», en *El teatro en España, op. cit.*, págs. 89-102.

cas y a los personajes populares de las creaciones infantiles no podrán realizarse ya sin mencionar a algunos de los integrantes del universo teatral lorquiano. Encontramos así a la protagonista de esta edición, Bernarda Alba, símbolo del poder represivo matriarcal, esa «Tirana de todos los que la rodean [...] capaz de sentarse encima de tu corazón y ver cómo te mueres durante un año sin que se le cierre esa sonrisa fría que lleva en su maldita cara» (I, pág. 2)[26]. Pero también surgen otros iconos: Yerma, paradigma de la maternidad frustrada; Mariana Pineda, símbolo de la libertad; Perlimplín, baluarte de tantos amantes que no dudan en sacrificarse por el objeto deseado; Rosita, prototipo de las solteras que lucha por conservar su capacidad de autoengaño...

Este interés por los personajes de la tradición literaria se percibe claramente en *La zapatera*, la obra que, junto con *La casa de Bernarda Alba* y *Bodas* ha gozado más del favor popular. No es difícil atisbar rasgos de una de las grandes heroínas homéricas, Penélope, en el «asedio» que sufre la protagonista a manos de los distintos pretendientes, mientras mantiene su fidelidad hacia su marido, o de su hijo Telémaco, en el niño que aparece siempre como único apoyo para la Zapatera. Tampoco resulta imposible hablar de ciertas conexiones con la protagonista de *La fierecilla domada*, de Shakespeare. No en vano añadió al género de la obra la palabra «violenta», en una clara alusión al carácter indomable de la protagonista. Y qué decir de las amplias resonancias cervantinas de la figura del Zapatero, disfrazado de titiritero como el personaje del *Quijote,* el Maese Pedro que escenifica el romance carolingio.

Por eso, muchos de sus personajes aparecen nominados genéricamente y caracterizados por sus rasgos dominantes, sus oficios o su situación social y presentan un alto componente simbólico: el novio, la novia, el padre, la madre, la suegra *(Bodas, Los títeres)*, los jóvenes, los viejos, los niños *(Así que pasen, El paseo, Quimera),* los conspiradores, vecinas, bea-

---

[26] Las referencias a la paginación de *La casa de Bernarda Alba* proceden del autógrafo, que edito según la normativa actual sobre el uso de signos ortográficos y tipos de letra.

tas, curas, estudiantes, lavanderas, solteras, mujeres *(Mariana Pineda, La zapatera, El público, Yerma, Doña Rosita)*. Constituyen un amplio espectro que habría que analizar con detención. En muchos casos remiten a la tradición grecolatina de los coros, como se aprecia con nitidez, por ejemplo, en la escena de las lavanderas de *Yerma* o en la acción de las vecinas en *La zapatera*.

I.2.2. La creación textual desde la puesta en escena

Es la concreción escénica de estos temas, personajes y géneros lo que convierte a Federico García Lorca en baluarte del teatro más vanguardista de su época. «Un teatro es, ante todo, un buen director»[27], declaró a comienzos de los años treinta en una entrevista difundida por Marie Laffranque. Se situaba así entre los defensores del protagonismo del *metteur* dentro del complejo proceso semiológico de la representación de los textos dramáticos. Él mismo fue un prestigioso director teatral, cuyo conocimiento de la praxis escénica le permitió escribir unas obras dramáticas renovadoras que le han convertido en un autor que sintetiza como pocos la tradición y la vanguardia, en creador de un universo dramático considerado como uno de los mejores exponentes del canon teatral.

I.2.2.a. Una trayectoria definida[28]

Federico García Lorca realizó su primera incursión como director de escena en 1923, en una representación de carácter *íntimo* celebrada el día de Reyes en la casa familiar de Granada. El programa lo integraban varias piezas: *La niña que riega*

---

[27] Enrique Moreno Báez, «La Barraca», *Revista de la Universidad Internacional de Santander* (recogida por Marie Laffranque, «Federico García Lorca. Encore une interview sur La Barraca», *BHi*, LXXI, 1969, 4, págs. 604-606).
[28] He abordado esta trayectoria, en colaboración con Dru Dougherty, en «Federico García Lorca: director de escena», en *El teatro en España, op. cit.*, págs. 241-251. Véanse además Ricard Salvat, «La teatralitat de Lorca (Lorca vist als 50 anys de la seva mort)», en *Escrits per al teatre*, Barcelona, Institut del

la albahaca y el príncipe preguntón, adaptación de un cuento tradicional para niños con música de Claude Debussy, Isaac Albéniz, Maurice Ravel y Federico Pedrel; *Los dos habladores,* entremés atribuido a Miguel de Cervantes, y el *Misterio de los Reyes Magos,* anónimo del siglo XIII. El programa de mano conservado muestra la claridad con la que Federico se veía ya a sí mismo[29]. En su primera página aparece el título del espectáculo: *Títeres de Cachiporra (Cristobica),* un personaje que hacía referencia al que sucedía a la representación de *Los dos habladores.* Tras el título del cuento se especifica cómo había sido «Dialogado y adaptado al *Teatro Cachiporra Andaluz* por Federico García Lorca». Se daba así categoría de compañía al conjunto de creadores que participaron en la sesión. En efecto, se encargó de la puesta en escena y pintó las *decoraciones* realizadas por el aguafuertista Hermenegildo Lanz, que talló las cabecitas de los personajes. Inició así una de las tendencias más representativas de su producción dramática, la recuperación de personajes significativos de la tradición popular del teatro de títeres. En este caso, se trataba de Cristobícal (o Cristobítal), al que ya había dedicado un texto denominado *Cristobica,* cuya primer lectura se realizó en 1922, según se sabe por una carta de Manuel de Falla a Mora Guarnido. En su *Epistolario,* Anderson y Maurer aluden a una misiva anterior de éste último a Falla, fechada por el maestro Rodrigo en julio de 1922, en la que se menciona la existencia de un proyecto del autor para representar refundiciones del Romancero y del teatro clásico español[30].

Teatre, 1990, págs. 23-37; César Oliva, «Federico, poeta y director», en *El teatro en España, op. cit.,* págs. 147-149 y «La práctica escénica lorquiana», en Díez de Revenga y De Paco, 1999, págs. 239-255, y Antonio Sánchez Trigueros, «Federico García Lorca en escena (una invitación al teatro)», en Cuevas y Baena, 1995, págs. 179-198.

[29] Donado por Eduardo Carretero a la Casa-Museo Federico García Lorca en Fuentevaqueros. La significación de esta velada ha sido analizada por Andrés Soria Olmedo en «Una fiesta íntima de arte moderno en la Granada de los años veinte», en Soria, 1986, págs. 149-178.

[30] «Federico ha estado aquí [en Granada] unos días. Conoces todos los proyectos del "Rinconcillo" pues [Francisco] Izquierdo [Croselles] te habrá puesto al tanto de ellos [...] Uno de ellos es un viaje a la Alpujarra de Federico, Falla, Ortiz, Vilchez, algún que otro más y yo, llevando un guiñol y unos

García Lorca no abandonó este proyecto. Diez años después, en 1932, fundó, con la colaboración de Eduardo Ugarte, el Teatro Universitario La Barraca, un intento de llevar a la práctica algunas de sus ideas sobre la renovación teatral: desde la necesidad de buscar una nueva organización que no fuera la empresa privada, hasta la búsqueda de un público más preparado con gustos distintos a los imperantes en la época. Pero tan acuciante como ese programa social era el deseo de emprender una modernización de la escena. Tras la primera salida de la compañía, observó: «Para mí [...] ha sido una sorpresa y una grata experiencia ver la buena acogida del público ingenuo. Y más aún teniendo en cuenta que la representación y la puesta en escena son un tanto atrevidas, conforme a nuestro deseo de modernizar el teatro»[31]. Constituía una oportunidad para desarrollar sus ideas más vanguardistas sobre la práctica escénica: «Yo escojo, adapto, dirijo la escena y la interpretación, compongo las músicas y las danzas», precisó en 1935[32].

La dirección de este grupo suponía un nuevo paso en su afán de experimentación que, tras su regreso de Nueva York, se manifestó en múltiples declaraciones públicas. Con La Barraca, montó doce obras del teatro clásico español y una escenificación de «La tierra de Alvargonzález», de Antonio Machado[33]. Al adaptar los textos del teatro clásico español a la sensibilidad popular de los espectadores del siglo veinte se

---

romances para costearnos dando funciones en los pueblos. Otro es la fundación del teatro miniado español. Federico y Ortiz han tenido la idea de hacer un teatro de muñecos planos con fondos como los de las miniaturas de los códices antiguos para representar refundiciones del Romancero y teatro clásico español» (Federico García Lorca, *Epistolario completo*, ed. de Andrew Anderson y Christopher Maurer, Madrid, Cátedra, 1997, pág. 153, nota 440; en adelante citado como *Epistolario completo*).

[31] Antonio Agraz, «El Teatro Universitario. La primera salida y lo que hará, según García Lorca, en su próxima campaña», *Heraldo de Madrid*, 25-VII-1932, pág. 5.

[32] Silvio d'Amico, «Encuentro con Federico García Lorca», entrevista de septiembre de 1935 publicada en *Il Dramma*, Turín, 15-V-1946, recogida en Federico García Lorca, *Obras completas*, ed. Arturo del Hoyo, Madrid, Aguilar, 1965, págs. 1777-1782 (en adelante citado como *Obras completas*).

[33] Se representaron *La cueva de Salamanca, Los dos habladores, La guarda cuidadosa* y *El retablo de las maravillas*, de Miguel de Cervantes; *La vida es sueño,*

alineaba junto a los grandes renovadores de la escena del momento[34]. Siguiendo los pasos de Max Reinhardt, defendía la contemporaneidad de los clásicos[35]. Como explicó a Mildred Adams, en 1932, su idea consistía en presentar el teatro clásico *in the modern manner,* es decir «as new as the latest experiment and as old as the most ancient technique of stage setting and gesture»[36]. Le llenaba de orgullo recordar que su refundición de *La Dama Boba,* de Lope de Vega, se había representado «doscientas veces consecutivas, a teatro lleno, por una compañía argentina»[37].

¿Qué principio seguía a la hora de poner en escena una obra clásica? ¿Qué criterios aplicaba a la dirección de la compañía? Insistió en el principio de la *simplificación* a la hora de adaptar un texto clásico. En la entrevista a Mildred Adams antes citada apuntó su deseo de montar «plays of today, done in the modern manner, explained ahead of time very simply, and presented with that extreme simplification which will be necessary for the success of our plan and which makes the experimental theatre so interesting»[38]. Muchos de los fi-

---

de Calderón de la Barca (como auto sacramental); *Fuenteovejuna, El caballero de Olmedo* y *Las almenas de Toro,* de Lope de Vega; *El burlador de Sevilla,* de Tirso de Molina; *Égloga de Plácida y Victoriano,* de Juan del Enzina, y *El robo de la olla* y *La tierra de Jauja,* de Lope de Rueda. Además se llevó a escena una *Fiesta del romance,* que incluía el «Romance del Conde Alarcos» (Luis Sáenz de la Calzada, *«La Barraca» teatro universitario, op. cit.,* págs. 49-107).

[34] Véase José A. Sánchez (ed.), *La escena moderna. Manifiestos y textos sobre teatro de la época de las vanguardias,* Madrid, Akal, 1999.

[35] En una entrevista concedida al *Heraldo de Madrid* (25-VII-1932, pág. 5) insistió en la contemporaneidad de nuestros dos clásicos por excelencia: «Cervantes y Calderón no son arqueológicos, no están anticuados».

[36] «Tan nueva como el último experimento y tan vieja como la más vieja técnica de montaje de escenario y de expresión» (Mildred Adams, «The Theatre in the Spanish Republic», *Theatre Arts Monthly,* marzo 1932, entrevista recogida en *Obras completas, op. cit.,* págs. 1702-1704).

[37] Miguel Pérez Ferrero, «La conmemoración del tricentenario de Lope de Vega», *Heraldo de Madrid,* 22-VIII-1935. Véase la edición de Juan Aguilera Sastre e Inés Lizárraga Vizcarra, *Federico García Lorca y el teatro clásico. La versión escénica de La dama boba,* Logroño, Universidad de La Rioja, 2000.

[38] «También les daremos obras de hoy, hechas a la manera moderna, explicadas de forma sencilla, y presentadas del modo simplificado que se necesita para el éxito de nuestro plan y que hace tan interesante el teatro experimental» (traducción de Dru Dougherty).

gurines y de los bocetos para los decorados realizados por Benjamín Palencia y por José Caballero seguían este principio. Se trataba, pues, de *estilizar* la puesta en escena.

García Lorca era meticuloso en su trabajo de selección y dirección de intérpretes. Según el testimonio de Sáenz de la Calzada, pretendía que éstos aprendieran no sólo su papel específico, sino la obra entera (pág. 110), corregía poco, buscando la espontaneidad y frescura en la actuación (pág. 112), pensaba que la emoción había de fingirse *(ibidem)*, valoraba la capacidad de concentración del actor (pág. 114), y delimitaba con precisión el papel de cada intérprete (pág. 115). Seleccionaba a los componentes de La Barraca pensando siempre en el repertorio clásico, casi todo escrito en verso, que iba a presentar. Unos apuntes inéditos, conservados en el archivo familiar de la Fundación Federico García Lorca, permiten vislumbrar cómo escogía a los actores que formarían la compañía. Al estudiante se le exigía una lectura de textos en prosa y en verso. Junto al nombre de la persona en cuestión, anotaba si leía bien o no, caracterizando la cualidad de su voz y su aptitud para el verso. Si el estudiante prometía, indicaba el tipo de papel que le convenía. Hay que subrayar la extraordinaria importancia dada en estos apuntes a la voz, así como a la clasificación del tipo físico —dos rasgos que García Lorca tenía presentes al enjuiciar la adecuación del candidato para ciertos tipos. No sorprende que esta jerarquía se correspondiera con dos principios determinantes en su concepto de la dirección escénica: la importancia del ritmo en una representación teatral y el protagonismo del cuerpo humano en la puesta en escena.

Sobre el primero, basta recordar lo que observó durante los ensayos de *Yerma* en 1934, un montaje dirigido por Cipriano de Rivas Cherif. En una entrevista publicada en *El Sol*, explicó el efecto que buscaba en los ensayos, en los que estuvo presente asesorando a los actores y al director de escena, con el que estaba plenamente identificado[39]: «Hace falta mucho y muy cuidadoso ensayo para conseguir el ritmo que

---

[39] «De aquellos años de mi dirección artística del Español —comentaría años más tarde Rivas Cherif— estimo sobre todo en mi haber la incorpora-

debe presidir la representación de una obra dramática. Para mí, esto es de lo más importante. Un actor no se puede retrasar un segundo detrás de una puerta. [...] Que la obra empiece, se desarrolle y acabe con arreglo a un ritmo acordado es de lo más difícil de conseguir en el teatro»[40]. En esta obra, más que en ninguna otra, García Lorca puso de manifiesto su teoría sobre la necesidad de que los textos se ajustasen a un ritmo dramático, al igual que la poesía. Su presencia en los ensayos ha sido corroborada por el escenógrafo José Caballero, quien, años después, comentaría al diario *ABC* que Federico estaba «atento a los menores detalles que iba corrigiendo con una seguridad absoluta, sabiendo lo que quería, porque su intuición no le fallaba nunca. [...] Él quería que su obra funcionara con la misma precisión de un mecanismo de relojería, sin un solo fallo. [...] Porque él quería que aquello fuera un poema unitario interpretado por varias voces, sin que se perdieran las inflexiones y el ritmo de cada una de ellas, para que formaran un total bien conjuntado y medido»[41].

En relación con el otro principio, la significación de la expresión corporal, conviene recordar sus declaraciones tras ensayar el «fin de fiesta» (tres canciones populares escenificadas) compuestas para divertir al público que se acercaba a presenciar *La zapatera* en Buenos Aires: «Ya verán ustedes todo el espectáculo. En él se valoriza el cuerpo humano, tan olvidado en el teatro. Hay que presentar la fiesta del cuerpo desde la punta de los pies, en danza, hasta la punta de los cabellos, todo presidido por la mirada, intérprete de lo que va por dentro. El cuerpo, su armonía, su ritmo, han sido olvidados por esos señores que plantan en la escena ceñudos personajes, sentados con la barba en la mano y metiendo miedo desde que se les ve»[42].

---

ción, más que a nuestro repertorio, a nuestra colaboración, que tal se iniciaba, de Federico García Lorca». Véase Cipriano de Rivas Cherif, *Cómo hacer teatro: apuntes de orientación profesional en las artes y oficios del teatro español,* ed. de Enrique de Rivas, Valencia, Pre-textos, 1991, pág. 68.

[40] Alardo Prats, «Los artistas en el ambiente de nuestro tiempo», *El Sol,* 15-XII-1934 (recogida en *Obras completas, op. cit.,* págs. 1758-1763).

[41] José Caballero, «Con Federico en los ensayos de *Yerma*», *ABC,* 29-XII-1984, «Sábado Cultural», pág. I.

[42] *Obras completas, op. cit.,* pág. 1746.

Todavía realizaría una nueva incursión en el terreno de la dirección escénica con una compañía propia. Trascurridos once años desde su primera experiencia, decidió volver a dirigir otra compañía de teatro de títeres, en esta ocasión con la colaboración del artista plástico Manuel Fontanals. Así, al frente de un grupo denominado *Títeres de Cachiporra,* presentó en Buenos Aires una *Salutación al público por don Cristobícal,* interpretada por él mismo, un fragmento de *Las Euménides,* de Esquilo, y su aleluya popular, *Retablillo.* Han quedado pocos testimonios de esta representación y no se conserva ningún manuscrito titulado *Salutación al público por don Cristobícal.* Sin embargo, los periódicos de la época hacen referencia a que comenzaba con un diálogo entre Federico García Lorca y el personaje de don Cristóbal en el que recordaban una representación realizada en 1923 en Granada, un diálogo abierto donde los límites entre la ficción teatral y la realidad se diluían. En ella se mencionaba a varias personas de la intelectualidad porteña, algunas de las cuales estaban presentes en la representación, con una clara intención de acercar el espectáculo al público, un recurso empleado por los renovadores del momento.

Si su condición de director de escena se aprecia de manera precisa en su labor al frente de los colectivos de teatro fundados por él, tampoco se oculta su activa presencia en las puestas en escena que se llevaron a cabo de sus propias obras, no sólo por parte de algunas de las compañías teatrales más prestigiosas del momento, sino también de otros colectivos más reducidos pertenecientes al ámbito de los teatros de cámara. La revisión de los Archivos de la Fundación Federico García Lorca ha permitido corroborar las afirmaciones de Margarita Ucelay y descubrir algunos nuevos datos al respecto. Con ocasión del estreno de *El maleficio* supervisó día a día los ensayos de esta obra. En una carta manuscrita a sus padres, éste les comentaba su presencia constante en los ensayos de la obra: «Dentro de un rato ellos se irán al concierto y yo doliéndome muchísimo no asistir tengo que marcharme a Eslava a los ensayos que ya van algo adelantados» (Fundación Federico García Lorca). Cuatro años después diseñó unos dibujos preparatorios que ofrecían detalles para la concreción plástica de los decorados que realizaría Salvador Dalí en *Mariana Pineda*, estrenada en 1927. Pero en este montaje no sólo se preocupó de los decorados. En otra carta hablaba de cómo ha «estado ocupado en el reparto de los papeles» y debía viajar a Barcelona enseguida «para dirigirlo todo como quiere la Xirgu. Además es necesario. Decidme qué os parece. La obra tardará en organizarse un mes como *maximum*. Como hay tanta expectación por ella, yo quiero que esté cuidadísima y que salga lo mejor posible como creo que saldrá» (Fundación Federico García Lorca). Reviste especial interés una tarjeta postal enviada a su hermano Francisco, donde le comentaba el presupuesto de *seis mil duros* que Margarita Xirgu había aprobado para la presentación de *Mariana Pineda* en Barcelona. Revela, sin duda, una de sus facetas menos conocidas, la de un hombre preocupado también de los costes que suponía llevar una obra suya a escena.

El 29 de diciembre de 1930 se estrenó *La zapatera*, en un montaje surgido de la colaboración de la Compañía dramática española Margarita Xirgu y el grupo experimental Caracol, dirigido por Rivas Cherif. García Lorca, que estuvo presente en los ensayos, llegó a encarnar uno de los personajes, el del Autor, y diseñó los decorados y los figurines, realizados por Salvador Bartolozzi. Cuando Lola Membrives se dispuso a ofrecer una versión lírica de *La zapatera* al público argentino, la música fue elegida y armonizada por García Lorca, quien compuso, al parecer de Arturo Mori «unas melodías suave [sic], de clásicos sonsonetes [...] que logran alegrarnos el alma durante dos horas» (*El Liberal*, 19-III-1935, pág. 7). En esta representación de la obra, y aunque no figure como tal en los programas impresos para la misma, asumió plenamente el papel de director de escena, si consideramos la apreciación de los críticos del momento, como Antonio Espina, que afirmó: «Los actores, bien dirigidos siempre por los consejos de García Lorca, que es un gran director de escena, y no sólo con respecto a sus obras —recordemos la representación de *Peribáñez* por el Club Anfistora—, hicieron una *Zapatera prodigiosa* irreprochable» (*Sol*, 19-III-1935, pág. 2), o el crítico de *Ahora*, quien señaló: «La obra del gran poeta, el cual es también un excelente director artístico, halla en esta nueva presentación hecha por Lola Membrives el tono y el ritmo adecuado para que destaquen todos sus valores, no sólo el intrínseco de su calidad poética, sino los meramente espectaculares y folklóricos» *(Ahora,* 20-III-1935, pág. 27).

A comienzos de 1933, Federico García Lorca volvía de nuevo a los escenarios con otra creación dramática, *Bodas,* estrenada el 8 de marzo y «ensayada bajo la dirección conjunta de Eduardo Marquina y Federico García Lorca», como aparecía en una de las gacetillas de *La Voz* (3-III-1933, pág. 3). En efecto, el hermano del poeta recuerda las dificultades que le supuso dirigir una compañía tan poco capacitada para el estilo de la obra como era la de Josefina Díaz de Artigas y Manuel Collado:

> Yo asistí a los ensayos que Federico dirigía, y en los que ya mostraba su capacidad como director de escena. Había de luchar con actores no habituados a un tipo de actuación que comportaba una total rectificación del teatro al uso, enfrentados a una obra en la que el movimiento escénico y el lenguaje tienen un fondo musical, acentuado muchas veces por el verso. Así, el actor que encarnaba al Novio [Manuel Collado] ofrecía un obstáculo casi invencible. Se trataba de un excelente actor, pero había hecho su reputación en la comedia ligera y apenas podía vencer en los ensayos la imagen cómica que el público y él mismo se habían formado de su talante interpretativo. Federico tuvo que resignarse, por otro lado, a que los leñadores del acto del bosque, interpretados por modestos actores que nunca habían dicho, probablemente, un verso en escena, hicieran sus papeles a su propio modo. Es la única vez que vi a mi hermano impacientarse en la dirección. Luego, claro, los felicitó calurosamente después del estreno[43].

El protagonismo de García Lorca fue notable en el estreno de la pieza en Barcelona, dos años más tarde, como se deduce del comentario recogido en uno de los principales periódicos de la Ciudad Condal: «No es estreno *Bodas* en Barcelona. Más la calidad de esta presentación que a la obra ha dado la colaboración de García Lorca y Rivas Chériff [sic]...» *(La*

---

[43] Francisco García Lorca, *Federico y su mundo,* Madrid, Alianza, 1981, pág. 335.

Vanguardia, 24-XI-1935, pág. 11). En esta representación volvió otra vez a apreciarse su faceta de compositor ya que la «Música de escena escogida por Federico García Lorca. "La nana de Sevilla" y las entradas de boda, son originales de Federico García Lorca, que acompañará "La nana"» *(El Diluvio,* 21-XI-1935).

Su interés por la modernización de la escena española se manifestó también en su colaboración con uno de los más importantes grupos de aficionados del período: el Club Teatral Anfistora. Con él llevó a escena cuatro obras, dos propias, *La zapatera* y *Amor de don Perlimplín* [Español, 5-IV-1933], y dos ajenas, *Liliom,* de Ferenc Molnár [Español, 13-VI-1934] y *Peribáñez y el Comendador de Ocaña,* de Lope de Vega [Capitol, 25-I-1935][44]. La dirección de García Lorca no respondía a ninguna escuela determinada, «no porque no conociese los grandes directores [...] sino porque su capacidad le llevaba a tratar cualquier posibilidad de expresión». Su trabajo se acentuaba, sobre todo, en los últimos ensayos pero su concepción escénica se imponía desde el primer momento. De ahí que dedicara especial atención en el «uso sinfónico de las voces», la música como tal, el movimiento concebido como «un juego más de ritmos», y la armonía de colores en el vestuario y el decorado[45]. Los montajes del Club Teatral Anfistora siguieron la pauta de otros grupos de aficionados, principalmente el Caracol, dirigido por Rivas Cherif y el Teatre Intim, de Adrià Gual[46], en tanto se supeditaba todo a la creación de un espectáculo de arte, dirigido a un público reducido y culto.

Con el también denominado Club Teatral de Cultura, García Lorca estrenó su *Amor de don Perlimplín,* donde plasmó su interés por los mínimos detalles de la puesta en escena. En la acotación inicial a su *Teatro de aleluyas,* cuatro hojas

---

[44] Véanse de Margarita Ucelay, «Federico García Lorca y el Club Teatral Anfistora...», art. cit., págs. 51-64, y su edición de *Amor de don Perlimplín con Belisa en su jardín,* Madrid, Cátedra, 1990, págs. 159-180.

[45] Margarita Ucelay, «Federico García Lorca y el Club Teatral Anfistora...», art. cit.

[46] Véanse Juan Aguilera Sastre y Manuel Aznar Soler, *op. cit.,* y Valentina García Plata, «Primeras teorías españolas de la puesta en escena: Adrià Gual», *ALEC,* XXI, 1996, 3, págs. 291-312.

conservadas que contienen elementos básicos de la obra, realizó una serie de observaciones que revelan un profundo conocimiento de las teorías de la puesta en escena de los grandes directores del momento en relación con la creación de los espacios psicológicos a partir de la luz, el sonido y el gesto: el uso de los colores y de la luz con carácter simbólico, el distanciamiento entre la acción y el espectador, la utilización de la máscara —caretas—, la elección de la voz y de las variaciones tonales como un elemento más de la acción, etc.:

> Encuadradas en un margen obscuro se irán viendo las escenas sobre fondos verdes, amarillos y blancos. Las figuras irán siempre vestidas de negro con las manos y caras del color del fondo y los rasgos dibujados en negro. La inexpresión y la frialdad mas absoluta son los rasgos característicos de este teatro. Hay por lo tanto una trágica expresión casi sublime en los actos y palabras de sus figuras. La escena, los personajes y los versos tendrán sus caretas. Los hechos trascendentales del mundo amor y muerte aparecerán desnudos y saldrán y entrarán en escena con la misma importancia y hueco que cualquier acto trivial. A veces un acto vulgar o hechos sin trascendencia vibrará de una manera dramática intensísima junto a un hecho universal e interno que pasará mansamente. Las voces de los personajes se mantendrán en un solo tono y tendrán un eco infantil[47].

La prensa de la época confirma que Federico García Lorca cuidaba estos lenguajes a la hora de estrenar obras propias y ajenas[48]. El crítico Melchor Fernández Almagro, recordaba cómo, ya desde sus primeros pasos en la escena comercial, Federico prestaba atención «a todos los detalles con su intuición y conciencia de poeta que se sentía, a la vez, músico y pintor»[49].

---

[47] Véase la edición de Ucelay de *Amor de don Perlimplín, op. cit.,* donde se encuentra una reproducción facsímil de este fragmento y se comenta el montaje de la obra por Anfistora.

[48] Margarita Ucelay, pionera en llamar la atención sobre la condición de director teatral de Federico, menciona «veintiocho distintos montajes» en los que Federico García Lorca ejerció como director entre 1932 y 1936. Véase «Federico García Lorca y el Club Teatral Anfistora...», art. cit., pág. 52.

[49] Melchor Fernández Almagro, «El primer estreno de Federico García Lorca», *ABC,* 12-VI-1952, pág. 3.

I.2.2.b. Federico García Lorca y la vanguardia

En efecto, en sus textos se aprecian con claridad aspectos tan relevantes como la potenciación de la percepción sensorial por encima de la racional como elemento de conexión con el subconsciente colectivo; la ruptura de los límites entre la realidad y la ficción, o la defensa de la sencillez y estilización como instrumentos de acercamiento a unos códigos más universales. Fueron estos intereses los que le llevaron, como a sus contemporáneos más renovadores —Antoine, Appia, Meyerhold, Jessner, Tairov, Dullin, Rolland, Craig,[50] Reinhardt...—, a la valoración del ritmo y de la prosodia como medio de proximidad a grandes públicos, al uso de los recursos cromáticos por su importante connotación simbólica y estilizadora, al empleo de la luz y el sonido para la creación de espacios psicológicos alejados de la razón, y a la introducción de técnicas de distanciamiento mediante estructuras discontinuas, elementos recurrentes o potenciación de la gestualidad de los actores[51]. El deseo de recrear el mundo de los sentidos se percibe nítidamente en obras como *Comedia sin título,* donde él mismo, en el personaje del autor, se pregunta: «Pero ¿cómo se llevaría el olor del mar a una sala de teatro, o cómo se inunda de estrellas el patio de butacas?» (pág. 770).

Es en las complejas tramas discontinuas de *Así que pasen, El público, Comedia sin título, El paseo* y *La doncella, el marinero y el estudiante* donde mejor se percibe la ruptura con las tramas y convenciones teatrales de la comedia y del drama realista y naturalista. Conviven en estas obras con el resto de los personajes reales desde los muertos —un niño y su gato— hasta pámpanos, cascabeles y caballos con trompetas. Para

---

[50] Véase María Ángeles Grande Morales, *La noche esteticista de Edward Gordon Craig. Poética y práctica teatral,* Alcalá, Universidad de Alcalá, 1997.

[51] Han señalado la influencia decisiva de su estancia neoyorquina en sus planteamientos teatrales Dru Dougherty («Lorca y las multitudes: Nueva York y la vocación teatral», *BFFGL,* 1992, 10-11, págs. 75-84) y Andrew A. Anderson («On Broadway, Off Broadway: García Lorca and the New York Theatre, 1929-1930», *Gestos,* 1993, 16, págs. 135-148).

Federico, sin embargo, eran personajes de mundos tal reales como los de la vida cotidiana:

> Con toda modestia debo advertir que nada es inventado. Ángeles, sombras, voces, liras de nieve y sueños existen y vuelan entre vosotros, tan reales como la lujuria, las monedas que lleváis en el bolsillo, o el cáncer latente en el hermoso seno de la mujer, o el labio cansado del comerciante (*Comedia sin título*, pág. 769).

Sin embargo, conviene no olvidar tampoco su rechazo a una percepción racional en su teatro más *convencional*, donde esta ruptura de los límites entre la realidad y la ficción se aprecia en la reiterada presencia de personajes no humanos: la luna aparece convertida en «*un leñador joven con la cara blanca*» (pág. 457) y la muerte, transformada en mendiga en *Bodas*; habrá un mosquito, una hora del reloj y unos muñequitos que comparten los problemas de los protagonistas en la *Tragicomedia* y el *Retablillo*; dos duendes vivirán en el mismo universo que los hombres y mujeres de *Amor de don Perlimplín*, etc.

En la consecución de esta trasgresión de los contornos realistas, recurrió a todo género de técnicas de distanciamiento que permitieran al espectador cuestionarse la veracidad de la ficción teatral. Una de las más utilizadas fue la ausencia de una clara delimitación entre el escenario y el público. *El maleficio* empieza con un prólogo del autor donde anuncia al público que el cuento que va a relatar le fue confiado por un «viejo silfo del bosque escapado de un libro del gran Shakespeare» (pág. 168). *La tragicomedia* se inicia con la advertencia del Mosquito sobre su deseo y el de la compañía de llegar a «la gente sencilla» huyendo del «teatro de los burgueses» (pág. 40). *La zapatera* muestra al autor rogando al público atención y benevolencia mientras es interrumpido por las voces de la zapatera que clama por salir a escena. En el prólogo inicial del *Retablillo*, el director se dirige al poeta pidiéndole silencio, hecho que vuelve a repetir cuando exige a don Cristóbal y a la señá Rosita que salgan a escena, porque el público les está esperando. En *Amor de don Perlimplín*, los dos duendes emprenden un diálogo dirigido al público donde manifiestan su preocupación por mostrar la bondad del personaje. En *Así que pasen* y *El público*, los personajes pasarán con facilidad de un mundo a otro, confundiéndose los límites de la representación. En *La doncella, el marinero y el estudiante*, introduce a algunos de sus mejores amigos cuando la doncella se va a lanzar al abismo al finalizar la obra: «*Emilio Prados y Manolito Altolaguirre, enharinados por el miedo del mar, la quitan suavemente de la baranda*» (pág. 180). Y qué decir de *El público*, un texto metateatral, donde se plantean las relaciones entre el poeta y el público, y de *Comedia sin título*, en la que el autor entra en discusión con unos espectadores, convertidos en personajes, que le recriminan el carácter poco convencional de su teatro[52].

García Lorca buscó asimismo el alejamiento del espectador de la ficción dramática a través de indicaciones precisas sobre la gestualidad y la prosodia de los personajes en la línea de teatralización propugnada por Evreinov. En los *Títeres de Cachiporra*, García Lorca advierte al espectador/lector de la intención tragicómica del género en la acotación que acompaña a la declaración de Rosita a su novio —«*(Pausa, en la que Rosita llora cómicamente, casi ahogada.)* ¡No me puedo casar contigo!*» (pág. 50)—, o dándole la comicidad del vodevil al encuentro en el armario de los dos novios de Rosita, Currito y Cocoliche. En *La zapatera*, el acto primero termina con todas las vecinas ataviadas con figurines de diferentes colores rodeando como en un baile a la zapaterita —«*Todos adoptan una actitud cómica de pena*» (pág. 215)— o al personaje de Don Mirlo «*Le tiembla la voz y mueve la cabeza como un muñeco de alambre*» (pág. 209).

Otro de los recursos más empleados es la introducción de elementos de recurrencia y repetición, bien de frases y canciones, bien de acciones. En el *Retablillo*, al comenzar la obra,

---

[52] Han abordado su funcionalidad, entre otros, Francesca Colequia, «The "Prólogo" in the Theatre of Federico García Lorca: Towards the Articulation of a Philosophy of Theatre», *HispaEU*, XLIX, 1986, 4, págs. 791-796; Reed Anderson, *«Prólogos y advertencias:* Lorca's beginnings», en Morris, 1988, págs. 209-232; Rosana Vitale, *El metateatro en la obra de F. García Lorca*, Madrid, Pliegos, 1991; Ana M.ª Gómez Torres, *Experimentación y teoría en el teatro de Federico García Lorca*, Málaga, Arguval, 1995; Paola Ambrosi, «El prólogo en la concepción dramática lorquiana», *ALEC*, XXIV, 1999, 3, págs. 389-409, y Sarah Wright, *The Trickster Function in the Theatre of García Lorca*, Londres, Tamesis, 2000.

el encuentro de don Cristóbal y el enfermo se ve acompañado por constantes salutaciones y reiterativos movimientos
que alejan al espectador de la ficción que contempla:

> ENFERMO.—*(Saliendo.)* Buenos días.
> CRISTÓBAL.—Buenas noches tenga usted.
> ENFERMO.—Buenos días.
> CRISTÓBAL.—Buenas noches.
> ENFERMO.—Buenas tardes.
> CRISTÓBAL.—Noches negras.
> ENFERMO.—*(Tímido.)* Quizá te pueda dar las buenas noches.
> CRISTÓBAL.—Buenas noches cerradas (pág. 400).

Estos elementos de recurrencia se perciben también en la
inclusión de canciones populares de índole infantil como la can-
ción de Doña Rosita: «Con el vito, vito, vito, / con el vito
que me muero, / cada hora, niño mío, / estoy más metida en
fuego» (pág. 52), que se repetirá en otras dos obras, la *Tragicomedia* y el *Retablillo*, o estructuras reiterativas como en *Así
que pasen*, donde la joven exclama varias veces: «Verdad. / Perdí mi deseo, / perdí mi dedal, / y en los troncos grandes / los
volví a encontrar» (págs. 371-372).

En su rechazo a la racionalidad del teatro realista y naturalista trató de imprimir en sus obras una vertiginosidad más
acorde con el ritmo impuesto por los adelantos técnicos presentes cada vez más en la vida cotidiana. Sus textos ofrecen
estructuras integradas por numerosas y breves escenas que
llegan a una notable discontinuidad en sus tramas surrealistas. Son creaciones que remiten a su afición por el cine, del
que extrajo algunas de sus técnicas para acentuar la percepción sensorial[53]. En *La zapatera*, existen acotaciones precisas
sobre los gestos de los actores, en las que llega a sugerir que
se trata de una escena de cine. El acto segundo se abre con
una didascalia en la que se indica:

---

[53] Véanse Brian Morris, *This Loving Darkness. The Cinema and Spanish
Writers. 1920-1936*, Nueva York, Oxford University Press, 1980; Rafael Utre-
ra, *García Lorca y el cinema. Lienzo de plata para un viaje a la luna*, Sevilla, Edisur,
1982, y *Federico García Lorca/Cine (El cine en su obra, su obra en el cine)*, Sevilla,
AECA, 1987; José Agustín Mahieu, «García Lorca y su relación con el cine»,
CH, 1986, 433-434, págs. 119-128; Ana M.ª Gómez Torres, «El cine imposi-

Al actor que exagere lo más mínimo en este tipo, debe el Director de escena darle un bastonazo en la cabeza. Nadie debe exagerar. La farsa exige siempre naturalidad. El Autor ya se ha encargado de dibujar el tipo y el sastre de vestirlo. Sencillez. El Mozo se detiene en la puerta. Don Mirlo y el otro Mozo vuelven la cabeza y lo miran. Ésta es casi una escena de cine. Las miradas y expresión del conjunto dan su expresión (pág. 216).

Sirva como ejemplo el comienzo de *El paseo*, su homenaje más directo al Séptimo Arte, una compleja estructura que muestra a Buster Keaton asesinando a sus cuatro hijos con un puñal de madera y montando en una bicicleta mientras un negro come un sombrero de paja y un loro revolotea.

Federico García Lorca insistió en sus declaraciones en el principio de la *simplificación* «que hace tan interesante el teatro experimental» en la línea de Reinhardt o Craig. Como medio de acercamiento a grandes públicos y códigos de entendimiento más universales, intentó *estilizar* la puesta en escena buscando acciones y diseños reducidos a sus esquemas más puros. Al igual que hiciera Gaston Baty, recurrió para ello a las creaciones de la literatura infantil. Las obras donde mejor se concreta esta recreación del mundo infantil son *Amor de don Perlimplín*, la *Tragicomedia* y *Retablillo*. Recuperó así las figuras de Cristobícal, a quien dio una configuración de carácter represivo y una caracterización de marido burlado, «primo del Bululú gallego y cuñado de la tía Norica, de Cádiz; hermano de Monsieur Guiñol, de París, y tío de don Arlequín, de Bérgamo, como a uno de los personajes donde sigue pura la vieja esencia del teatro» *(Retablillo*, pág. 411), y Perlimplín, un personaje «ridículo, feo, jorobado, bajo y rico», del que, como ha señalado Margarita Ucelay, «hace un héroe altamente estilizado y trágico»[54].

Esta estilización se concreta también en la utilización de sencillos elementos simbólicos en decorados y figurines. Las

---

ble de Federico García Lorca», en Anderson, 1999, págs. 43-68, y Teresa García-Abad García, «*Viaje a la luna*: del texto *óstrakov* a la imagen onírica», en Vilches, 2001, 1, págs. 27-44.

[54] Véase la introducción realizada por Margarita Ucelay a *Amor de don Perlimplín con Belisa en su jardín, op. cit.*, págs. 20-55.

constantes alusiones que aparecen en sus acotaciones escéni-
cas revelan la importancia que otorgaba a estos aspectos. En
Mariana Pineda unas notas sobre el decorado de una de las
didascalias relacionan la acción con las estampas de los romances populares:

> *Telón representando el desaparecido arco árabe de las Cucharas
> y perspectiva de la plaza Bibarrambla. La escena estará encuadra-
> da en un margen amarillento, como una vieja estampa, iluminada
> en azul, verde, amarillo, rosa y celeste [...] Luz de luna* (pág. 84).

En la acotación inicial de *Amor de don Perlimplín,* el escritor da instrucciones muy precisas sobre los colores de las paredes —verdes— y muebles —negros— pintados en los decorados con la intención de que la obra sugiera la ingenuidad
e infantilismo de las viñetas del teatro de aleluyas:

> *Casa de Don Perlimplín. Paredes verdes con las sillas y muebles
> pintados en negro. Al fondo, un balcón por el que se verá el balcón
> de Belisa. Perlimplín viste casaca verde y peluca blanca llena de bu-
> cles; Marcolfa, criada, el clásico traje de rayas* (pág. 242).

Este juego llega a su plenitud en obras como *El paseo,* donde
unas «viejas llantas de goma y bidones de gasolina» (pág. 181)
sugieren el entorno de una gran ciudad, Filadelfia.

La importancia de la percepción sensorial se aprecia, en especial, en la atención que dedicó a los elementos cromáticos
en el decorado y los figurines. Si por una parte permiten al
espectador adentrarse en la fuerza connotativa del mundo
sensorial lorquiano, por otra parte albergan también, como
ya he señalado, un interesante objetivo estilizador.

Federico trabajó constantemente con las sugerencias simbólicas de los colores. En sus textos gustó de la utilización
del verde como símbolo de la vida y de la libertad en los figurines de varios personajes: la Adela de *La casa de Bernarda
Alba,* la zapaterita y María, la amiga de doña Rosita. Empleó
los colores blanco y azul asociados a aspectos relacionados
con la muerte. El blanco sugiere el carácter casi religioso de
la tragedia que va a acontecer en *Bodas;* el último cuadro del

acto tercero se planteará en una habitación dominada por el color blanco:

> *Habitación blanca con arcos y gruesos muros. A la derecha y a la izquierda escaleras blancas. Gran arco al fondo y pared del mismo color. El suelo será también de un blanco reluciente. Esta habitación simple tendrá un sentido monumental de iglesia. No habrá ni un gris, ni una sombra, ni siquiera lo preciso para la perspectiva* (pág. 466).

El azul es el color del vestido del niño muerto de *Así que pasen*, al igual que el de los dos criados en el último acto: «*vestidos con libreas azules y caras palidísimas que dejan en la izquierda del escenario dos taburetes blancos*» (pág. 382)[55].

Indagó en las posibilidades expresivas del rojo para representar el amor pasional, sin contención, de la sangre que precede a la muerte, un claro símbolo de la unión de *eros* y *thanatos;* es el color de la «capa roja» de Perlimplín, el traje rojo fuego de la actriz que encarna a Lady Macbeth de la *Comedia sin título,* y el de una de las figuras de *El público* «cubierta totalmente de Pámpanos rojos» (pág. 289).

García Lorca experimentó a menudo con las variaciones cromáticas en el diseño de los figurines para expresar las transformaciones de los estados de ánimo de los protagonistas: *Mariana Pineda* entra «vestida de malva claro» (pág. 89) y, convertida ya en mártir, aparece en la última estampa con un «espléndido traje blanco» (pág. 151). El traje rosado del personaje principal de *Doña Rosita* a lo largo de toda la representación es sustituido al final, cuando van a marcharse de la casa, por uno blanco (pág. 579).

Incluso en numerosas ocasiones intentó plasmar en sus creaciones una sinfonía de colores. Los personajes de las vecinas de *La zapatera,* ataviados con figurines en rojo, morado, negro, verde y amarillo, llegan a provocar un impresionante efecto plástico en su deambular coreográfico y recuerdan los colores de los cartelones pintados de las historias de ciego, divididas en pequeños cuadros de colores chillones.

---

[55] Eugenio Granell ha redundado en la asociación del amarillo con la muerte *(Escritos sobre Federico García Lorca,* La Coruña, Fundación Eugenio Granell, 1998, pág. 27).

Ruptura de los límites de la realidad, estilización y sencillez, percepción sensorial no podrían tener lugar sin la atención que Federico prestó en sus obras a los juegos luminotécnicos en la línea de Appia, Jessner y Dullin. Son numerosas las acotaciones donde se distingue la importancia de la luz como elemento de significación dentro del proceso de comunicación teatral. La luz desempeña un destacado papel en el prólogo con el que se inicia *La zapatera*, al permitir en este caso hacer comprender al espectador el paso a la ficción:

> *(Se descorre la cortina y aparece el decorado con tenue luz.)* [...]
> *(Va creciendo la luz.)* [...] Buenas noches. *(Se quita el sombrero de copa, y éste se ilumina por dentro con una luz verde, el Autor lo inclina y sale de él un chorro de agua)* (págs. 196-197).

En *Comedia sin título*, la transformación de la actriz de Titania en Lady Macbeth se realiza a través de los juegos luminotécnicos —«*(La luz se cambia lentamente por una luz azul de luna)*» (pág. 778), mientras la actriz exige luz roja para la escena final *(ibidem)*, y «*(El teatro se ilumina de rojo)*» (pág. 786). Gracias a ellos es posible simbolizar la clandestinidad de la acción de Yerma cuando se dirige con la muchacha a ver a Dolores, la conjuradora:

> *(La escena está casi a oscuras. Sale la Hermana 1.ª con un velón que no debe dar al teatro luz ninguna, sino la natural que lleva. Se dirige al fin de la escena buscando a Yerma. Suenan las caracolas de los rebaños)* (pág. 510).

En *Así que pasen*, permite sugerir la presencia de la muerte: la entrada del niño y el gato se acompaña con una «*luz* [que] *desciende*», mientras «*una luminosidad azulada de tormenta invade la escena*» (pág. 340). Es «tenue» mientras están el niño y la gata en escena (pág. 346) y «*vuelve a su tono primero*» (pág. 347) al desaparecer el primero.

En su acercamiento a las raíces del inconsciente colectivo para llegar a los grandes públicos, como plantearan Meyerhold o Tairov en su teatro sintético, García Lorca insistió en la necesidad de que las obras se ajustasen a un ritmo dramático, al igual que la poesía. Esta importancia del ritmo fue corroborada por el escenógrafo José Caballero, quien comentó al diario *ABC:*

> Él quería que su obra funcionara con la misma precisión de un mecanismo de relojería, sin un solo fallo. Aún recuerdo cómo trabajó en el montaje de la escena de las lavanderas. Cada cual decía a su manera el parlamento correspondiente; Federico, en plena nerviosidad de dirigir, exclamaba: «¡No, no. Así no! ¡No perder el ritmo!» Porque él quería que aquello fuera un poema unitario interpretado por varias voces, sin que se perdieran las inflexiones y el ritmo de cada una de ellas, para que formaran un total bien conjuntado y medido[56].

La significación que daba al ritmo explica sin duda la importancia otorgada a la música y la coreografía en sus piezas teatrales. La consideración de la música «como un juego de ritmos», como un aspecto esencial del proceso de creación y representación teatral constituye otra de las grandes aportaciones del teatro lorquiano a la renovación de la escena de entonces. Son muchas las referencias musicales y las canciones populares que incluyó en todas sus creaciones y llama poderosamente la atención la utilización simbólica realizada con los instrumentos, que adquieren rango de personajes y representan objetos y espacios, o hacen referencia a estados de ánimo[57].

Dos violines representan el bosque en la escena de la muerte del tercer acto de *Bodas.* La guitarra permite en *Los títeres* la introducción del sueño de doña Rosita y expresa la soledad de *Mariana Pineda* en el huerto. En *Amor de don Perlimplín,* la entrada de los duendes se realiza al son de unas

---

[56] José Caballero, «Con Federico en los ensayos de *Yerma*», *ABC,* 29-XII-1934, Sábado Cultural, pág. I.

[57] Véanse Virginia Higginbotham, «Lorca's Soundtrack: Music in the Structure of his Poetry and Plays», en Morris, 1988, págs. 191-207; Fiamma Nicolodi, «Federico García Lorca, Manuel de Falla e la musica», en Dolfi, 1989, págs. 229-249; Jorge de Persia, «Lorca, Falla y la música. Una coincidencia intergeneracional», en Pérez Bazo, 1998, págs. 427-430; Susana Zapke (ed.), *Falla y Lorca. Entre la tradición y la vanguardia,* Kassel, Reichenberger, 1999, y Carol Hess, *Manuel de Falla and Modernism in Spain. 1898-1936,* Chicago/Londres, The University of Chicago, 2001.

flautas. El sonido de las trompetas precede a la aparición de los cuatro caballos de *El público*. El piano acompaña la melancolía de doña Rosita por el anuncio de la marcha de su novio. Las caracolas de los pastores simbolizan el desgarramiento de Yerma y el pastor Víctor poco antes de su marcha.

García Lorca introdujo en todas sus obras numerosas canciones populares, con lo que conectaba así con la tradición musical del teatro popular y con una importante corriente de renovación teatral impulsada por los grandes directores de la época —Romain Rolland, en especial—. Son de notable interés algunas tan conocidas como «Con el vito, vito, vito» de *Los títeres* o el cantar de los segadores de *La casa de Bernarda Alba*. Esta valoración del espacio sonoro es evidente asimismo en la atención que prestó al «uso sinfónico de las voces». Federico tomó de la tragedia griega el coro, tal como indicó en una entrevista concedida a Ricardo G. Luengo:

> Lo utilizo para dar argumento [...] para no incurrir en lentitud, porque tengo la preocupación de que todo tenga un gran ritmo[58].

Así, por ejemplo, el diálogo de las lavanderas en *Yerma* permite conocer los hechos que han originado la situación en la que se encuentran los protagonistas del drama: el ansia de maternidad de Yerma, su creciente desquiciamiento y la decisión del marido de traer a sus dos hermanas solteras para cuidar la casa.

En el mismo contexto hay que valorar la atención que otorgó a la coreografía en sus obras. El baile indica deseo de libertad y alegría —*El maleficio, Tragedia, Doña Rosita, Bodas, La casa de Bernarda Alba*...—, pero también acompaña a la muerte: los personajes desfilan en cortejo en la *Tragedia*, a ritmo de procesión, los obreros cargan con el diván de la casa de doña Rosita y «*lo sacan lentamente como si sacaran un ataúd*» (pág. 570). El baile significará acoso. En *La zapatera* la escena primera se termina con todas las vecinas ataviadas de diferentes colores rodeando como en un baile a la zapaterita que termina llorando a gritos:

---

[58] *El Mercantil Valenciano*, 15-XI-1935 (publicada en *El País*, 4-III-1987, pág. 28).

(Por la puerta empiezan a entrar Vecinas vestidas con colores violentos y que llevan grandes vasos de refrescos. Giran, corren, entran y salen alrededor de la Zapatera que está sentada gritando, con la prontitud y ritmo de baile. Las grandes faldas se abren a las vueltas que dan. Todos adoptan una actitud cómica de pena) (pág. 215).

El baile expresa el amor de los protagonistas, como en *El público*, donde la figura de cascabeles confiesa a la figura de pámpanos que «danzando es la única manera que tengo de amarte». El baile actúa metateatralmente para indicar cierto distanciamiento en *Así que pasen*, en la que la salida de los personajes en el último acto debe hacerse marcando «*con paso de baile y el dedo sobre los labios*» (pág. 379). Muchas veces los desplazamientos coreográficos van unidos simplemente a la actuación de los coros, como en *Bodas*.

Sin lugar a dudas, la condición de García Lorca como uno de los principales valores canónicos de la escena mundial se debe a su capacidad para aunar la tradición y la vanguardia a través de un teatro muy personal en el que estaban presentes las técnicas más renovadoras de la dirección de escena de entonces.

II. «LA CASA DE BERNARDA ALBA»: UN NUEVO CONCEPTO DE VANGUARDIA

II.1. *El compromiso social del intelectual*

Federico García Lorca alcanzó su madurez literaria en uno de los períodos históricos en los que mayor ha sido la influencia de lo sociopolítico en las artes y la literatura: los años que precedieron al inicio de la Guerra Civil (1936-1939) y que coincidieron con la proclamación de la República en sustitución de la Monarquía (14 de abril de 1931). Fueron numerosos los intelectuales que, por esas fechas, comenzaron a manifestar sus preocupaciones por las profundas transformaciones que se estaban produciendo en el tejido social y a defender la necesidad de comprometerse con estos cambios con el objetivo de acceder a una sociedad más justa. En abril de 1929, José Ortega y Gasset encabezó una carta, firmada, entre otros, por García Lorca, donde les instaba a salir «de ese apoliticismo, de ese apartamiento —no pocas veces reprochable— que les ha llevado a desentenderse de los más hondos problemas de la vida española»[59]. Un año después, en unas declaraciones realizadas al periódico *Heraldo de Madrid,* Rivas Cherif defendía el carácter político de la creación teatral y atribuía su universalidad a su capacidad para conectar con las cuestiones más candentes de la actualidad: «La oportunidad teatral, es decir, la adecuación del drama al sentimiento público, no implica, ni mucho menos, rebajamiento del intento artístico de una Empresa. El teatro es política *pura*, acción social trascendida en poesía. La actualidad de un drama es quizá la primera condición de su clasicismo, de su perennidad histórica»[60]. Muchos escritores intentaron «concienciar» a sus lectores y espectadores sobre la necesidad de abogar por una sociedad más justa. La novela, el teatro y la poesía se convirtieron así en un activo instrumento de reforma, aunque no todos caminaron por los mismos senderos[61].

Si bien el proceso puede rastrearse ya desde mediados de los años veinte, no alcanzó su pleno desarrollo hasta los inicios de la década posterior. Se produjo entonces una estrecha interrelación entre literatura, arte, sociedad y política. *«Todo arte verdaderamente humano es expresión de un sistema de acción colectiva.* Entiéndase bien. La acción colectiva dirigida a los

---

[59] Citada por Ian Gibson (*Granada, 1936. El asesinato de García Lorca, op. cit.,* pág. 289).

[60] Mariano San Ildefonso, «La obra de don Miguel de Unamuno que se estrenará en Salamanca», *Heraldo de Madrid,* 18-II-1930, pág. 7.

[61] Han analizado este fenómeno en la novela y el teatro Francisco Carrasquer, «Sorprendente balance de la novela española de preguerra 1898-1936», Leiden, Cuadernos de Leiden, 1980, 5, págs. 27-63; Christopher Cobb, *La cultura y el pueblo: España, 1930-1939,* Barcelona, Laia, 1981, y M.ª Francisca Vilches de Frutos, «La otra vanguardia histórica: cambios sociopolíticos en la narrativa y el teatro español de preguerra (1926-1936)», *ALEC,* XXIV, 1999, 1-2, págs. 243-268. De carácter más general, véanse Manuel Tuñón de Lara, *Medio siglo de cultura española (1885-1936),* Madrid, Tecnos, 1970, y Jean Bécaraud y Eveline López Campillo, *Los intelectuales españoles durante la II República,* Madrid, Siglo XXI, 1978.

fines clásicos de la verdad y de la belleza. [...] Se trata de pintar las cualidades de la naturaleza o de la sociedad en relación con la sensibilidad contemporánea y con las radicales inclinaciones del alma moderna», escribió el novelista y político José Díaz Fernández en *El nuevo romanticismo. Polémica de arte, política y literatura* (1930), un libro clave para comprender estas cuestiones[62].

La nómina de escritores que intentaron crear un arte nuevo, sin nexos «aparentes» con las constantes literarias del pasado fue ampliándose cada vez más. Sin embargo, para muchos la renovación y la verdadera vanguardia radicaba en adecuar el arte a las transformaciones sociopolíticas. El arte debía servir para transformar las degradadas estructuras sociales. La crisis de valores y el escepticismo que parecían haberse adueñado de la sociedad española debían ser sustituidos por un *nuevo romanticismo* que generara la ilusión de alcanzar una sociedad más justa, igualitaria y pacífica. Por ello, los temas de carácter político y social fueron objeto de atención preferente en sus creaciones. Si a partir de 1926 fue posible la publicación y difusión de obras narrativas con estos contenidos, fueron escasas las obras teatrales de carácter reivindicativo que lograron llegar a ser representadas en circuitos comerciales antes de 1931. Sirva como excepción de la prohibición de estrenar textos *comprometidos* el montaje de *Sombras de ensueño*, de Miguel de Unamuno, efectuado por la Compañía Clásica de Arte Moderno, tras el regreso de éste a Salamanca, en febrero de 1930, donde se planteaba al gran público una reflexión sobre el compromiso del intelectual con la política. Es muy probable que el claro agotamiento del régimen y la importancia de Unamuno influyeran en la tolerancia hacia este estreno.

---

[62] José Díaz Fernández, *El nuevo romanticismo. Polémica de arte, política y literatura,* Madrid, Zeus, 1930, págs. 199-200. Sobre sus implicaciones, véanse José Manuel López de Abiada, «De la vanguardia deshumanizada al nuevo realismo. Notas sobre *El nuevo romanticismo* y la novela española (1923-1932)», *Ver,* 5, 1983, págs. 139-154; Laurent Boetsch, *José Díaz Fernández y la otra Generación del 27,* Madrid, Pliegos, 1985, y R. Ayéndez Alder, «García Lorca, Díaz Fernández y el compromiso social del artista», *CHisp,* X, 1988, 1-2, págs. 67-81.

Lo cierto es que la condición de espectáculo del género teatral motivó la intervención constante de la censura, que impidió las representaciones *controvertidas* en los escenarios comerciales[63], aunque sí se pudieron ver algunos de los textos más significativos de la vanguardia ideológica europea[64]. A lo largo de 1930 se estrenaron varias piezas que reflejaban la degradación de la vida de las clases menos favorecidas, ofrecían encarecidas defensas de planteamientos antibelicistas y satirizaban abiertamente los comportamientos de las clases burguesas y aristocráticas *(Maya*, de Simon Gantillon; *La maschera e il volto*, de Luigi Chiarelli; *Olimpia*, de Ferenc Molnár; *Siegfried*, de Jean Giraudoux; *Street Scene —La calle—*, de Elmer L. Rice...).

La llegada de la República, en abril de 1931, propició un cambio en los escenarios. Uno de los estrenos que mayor impacto originó fue el realizado por la Compañía Irene López de Heredia de *Farsa y licencia de la reina castiza*, de Ramón María del Valle-Inclán [Muñoz Seca, 3-VI-1931]. Su representación abrió el camino para otras creaciones con connotaciones semejantes: *Don Alfonso XIII de Bom-Bon*, de Ángel Custodio y Javier de Burgos; *Fermín Galán*, de Rafael Alberti; *Rosas de sangre o El poema de la República*, de Álvaro Orriols, etc.

A partir de 1932 empezaron a ser patentes las primeras disensiones dentro del gobierno republicano. Pronto aparecieron los síntomas de la tensión social que degeneraría en guerra civil. La difícil situación del sector agrario fue determinante en este proceso. El episodio de Casas Viejas, localidad donde se aplastó con dureza un levantamiento anarquista, marcó el comienzo de las hostilidades entre un importante sector de intelectuales y el régimen republicano, asediado también por los partidos a la derecha de su espectro político, que le culpa-

---

[63] No sólo los textos fueron objeto de censura. Véanse otras manifestaciones en *La escena madrileña*, *op. cit.*, págs. 41 y ss.

[64] Mariano Martín Rodríguez ha analizado esta decisiva incidencia en *El teatro francés en Madrid (1918-1936)*, Boulder, Society of Spanish and Spanish-American Studies, 1999, «*Azorín*, adaptador teatral: El caso de *Maya*, de Simon Gantillon», *ALEC*, XX, 1995, 3, págs. 393-408, y «El teatro del *grottesco* en España: Los estrenos madrileños de Luigi Chiarelli hasta 1936», *ALEC*, XXIII, 1998, 3, págs. 751-773.

bilizaban de las muertes de los campesinos. El desfase entre las expectativas creadas y algunas concreciones prácticas provocó aceradas quejas. Se censuró el conservadurismo de los temas que comenzaron a adueñarse de los escenarios al hilo del cambio gubernamental y se evidenció la imposibilidad de llevar a buen término las distintas iniciativas renovadoras emprendidas. En el escaso intervalo de un año se estrenaron dos piezas que constituyeron un serio llamamiento a la insurrección popular en boca de dos personalidades relevantes de los ambientes políticos y culturales del momento: *Bazar de la Providencia*, de Rafael Alberti, y *Aquí manda Narváez*, de José Antonio Balbontín. Paralelamente se producían las puestas en escena de importantes textos extranjeros como *Hinkemann*, de Ernst Toller; *Los siete ahorcados*, de Leonid Andreev; *Gas*, de Georg Kaiser; *Sin novedad en el frente*, de Erich Maria Remarque, o *La cacatúa verde*, de Arthur Schnitzler, entre otras.

En efecto, coincidiendo con el viraje político en España, se inició un proceso tendente a llevar a escena textos de carácter conservador. Benavente estrenó *Santa Rusia* [Beatriz, 6-X-1932], un alegato en favor del respeto a las diferentes perspectivas ideológicas, en un momento de cuestionamiento de las actuaciones del régimen republicano, que había sacado ya adelante su decreto de disolución de la Compañía de Jesús, al que le seguiría un año después la Ley de Congregaciones Religiosas[65]. Un año después, el teatro Beatriz sería el escenario de un extraordinario éxito comercial, *El divino impaciente*, de José María Pemán [Beatriz, 22-IX-1933], una decidida defensa de los valores monárquicos, con múltiples parlamentos en los que se ensalzaban sus ventajas. A éstos les siguieron: *Cuando las Cortes de Cádiz...* y *Cisneros*, del mismo autor, y *El rebelde*, de Joaquín Calvo Sotelo, con constantes alusiones a la situación del momento.

El gobierno volvería a contar de nuevo con el apoyo de los intelectuales tras la convocatoria de las elecciones de febrero

---

[65] Véase Luis González-del Valle, «Ideología política en varias obras de Jacinto Benavente», en Vilches y Dougherty, 1996, págs. 187-212.

de 1936, el triunfo del Frente Popular, integrado por los partidos de izquierdas, y la vuelta de Azaña, en esta ocasión como Presidente de la República. Parecía suponer la posibilidad de nuevos horizontes para la escena del período y el principio de una nueva política teatral que, sin embargo, no prosperaría ante los graves acontecimientos que sobrevendrían. Francisco J. Barnés intentó llevar adelante la creación de un Teatro Nacional que albergara dos organismos independientes, el Teatro de la Ópera y el María Guerrero. Max Aub presentó al presidente Manuel Azaña, el proyecto para la creación de un Teatro Nacional. Los escenarios comenzaron de nuevo a ofrecer obras con un significativo cariz político de signo progresista, presagiando así la conversión del teatro en un instrumento de justificación política en manos de los bandos que combatirían poco después en los frentes de la Guerra Civil. «Es necesario también que el teatro, en los actuales momentos, sea un medio de propaganda al servicio del Frente Popular para ganar la guerra, evitando a toda costa los casos lamentables en que, seguramente por inconsciencia, se ponen en nuestra escena obras que perjudican a la causa de la República», se puede leer en el preámbulo del decreto de creación del Consejo Central del Teatro, aparecido un año más tarde[66]. Sin embargo, a partir del 18 de julio de 1936, el compromiso de estos intelectuales con su acontecer histórico tuvo que realizarse ya desde el frente de la contienda bélica.

II.2. *Federico García Lorca, hombre de su tiempo*

La necesidad de superar la dicotomía entre *arte puro* y *realismo social* pasó a ser una de las preocupaciones más importantes para algunos creadores, y la salvaguarda del individuo dentro de la colectividad se convirtió en una prioridad para muchos. Se debatió sobre la distinción entre arte de masas y arte popular, derivada de la posible anulación del ser huma-

---

[66] Recogido por Robert Marrast en *El teatre durant la Guerra Civil Espanyola. Assaig d'història i documents*, Barcelona, Institut del Teatre, 1978, pág. 245.

no como integrante de un conjunto[67]. En *Juan de Mairena,* Antonio Machado escribía:

> Nosotros no pretenderíamos nunca educar a las masas. A las masas que las parta un rayo. Nos dirigimos al hombre, que es lo único que nos interesa, al hombre en todos los sentidos de la palabra: al hombre *in genere* y al hombre individual, al hombre esencial [...] En nuestros días hay que decirlo todo. Porque aquellos mismos que defienden a las aglomeraciones humanas frente a sus más abominables explotadores, han recogido el concepto de masa para convertirlo en categoría social, ética y aun estética. Y esto es francamente absurdo[68].

Como se verá a continuación, la postura de García Lorca se halla alejada del *realismo social* defendido por un importante sector de la intelectualidad española, pero no del compromiso social[69].

En la actualidad, no resulta viable aceptar el punto de vista sostenido por críticos pertenecientes a distintos espectros políticos que durante décadas han tildado a Federico de «apolítico» por su negativa a militar en ningún partido político o bien han atribuido su muerte a problemas de enemistad personal[70]. Como ha apuntado Christopher Maurer:

---

[67] Valeriano Bozal analiza este debate en «Arte de masas y arte popular (1928-1937)», *CH*, 1986, 435-436, págs. 745-762.

[68] *Juan de Mairena. Sentencias, donaires, apuntes y recuerdos de un profesor apócrifo (1936),* ed., introd. y notas de José M.ª Valverde, 2.ª ed, Madrid, Castalia, 1987, págs. 201-202.

[69] Francisco García Lorca ha aludido a ello en el capítulo «El compromiso humano y político de Federico García Lorca», en *Federico y su mundo, op. cit.,* págs. 401-418. En el mismo sentido se ha manifestado recientemente Patrick Collard en «Autorretrato del artista en maestro grave y austero (Releyendo las declaraciones de Federico García Lorca sobre el teatro)», *Acta Literaria,* 1998, 43, págs. 43-53: «A pesar de las afinidades ideológicas es obvio que García Lorca, como autor y director, se sitúa bastante lejos del sector, muy activo en la España de los años treinta, influido por las teorías del realismo socialista y obnubilado por el modelo soviético» (pág. 51). Véase Luis Mario Schneider, *II Congreso Internacional de Escritores Antifascistas (1937),* I, *Inteligencia y guerra civil en España,* Barcelona, Laia, 1978.

[70] *Ibidem,* págs. 401-418. Véase el Apéndice I de Ian Gibson, *Granada, 1936. El asesinato de García Lorca, op. cit.,* donde pueden encontrarse diversos documentos en contra de este supuesto «apoliticismo», y Marta Osorio, *Miedo, olvido y fantasía. Crónica de la investigación de Agustín Penón sobre Federico García Lorca. Granada-Madrid (1955-1956),* Granada, Comares, 2001. Todavía

Lorca sería, desde 1929, por lo menos, un colaborador activo en el nacimiento de una España nueva. Sin inscribirse jamás en ningún partido político, deja constancia en manifiestos, entrevistas y otras declaraciones públicas, de su fe en la República, su antifascismo y su solidaridad con las masas obreras[71].

La posición del autor en relación con estas cuestiones experimentó algunas variaciones en el transcurso de los años, pero resulta más coherente de lo que se ha venido señalando. Marie Laffranque, al analizar la evolución de sus ideas estéticas, las ha explicado por su alejamiento de posturas inamovibles y su permeabilidad a las distintas manifestaciones artísticas[72].

Durante décadas se ha mantenido la creencia de que la preocupación de Federico por las cuestiones sociales no se inició hasta el regreso de su viaje a Cuba y Nueva York, en el verano de 1930[73]. Sin embargo, ya en 1968, con ocasión de un homenaje en São Paulo (Brasil), Francisco García Lorca llamó la atención sobre la temprana preocupación de su hermano por los problemas sociales, patentes en varias prosas juveniles y en su libro *Impresiones y paisajes* (1918):

en 1960 Fernando Lázaro Carreter señalaba la necesidad de matizar este compromiso en «Apuntes sobre el teatro de Federico García Lorca», *PSA*, julio de 1960, en Gil, 1973, págs. 271-286.

[71] Christopher Maurer, «Sobre *joven literatura* y política: cartas de Pedro Salinas y de Federico García Lorca (1930-1935)», pág. 312, en Loureiro, 1988, págs. 297-319.

[72] «Mais il n'a jamais considéré son art comme fixé, sa manière, comme définitive, et ses dernières années sont justement celles de ses projets les plus hardis» (*Les idées esthétiques de Federico García Lorca*, París, Centre de Recherches Hispaniques, 1967, pág. 22). Sobre la existencia de algunas contradicciones en sus declaraciones, hay que cuestionar, como bien ha apuntado Margarita Ucelay, su credibilidad, puesto que pudieron ser tergiversadas por los propios entrevistadores («La problemática teatral: testimonios directos de Federico García Lorca», pág. 27, *BFFGL*, III, 1989, 6, págs. 27-58). Su hermano Francisco ha atribuido estas posibles «rectificaciones» a «cierto mimetismo de Federico debido a su afable carácter» (*Federico y su mundo, op. cit.*, pág. 302).

[73] Analizan esta cuestión Juan Cano Ballesta, «García Lorca y el compromiso social: el drama», *Íns*, XXVI, enero de 1971, 290, pág. 3; Richard L. Predmore, *Lorca's New York Poetry: Social Injustice, Dark Love, Lost Faith,* Durham, Duke University, 1980, y Francisco Caudet, «Lorca: por una estética popular (1929-1936)», *CH*, 1986, 435-436, págs. 763-778.

No creo que haya un poeta de su tiempo que tenga tantas declaraciones sobre la función social del arte, ni ninguno que haya tenido tanta fe en la capacidad de superación del pueblo [...]. Religión y arte religioso, instituciones y costumbres, la inercia social, el peso abrumador del tiempo, que rompe estímulos vitales, estancamiento, pobreza sin gracia ni limpieza (a diferencia, quizá, de la andaluza), están estigmatizados por nuestro viajero. La referencia artística, nunca exenta de la nota personal, está con frecuencia aunada a un contexto social[74].

No obstante, todavía en ese período y en el inmediatamente posterior, el interés por la problemática social no implicaba para él un posicionamiento político definido. En el proceso de elaboración y representación de su drama histórico, *Mariana Pineda,* insistió en varias ocasiones en la ausencia de una posible motivación política. Ante la polémica suscitada por la prohibición de su representación por parte del Directorio de Primo de Rivera[75], escribió una carta dirigida a sus padres, en noviembre de 1924, donde discrepaba de la perspectiva de Fernando de los Ríos y apuntaba su condición de *arte puro:* «el éxito de la obra, me he convencido de que no es *ni debe,* como quisiera don Fernando [de los Ríos], ser político, pues es una *obra de arte puro,* una tragedia hecha por mí, como sabéis, sin interés político, y yo quiero que su éxito sea un éxito *poético,* ¡y lo será!, se represente cuando se represente»[76]. Pero, lo cierto es que, a pesar de estas apreciaciones,

---

[74] *Federico y su mundo, op. cit.,* págs. 404 y 408. Eutimio Martín se pronuncia en el mismo sentido en *Federico García Lorca, heterodoxo y mártir. Análisis y proyección de la obra juvenil inédita,* Madrid, Siglo XXI, 1986.

[75] Tras comunicarle un gran entusiasmo al inicio *(Epistolario completo, op. cit.,* pág. 254), Gregorio Martínez Sierra había rechazado la obra *(ibidem,* pág. 268), las gestiones con Eduardo Marquina no habían dado fruto y le había dado largas *(ibidem,* págs. 340-341, 350-351 y 384) y Margarita Xirgu no había respondido a su propuesta *(ibidem,* pág. 384).

[76] *Ibidem,* pág. 254. Un año antes se manifestó en el mismo sentido en otra misiva enviada a Melchor Fernández Almagro: «Mariana, según el romance y según la poquísima historia que la rodea, es una mujer pasional hasta sus propios polos, una *posesa,* un caso de amor magnífico de andaluza en un ambiente extremadamente *político* (no sé si me explico bien). Ella se entrega al amor por el amor, mientras los demás están obsesionados por la Libertad. Ella resulta mártir de la Libertad, siendo en realidad (según incluso lo que se desprende la historia) *víctima* de su propio corazón enamorado y enloquecido» *(ibidem,* págs. 208-209).

no debe excluirse una intencionalidad política que muchas personas vislumbraron y que, con el tiempo se demostraría, no resultaba tan reñida con su posterior concepto del arte[77].

Su viaje a Cuba y Nueva York, donde entró en contacto con los sectores marginales y los conflictos raciales, le influyó en su trayectoria ideológica y estética, aunque resultó decisivo en este proceso el trágico sesgo que iban adquiriendo los acontecimientos políticos en España[78]. Éstos le fueron predisponiendo cada vez más hacia una actuación positiva más allá de la creación textual, evidente desde sus inicios. En noviembre de 1930, en una carta a su familia, calificó la situación española de «grave» y de «terrible» la acción de los guardias de disparar «sobre una muchedumbre totalmente indefensa»[79]. Tras el «silencio» de 1931[80], se percibe una paulatina participación de Federico en la política, aunque, hasta después del Bienio Negro, se concretara en acciones relacionadas con el arte, y, sobre todo, con el teatro[81].

García Lorca empezó a colaborar con los dirigentes republicanos en una importante iniciativa de renovación de la escena que constituiría el primer intento de promoción de un Teatro Nacional en España, junto con las Misiones Pedagógicas, creadas bajo el mandato de Marcelino Domingo, Ministro de Ins-

---

[77] También Federico pareció reconocerlo en la carta a sus padres antes mencionada: «Parece ser que el Directorio [...] no la deja poner, pero nosotros vamos a empezar a ensayarla, para tenerla preparada en la primera ocasión, que será dentro de este año, según todos creen. Desde luego, ponerla inmediatamente es imposible y vosotros lo comprenderéis, pues aunque la dejaran poner en escena, en el teatro *se armaría un cisco* y lo cerrarían, viniendo, por tanto, la ruina del empresario, cosa que nadie quiere» *(ibidem,* pág. 254).

[78] Véase Sumner M. Greenfield, «El poeta de vuelta en España: lo neoyorquino en el teatro de Lorca, 1933-1936», *BFFGL,* IV, 1992, 10-11, págs. 85-93.

[79] *Epistolario completo, op. cit.,* pág. 698.

[80] No existen, por el momento, testimonios directos suyos sobre los hechos que precedieron y siguieron a la proclamación de la II República, el 14 de abril de 1931. Sorprende la ausencia de cartas en comparación con las enviadas años atrás. Cristopher Maurer ha desvelado cómo uno de sus amigos, Pedro Salinas, en una carta a Jorge Guillén le consideró «invisible» («Sobre *joven literatura* y política...», art. cit., pág. 307).

[81] Recordemos cómo por esas fechas comenzaron a ser patentes las primeras disensiones dentro del gobierno republicano y surgieron los primeros síntomas de la tensión social que degeneraría en guerra civil.

trucción Pública, puesto que «La República estima que es llegada la hora de que el pueblo se sienta partícipe en los bienes que el Estado tiene en sus manos y deben llegar a todos por igual [...]». Se trataría «de llevar a las gentes, con preferencia a los que habitan en localidades rurales, el aliento del progreso y los medios de participar en él»[82]. Así, pocos días antes de la Navidad de 1932, en presencia de políticos, intelectuales y diplomáticos, realizó su presentación en el Paraninfo de la Universidad Central (en la calle de San Bernardo) La Barraca, una agrupación teatral fundada por Federico García Lorca y Eduardo Ugarte con el propósito de desarrollar nuevas vías de gestión, al margen de la empresa privada, para atraer a otros públicos a la escena[83]. Al justificar su existencia, declaraba: «Todo esto, a pesar de las imputaciones canallescas de los que han querido ver en nuestro teatro un propósito político. No; nada de política. Teatro y nada más que teatro»[84].

Será este género de manifestaciones las que permitirían a determinados críticos rechazar su participación política *stricto sensu*. Sin embargo, conviene recordar que en el repertorio de La Barraca figuraba *Fuenteovejuna*, de Lope de Vega, «un drama cuya significación revolucionaria acababan de actualizar en la realidad histórica pueblos españoles como Castilblanco, Casasviejas o la cuenca minera asturiana»[85]. García Lorca apreció pronto los paralelismos entre este texto y la situación del momento y, como ha recordado Sáenz de la Calzada, aunque la acción se desarrollara durante el reinado de los Reyes Católicos, «Federico la montó para el entorno histórico de los años treinta»[86].

---

[82] Gaceta, 29-V-1931, decreto recogido en *Memoria del Patronato de Misiones Pedagógicas*, Madrid, 1934, pág. 153 *(apud* Gloria Rey Faraldos, «El teatro de las *Misiones Pedagógicas»*, pág. 153, en *El teatro en España, op. cit.*, págs. 153-164). Impulsado por intelectuales de la valía de Antonio Machado o Rafael Marquina, la dirección del Teatro de las Misiones Pedagógicas corrió a cargo de Alejandro Casona, mientras que su Guiñol tuvo a Rafael Dieste como principal artífice.

[83] Luis Sáenz de la Calzada, *«La Barraca» teatro universitario, op. cit.*, pág. 51.

[84] Cito en esta ocasión por la 19.ª ed. de Federico García Lorca, *Obras completas*, ed. Arturo del Hoyo, Madrid, Aguilar, 1975, II, pág. 921.

[85] Manuel Aznar Soler, «"El Búho": teatro de la F.U.E. de la Universidad de Valencia», pág. 418, en *El teatro en España, op. cit.*, págs. 415-427.

[86] Luis Sáenz de la Calzada, *«La Barraca» teatro universitario, op. cit.*, pág. 31.

Las declaraciones efectuadas por aquel entonces resultan de extremado interés para conocer la trayectoria política de García Lorca. Como ha señalado Margarita Ucelay, son cada vez más numerosas, y abordan, en especial, las complejas relaciones entre teatro y sociedad[87]. De entre todas ellas, me interesa destacar las contenidas en su *Charla sobre teatro*, pronunciada el 14 de agosto de 1934, con ocasión de la visita de La Barraca a la Universidad Internacional Menéndez Pelayo, de Santander, donde dio un paso adelante al defender implícitamente un modelo de teatro público:

> Yo oigo todos los días, queridos amigos, hablar de la crisis del teatro, y siempre pienso que el mal no está delante de nuestros ojos, sino en lo más oscuro de su esencia; no es un mal de flor actual, o sea de obra, sino de profunda raíz, que es, en suma, un mal de organización. Mientras que actores y autores estén en manos de empresas absolutamente comerciales, libres y sin control literario ni estatal de ninguna especie, empresas ayunas de todo criterio y sin garantía de ninguna clase, actores, autores y el teatro entero se hundirá cada día más, sin salvación posible[88].

En este encuentro, igualmente, se decantó por un teatro de acción social que fuera el soporte de la cultura y educación de un país:

> Yo no hablo esta noche como autor ni como poeta, ni como estudiante sencillo del rico panorama de la vida del hombre, sino como ardiente apasionado del teatro de acción social. El teatro es uno de los más expresivos y útiles instrumentos para la edificación de un país y el barómetro que marca su grandeza o su descenso. Un teatro sensible y bien orientado en todas sus ramas, desde la tragedia al vodevil,

---

[87] Margarita Ucelay, «La problemática teatral...», art. cit., págs. 27 y ss. Sus entrevistas y manifestaciones públicas las analizan José Luis Cano, *García Lorca (Biografía ilustrada)*, Barcelona, Destino, 1962; Marie Laffranque, «Pour l'étude de F.G.L. Bases chronologiques», *BHi*, LXV, julio-diciembre de 1963, 3-4, págs. 333-337, y Suzanne W. Byrd, *García Lorca: La Barraca and the Spanish National Theater*, Nueva York, Las Americas, 1975.

[88] *Charla sobre teatro*, edición facsímil, Fuente Vaqueros, Casa-Museo Federico García Lorca, 1989, s.p.

puede cambiar en pocos años la sensibilidad del pueblo; y un teatro destrozado, donde las pezuñas sustituyen a las alas, puede achabacanar y adormecer a una nación entera [...]. Un pueblo que no ayuda y no fomenta su teatro, si no está muerto, está moribundo; como el teatro que no recoge el latido social, el latido histórico, el drama de sus gentes y el color genuino de su paisaje y de su espíritu, con risa o con lágrimas, no tiene derecho a llamarse teatro, sino sala de juego o sitio para hacer esa horrible cosa que se llama *matar el tiempo*.

Conocedor de los resortes del funcionamiento de la escena, gracias a sus colaboraciones con distintas compañías de teatro y tras su paso por la dirección de La Barraca, García Lorca se resistía a admitir la existencia de la supuesta crisis teatral a la que tantas páginas se venían dedicando. Con ocasión del Homenaje a Lola Membrives y la representación de *La niña boba* en la Comedia, de Buenos Aires (16-III-1934), García Lorca se mostró partidario de actuar directamente sobre la organización de la escena y culpó a sus responsables de la ausencia de los jóvenes autores de las salas: «Cuando me hablan de la decadencia del teatro, yo pienso en los jóvenes autores dramáticos que por culpa de la organización actual de la escena dejan su mundo de ensueño y hacen otra cosa, cansados de lucha» *(Obras completas*, págs. 139-140).

García Lorca no creía en la decadencia del teatro, sino en una falta de autoridad provocada por el desequilibrio entre el arte y el negocio. Propugnaba un equilibrio que situara las preocupaciones estéticas en un nivel de consideración equivalente al de los intereses económicos:

No creo en la decadencia del teatro, como no creo en la decadencia de la pintura ni en la decadencia de la música. [...] la esencia del teatro permanece inalterable en espera de nuevas manos y más generosos intérpretes. Cambian las formas. No cambia la sustancia, pero..., pero. En este teatro lleno de actores y de autores y de críticos, yo digo que lo que pasa es que existe una grave crisis de autoridad. [...] El teatro ha perdido su autoridad porque día tras día se ha producido un gran desequilibrio entre arte y negocio. [...] No estoy hablando de teatro de arte, ni de teatro de experimentación, porque este tiene que ser de pérdidas exclusivamente y no de ganancias; hablo del teatro corriente, del de todos los días, del teatro de taquilla, al que hay que exigirle un mínimum de decoro y recordarle en todo momento su función artística, su función educativa (*ibidem*, págs. 140-141).

El clima de represión política generado tras los levantamientos en Asturias y Cataluña, en octubre de 1934; la disminución del presupuesto asignado a La Barraca, que terminó por desaparecer al año siguiente, y el rechazo de los sectores más conservadores con ocasión del estreno de *Yerma*, el 29 de diciembre, terminaron de decidir la participación de Federico en actos políticos y manifestaciones públicas[89]. En el terreno dramático, la concepción de su *Drama sin título* vendría determinada por esta evolución[90]. Por las mismas fechas, formó parte del amplio grupo de intelectuales que dirigieron una carta al Gobierno quejándose del tratamiento infringido a Azaña[91]. Al año siguiente, a comienzos de octubre, en una lectura de versos para los Ateneos Obreros realizada en el teatro Barcelona, fue aclamado como «poeta del pueblo». En una carta dirigida a sus padres, confesaba su emoción ante este hecho: «Con una intuición magnífica subrayaron los poemas, pero cuando leí el *Romance de la Guardia Civil* se puso de pie todo el teatro gritando ¡Viva el poeta del pueblo! Después, tuve que resistir más de hora y media un desfile de gentes dándome la mano, viejas obreras, mecánicos, niños, estudiantes, menestrales. Es el acto más hermoso que yo he tenido en mi vida»[92].

Francisco García Lorca ha recogido algunas de sus participaciones más conocidas en actos políticos durante esa época. Junto a Antonio Machado, Luis Cernuda y León Felipe formó

---

[89] Marie Laffranque señaló el decisivo impacto de estos hechos en «Federico García Lorca. Expérience et conception de la condition du dramaturge», en Jacquot, 1958, págs. 275-298.

[90] Como ha apreciado Andrew A. Anderson: «Tal revolución se encarna y se preconiza, tanto en términos sociales como estéticos, en el primer y único acto del *Drama sin título*» («El último Lorca: unas aclaraciones a *La casa de Bernarda Alba, Sonetos* y *Drama sin título*», pág. 133, en Soria, 1997, págs. 131-145).

[91] Ian Gibson, *Granada, 1936. El asesinato de García Lorca, op. cit.*, págs. 23 y 297-299.

[92] *Epistolario completo, op. cit.*, pág. 816.

parte de la organización de un homenaje a Rafael Alberti celebrado el 9 de febrero de 1936 con motivo de su regreso de la Unión Soviética[93]. Fue él quien leyó el Manifiesto de los escritores españoles contra el fascismo. Cinco días después intervino en otro homenaje, en esta ocasión a Valle-Inclán, una iniciativa auspiciada por Alberti. Por las mismas fechas se adhirió a una iniciativa antibelicista, el Manifiesto de la Unión Universal por la Paz, cuyo comité español contaba con la presencia de Julio Álvarez del Vayo, Manuel Azaña y Antonio Machado. A comienzos de abril firmó el manifiesto por la libertad del líder político brasileño Luís Carlos Prestes. El primero de mayo aparecieron en el rotativo *Ayuda* unas líneas suyas en apoyo a los trabajadores españoles. El 22 de ese mes participó en el banquete en honor a André Malraux, Jean Cassou y Henri-René Lenormand, enviados por el Frente Popular francés[94].

Sus últimas declaraciones insistieron en la línea ideológica y artística elegida en 1932. En junio, en una charla con Luis Bagaría siguió justificando su acercamiento al teatro en función de su compromiso con la realidad: «En este momento dramático del mundo, el artista debe llorar y reír con su pueblo. Hay que dejar el ramo de azucenas y meterse en el fango hasta la cintura para ayudar a los que buscan las azucenas. Particularmente, yo tengo un ansia verdadera de comunicarme con los demás. Por eso llamé a las puertas del teatro y al teatro consagro toda mi sensibilidad»[95]. No deben sorpren-

---

[93] En contraste con las duras palabras hacia su obra poética pronunciadas en 1933: «El artista debe ser única y exclusivamente eso, artista. Con dar todo lo que tenga dentro de sí, como poeta, como pintor..., ya hace bastante. Ahí tienen ustedes el caso de Alberti, uno de nuestros mejores poetas jóvenes, que, ahora, luego de su viaje a Rusia, ha vuelto comunista, y ya no hace poesía, aunque él lo crea, sino mala literatura de periódico. ¡Qué es eso de artista, de arte, de teatro proletario!... El artista, y particularmente el poeta, es siempre anarquista, sin que sepa escuchar otras voces que las que afluyen dentro de sí mismo; tres fuertes voces: la VOZ de la muerte, con todos sus presagios; la VOZ del amor y la VOZ del arte» (Ricardo F. Cabal, «Charla con Federico García Lorca», *La Mañana*, León, 12-VIII-1933 (recogida por Mario Hernández, ed. de Federico García Lorca, *Bodas de sangre*, Madrid, Alianza, 1984, págs. 185-197; la cita en pág. 187).

[94] Francisco García Lorca, *Federico y su mundo, op. cit.*, pág. 104.

[95] Luis Bagaría, «Diálogos con un caricaturista salvaje», *El Sol*, Madrid, 10-VI-1936 (recogido en *Obras completas, op. cit.*, pág. 1814).

der, por ello, unas observaciones realizadas sobre el cine, al que consideró un arte de masas por su capacidad para generar movimiento y acción:

> El públic que veu el *Potemkin* sent una sensació tan brutal que mai més pot oblidar-la. Ara bé, el mitjà espai és gairebé il.limitat en cinema. Però el teatre permet encabir setze persones dintre d'una escena. Una de més ja destorba. Heu de fer una acció de masses comptant amb setze individus. I precisament les masses fan efecte quan poden contar i realitzar accions de gran moviment. Al teatre un chor d'obrers, per exemple, no es pot encabir en cap obra, puix que el chor ha d'ésser acompanyat de tota una trama d'acord amb el seu volum, cosa que no permet l'escenari. El teatre, però, també té una missió, en aquest sentit. I és la de presentar i resoldre problemes individuals, íntims. Teatre o cinema han de complementar-se, fent la feina adient a cada un d'ells[96].

Poco a poco fue tomando conciencia del poder transformador de un teatro capaz de llegar a un gran número de espectadores y sus creaciones comenzaron a cobrar mayor actualidad y respaldo del público[97]. Al apoteósico éxito de *Bodas de sangre* en Argentina, en 1932, siguió su triunfo en Madrid, el 8 de marzo de 1933. Pero, como ha señalado Manuel Aznar, su reconocimiento definitivo por parte del público y de la crítica le llegó con el estreno en el teatro Español, de Madrid, de *Yerma*, al que «asistió significativamente el que podríamos denominar presidente cualitativo de la República escénica española: un Valle-Inclán anciano y enfermo —68 años— que apoyaba con

---

[96] *L'Hora*, 27-IX-1935 (recogida por Christopher Cobb, *La cultura y el pueblo: España, 1930-1939, op. cit.*, págs. 282-286, en Francisco Caudet, «Lorca: por una estética popular [1920-1936], art. cit., pág. 777). Su extraordinario poder en la transmisión de *imaginarios* y propaganda ha sido analizada en Emmanuel Larraz, «Cinéma et mémoire: *Judíos de patria española* (1929) d'Ernesto Giménez Caballero», en Lavaud, 1999, págs. 155-169.

[97] Como ha puesto de relieve Katharine C. Richards al analizar esta evolución: «While they fall short of offering a well-developed thesis on the relationship between the theater an social ills, they do reveal a conception of drama that links it to contemporary realities, a belief in its capacity to meet a significant need of the audience, a sensitivity to social injustice, and a desire to protest» («Social Criticism in Lorca's Tragedies», pág. 214, *REH*, XVII, 1983, págs. 212-226).

su gesto al joven dramaturgo —35 años— que estaba llamado a sucederle en aquella utópica presidencia escénica»[98].

Ambos éxitos le llevaron a reflexionar sobre las claves temáticas y técnicas para captar el interés del gran público, su reto como escritor dramático[99]. El 15 de diciembre de 1934 se declaraba en *El Sol* dispuesto a «hacer otro tipo de cosas, incluso comedia corriente de los tiempos actuales y llevar al teatro temas y problemas que la gente tiene miedo de abordar», puesto que «las gentes que van al teatro no quieren que se les haga pensar sobre ningún tema moral»[100]. A comienzos del año siguiente, Federico confesaba a Ángel Lázaro su creencia en la idoneidad del teatro como vehículo de acercamiento al pueblo: «En nuestra época, el poeta ha de abrirse las venas para los demás. Por eso yo [...] me he entregado a lo dramático, que nos permite un contacto más directo con las masas»[101]. Tiempo después manifestaba a Nicolás González-Deleito su obligación de convertirse en el reflejo de su contemporaneidad: «Cada teatro seguirá siendo teatro andando al ritmo de la época, recogiendo las emociones, los dolores, las luchas, los dramas de esa época... El teatro ha de recoger el drama total de la vida actual. Un teatro pasado, nutrido sólo con la fantasía, no es teatro. Es preciso que apasione, como el clásico —receptor del latido de toda una época—»[102].

No debe extrañarnos, pues, la creación de los textos pertenecientes a su trilogía rural andaluza. En ellos ofreció una acerada defensa de la libertad frente a la autoridad, pero también una denuncia de algunos de los problemas más graves del momento: las desigualdades entre clases sociales, el atraso del mundo rural y sus consecuencias en uno de sus colectivos más desprotegidos: las mujeres. Son textos, sin embar-

---

[98] «El teatro de García Lorca en el contexto de la vida escénica española durante la Segunda República», en Monegal y Micó, 2000, págs. 63-71.

[99] *Los estrenos teatrales, op. cit.*

[100] Alardo Prats, «Los artistas en el ambiente de nuestro tiempo», *El Sol*, 15-XII-1934 (recogida en *Obras completas, op. cit.*, págs. 1767).

[101] *Proel*, «Galería. Federico García Lorca», *La Voz*, Madrid, 18-II-1935 *(ibidem,* pág. 1771).

[102] Nicolás González-Deleito, «Federico García Lorca y el teatro de hoy», *Escena,* mayo de 1935 *(ibidem,* pág. 1775).

go, que conviene valorar desde la consideración de su postura política y estética, más consecuente de lo que con frecuencia se ha creído. El análisis de *La casa de Bernarda Alba* (1936), la última que escribió antes de ser asesinado, facilitará la comprensión de este proceso.

La obra refleja con bastante fidelidad el ambiente oscurantista y las relaciones de servidumbre de un pueblo andaluz en el período anterior a la proclamación de la República. La ausencia de referencias concretas a las consecuencias de la Reforma Agraria emprendida al año siguiente de instaurarse dicho régimen sugiere el deseo del escritor de «trascender» un tratamiento *realista* del conflicto social latente. Pero no implica la ausencia de crítica[103]. A ello contribuye, sin lugar a dudas, uno de los aspectos que confieren mayor actualidad a la obra: la concreción del conflicto en un universo femenino. En eso coincidió con otros intelectuales y políticos progresistas de la época que abogaron por una mayor integración de las mujeres en los ámbitos profesionales y culturales fuera del reducido espacio doméstico donde solía transcurrir su vida[104].

Hemos de recordar el conocimiento que poseía García Lorca de las dramáticas condiciones en que vivía este sector. Sus primeros años transcurrieron en Fuente Vaqueros, donde su familia residió entre 1898 y 1906, y Valderrubio (denominada con anterioridad Asquerosa), en la que permaneció entre 1906 y 1908, antes de trasladarse a Almería para cursar estudios de bachiller, y donde siguió pasando sus vacaciones, a pesar de que su familia se había instalado ya en Granada. Nadie mejor que un niño para conocer los entresijos de un universo femenino, cuyos territorios estaban vedados

---

[103] Como ha señalado José Monleón: «La obra no ha sido escrita *para denunciar* un determinado orden social —un propósito así, claramente expresado, destruiría la libertad *poética* del autor, obligado a eliminar cuanto pudiera mínimamente enturbiarlo—, pero la denuncia está implícita en la función antagonista que ese orden cumple respecto del personaje» («Política y teatro: cinco imágenes de la historia política española a través de otros tantos montajes de *La casa de Bernarda Alba*», págs. 372-373, *CH*, 1986, 433-434, págs. 371-384).

[104] Véase Pilar Nieva de la Paz, «Revisando el canon: hacia una selección crítica del teatro escrito por mujeres en la España de entreguerras», en Zavala, 1998, págs. 155-184.

a la mirada de los varones adultos. Uno de los diálogos de *La casa de Bernarda Alba,* resulta revelador en este sentido:

> PONCIA.—[...] Los hombres necesitan estas cosas.
> ADELA.—Se les perdona todo.
> AMELIA.—Nacer mujer es el mayor castigo.
> MAGDALENA.—Y ni nuestros ojos siquiera nos pertenecen (II, pág. 12).

Sin embargo, su planteamiento de este conflicto no sigue los cauces expresivos del *realismo social.* La configuración de temas, situaciones y personajes se realiza desde una perspectiva *literaturizada* que recrea, sobre todo, elementos del teatro griego clásico y del drama aúreo español, tratados a través del tamiz de unas vanguardistas técnicas expresivas, con las que se había familiarizado a través de su experiencia como *meteur,* de *hombre de teatro* que había dirigido sus propios grupos y colaborado con prestigiosas compañías. *La casa de Bernarda Alba* no supone una vuelta hacia el realismo, como se ha venido sosteniendo, sino, como se intentará demostrar, una profundización en las posibilidades connotativas de los símbolos en la línea de los más destacados escritores vanguardistas de la época.

II.3. *De lo individual a lo universal: la contemporaneidad de un texto*

Como habrá podido apreciarse por lo expuesto antes, el compromiso social de Federico García Lorca ha de entenderse desde una nueva perspectiva, aquella que contempla la necesidad de todo un grupo generacional de abogar por una identidad propia, a mitad de camino entre la defensa de la libertad y la independencia del individuo y el compromiso con una colectividad deseosa de transformar unas estructuras sociales obsoletas[105].

---

[105] Se han realizado numerosos acercamientos a *La casa de Bernarda Alba* tendentes a dilucidar el propósito último del autor. Una revisión reciente de Andrew A. Anderson, tras la comparación con *Sonetos del amor oscuro,* incide, sin negar su condición de «indagación social, por no decir sociológica», en una interpretación filosófica de la condición humana: «la situación familiar

Es en la defensa de la libertad frente a la autoridad, donde radica parte de la modernidad de *La casa de Bernarda Alba*, aspecto vislumbrado por Ricardo Doménech en su crítica a la primera representación de la obra en Madrid durante la posguerra, bajo la dirección de Juan Antonio Bardem [1964]:

> Veo esa modernidad y esa cercanía, por el contrario, en el espíritu crítico que anima al autor en la especial manera de cómo enfoca el problema, en su acierto al mostrarnos la enajenación que unas determinadas formas de vida provocan en la conciencia humana. Lo que García Lorca nos presenta en escena es un problema de libertad, o, por mejor decir, de ausencia de libertad, y ello mediante esta colisión entre el mundo de Bernarda —que es una sociedad petrificada, rígida, inflexible— y el mundo de Adela[106].

Ha redundado en ello Ruiz Ramón al señalar que «el universo dramático de Lorca, como totalidad y en cada una de sus piezas está estructurado sobre una sola situación básica, resultante del enfrentamiento conflictivo de dos series de fuerzas que, por reducción a su esencia, podemos designar *principio de autoridad y principio de libertad*. Cada uno de estos principios básicos de la dramaturgia lorquiana, cualquiera que sea su encarnación dramática —orden, tradición, realidad, colectividad, de una lado, frente a instinto, deseo, imaginación, individualidad, de otro— son siempre los dos polos fundamentales de la estructura dramática»[107]. Manuel Fernández Montesinos identificó esta defensa con una de las constantes más significativas de la creación literaria española:

> Lorca en su preocupación social, tiene naturalmente su propia personalidad, pero también se inserta en una tenden-

y social de las hijas encerradas en la casa tapada, sofocante, es una enorme metáfora, articulada a lo largo del texto, del problema existencial del hombre en general» («El último Lorca: unas aclaraciones a *La casa de Bernarda Alba, Sonetos* y *Drama sin título*», art. cit., págs. 131-145).

[106] Ricardo Doménech, «*La casa de Bernarda Alba*», *PA*, febrero 1964, 50, pág. 14. Según John P. Gabriele la relación de ambas responde a fuerzas elementales asociadas a su sexo a las que no pueden resistirse («Of Mothers and Freedom: Adela's Struggle for Selfhood in *La casa de Bernarda Alba*», *Sym*, XLVII, 1993, 3, págs. 188-199).

[107] *Historia del teatro español. Siglo XX*, II, Madrid, Cátedra, 1975, pág. 177.

cia que es congénere a casi toda la literatura española: un sentido de libertad. Desde los primeros escritos medievales hasta los grandes escritores del XIX y XX, una característica de la gran creación literaria española es una especie de respeto democrático por el ser humano, es una literatura en la que está constantemente criticándose la existencia de los oprimidos y de los opresores, es una literatura que está preocupada por el ser humano y su condición[108].

Pero, como se irá comprobando, no es este tema el único eslabón con la tradición literaria española.

II.3.1. Lo tradicional a escena

Al abordarse la presencia de la tradición en las creaciones de García Lorca, se ha incidido en su recreación del *Romancero* español y la literatura popular, en especial, en su poesía. Christopher Maurer ha recordado el estímulo de Menéndez Pidal en la búsqueda de lo tradicional «auténtico», de un arte «colectivo», con la esperanza de descubrir en él, «quintaesencias de características españolas», y la influencia de Manuel de Falla y otros músicos nacionales y extranjeros, en el proceso de transformación «del arte tradicional en un arte *supranacional*, mediante un proceso de estilización individual y depuración de elementos locales»[109]. Pero también puede hallarse esta huella en su teatro, tanto en la inclusión de canciones populares y motivos, como en la caracterización de algunos personajes, entre los que, sin duda, destaca el de Mariana Pineda[110] y el de Cristobícal, recreado en su teatro de títeres: «Los Cristobital los estoy *machacando*. Pregunto a todo el mundo, y me están dando una serie de detalles encantadores. Ya han desaparecido de estos pueblos, pero las

---

[108] Manuel Fernández Montesinos, «La preocupación social de García Lorca», pág. 16, en Menarini, 1987, págs. 15-33.

[109] Christopher Maurer, «García Lorca y el arte tradicional: del *Romancero* oral a los *Ballets rusos*», pág. 44, en Soria, 1997, págs. 43-62. Sobre la significación de estos últimos, véase Lynn Garafola, *Diaghilev's Ballets Russes,* Nueva York, Oxford University Press, 1989.

[110] Véase Sandra Robertson, «Mariana Pineda: el romance popular y su "retrato teatral"», *BFFGL*, I, 1988, 3, págs. 88-106.

cosas que recuerdan los viejos son picarescas en extremo y para tumbarse de risa»[111]. Conecta así con la vena neopopularista de los miembros de la Generación del 27, vislumbrada igualmente en sus obras de filiación superrealista, donde, como bien ha puesto de relieve Guerrero Zamora, «emergen, quizás, por la vía libre del subconsciente, palabras, expresiones, imágenes, recuerdos infantiles, que forman parte de esa placenta granadina constantemente nutricia que, a través del niño preservado en Lorca, da un tono, un sabor, por sutil que sea, a la creación lorquiana»[112].

En *La casa de Bernarda Alba* aparecen expresiones y refranes de carácter popular que permiten situar la acción en un ámbito rural y evidencian su conocimiento del folklore español: «gori-gori», «lengua de cuchillo», «mal dolor de clavo le pinche en los ojos», «se te subirán al tejado», «la noche quiere compaña», «cae el sol como plomo», «más vale onza en el arca que ojos negros en la cara», «la sal derramada "trae mala sombra"»...[113]. Sin embargo, como ha señalado Rodríguez Adrados: «Este teatro poético maneja un lenguaje literario, está muy lejos del costumbrismo, del dialecto popular y del folklore: universaliza elementos que pueden ser locales en el origen, pero que son en realidad simplemente humanos. Sigue y maneja modelos literarios, de los griegos a los clásicos españoles (Lope, Calderón) e ingleses (Shakespeare)[114] y a los españoles modernos (Marquina, Valle-Inclán, Benavente); pero une a ellos modelos absolutamente populares, como las

---

[111] Carta dirigida a Adolfo Salazar, el 2 de agosto de 1921 *(Epistolario completo, op. cit.,* pág. 24). Sobre esta cuestión, véase Mario Hernández, «Federico García Lorca: rueda y juego de la tradición popular», en Lapesa, 1992, págs. 269 y ss.

[112] Juan Guerrero Zamora, *Historia del teatro contemporáneo,* III, Barcelona, Juan Flores, 1962, págs. 39-40.

[113] Véanse Daniel Devoto, «Notas sobre el elemento tradicional en la obra de García Lorca», pág. 160, en Gil, 1973, págs. 115-164, y Brian C. Morris, «Voices in the Void: Speech in *La casa de Bernarda Alba»*, *HispEU,* LXXII, 1989, 3, págs. 489-509, y *García Lorca: La casa de Bernarda Alba, op. cit.,* págs. 101-114.

[114] A analizar esta influencia ha dedicado Andrew A. Anderson su ensayo «Some Shakespearian Reminiscences in García Lorca's Drama», *CLS,* XXII, 1985, 2, págs. 187-210, y Silvia Adani, *La presenza di Shakespeare nell'opera di García Lorca,* Bolonia, Il Capitello del Sole, 1999.

representaciones de títeres de su Andalucía natal que él coloca, justamente, en los orígenes del teatro, orígenes a los que hay que volver»[115]. Por supuesto, estas últimas referencias son mínimas en *La casa de Bernarda Alba* en comparación con otras obras, en especial las que abordan el mundo infantil, donde se percibe su atracción por el folklore[116].

En efecto, un análisis del texto revela los cauces de la tradición en los que García Lorca se inspira principalmente al escribir *La casa de Bernarda Alba*: el teatro griego clásico, los dramas en torno al honor de los Siglos de Oro, y los dramas poéticos y rurales de la época. A través del planteamiento de temas como la dicotomía entre la libertad individual y la autoridad, la inexorabilidad del destino, la subversión del código del honor por parte de sus víctimas más directas, las mujeres, y la estilización del mundo rural, el autor granadino brinda un homenaje a la tradición, pero también construye una obra de inusitada modernidad, donde se pueden encontrar las claves para la comprensión del sentir del hombre a lo largo de su historia.

El tratamiento de dos de los temas antes citados, la defensa de la libertad frente a la autoridad y de la inexorabilidad del destino, le entroncan con la tradición griega, que tan bien conocía[117]. El 28 de octubre de 1920 escribió a su familia informándoles sobre sus inicios en el estudio del griego[118]. Cinco años después prometió enviar a Ana María Dalí un fragmento de una *Ifigenia*, recién acabada[119], un texto perdido basado con toda probabilidad en la consideración de ésta como víctima sacrificial, asunto desarrollado en *Mariana Pineda*[120]. En la Biblioteca de la Fundación Federico García

---

[115] Francisco Rodríguez Adrados, «Las tragedias de García Lorca y los griegos», *REC*, XXXI, 1989, págs. 51-52. Véase Miguel García Posada, «Prólogo. El teatro de Federico García Lorca», en Federico García Lorca, *Teatro, op. cit.*, págs. 20 y ss.

[116] Mario Hernández ha señalado su presencia en «Federico García Lorca: rueda y juego de la tradición popular», art. cit., págs. 269 y ss.

[117] Véase Manuel Fernández Galiano, «Los dioses de Federico» *CH*, enero de 1968, págs. 31-43 y Rafael Martínez Nadal, «Ecos clásicos en las obras de Federico García Lorca y Luis Cernuda», en Rodríguez y Bravo, 1986, págs. 42 y ss.

[118] *Epistolario completo, op. cit.*, pág. 84.

[119] *Ibidem*, pág. 297.

[120] Nelson R. Orringer, «Mariana Pineda, o Ifigenia en Granada», en Berchem y Laitenberger, 2000, págs. 81 y ss.

Lorca se conserva una traducción castellana, publicada en 1913 por Eduardo Mier, de las *Tragedias*, de Eurípides, que debió consultar[121].

Federico García Lorca defiende la primacía de los instintos amorosos sobre los criterios de la razón, de las opciones personales frente a las convenciones sociales, a pesar del trágico fin que provocan. Los imperativos morales convencionales actúan con la misma fuerza que los hados que guían la acción de los personajes clásicos. Es precisamente en esta búsqueda de la libertad donde radica la tragedia protagonizada por las mujeres lorquianas, quienes «queriendo huir de su destino de sometidas buscando la libertad, acuden a la llamada poderosa de fuerzas ciegas que las hunden en la tragedia y en la muerte»[122]. El desafío de Adela, la hija menor de Bernarda, implica no sólo su muerte, sino la aniquilación de cualquier deseo para el resto de la familia: «¡A callar he dicho! *(A otra hija.)* ¡Las lágrimas cuando estés sola! ¡Nos hundiremos todas en un mar de luto!» (III, pág. 23). *Eros* y *thanatos* unidos de nuevo en una composición dramática.

Al tratar la influencia de *Las Bacantes,* de Eurípides, en *Yerma,* Carlos Feal ha incidido en otra interesante referencia a la tragedia griega: la presencia de un poder femenino, que, en el caso de *La casa de Bernarda Alba,* no se concreta en un individuo específico o en una faceta de su esencia, la maternidad, sino en el protagonismo de un colectivo[123], cuyos integrantes «manifiestan su honra desde una posición contraria a la que la honra asume en el universo masculino de valores. La protagonista lorquiana se convierte así en el instrumento ideal de una crítica contra la sociedad de hombres»[124]. No obstante, el tratamiento del tema de la defensa de la libertad

[121] Manuel Fernández-Montesinos, *Descripción de la Biblioteca de Federico García Lorca (Catálogo y estudio),* tesina de licenciatura, Madrid, Universidad Complutense, 1985.

[122] Lilia Boscán de Lombardi, «El fracaso de la libertad: García Lorca y la tragedia griega», pág. 107, *Actas del XII Congreso de la AIH,* Birmingham, University of Birmingham, 1998, págs. 107-114.

[123] Carlos Feal, «Eurípides y Lorca: Observaciones sobre el cuadro final de *Yerma*», pág. 517, en *Actas del VIII Congreso de la AIH,* I, Madrid, Istmo, 1986, pág. 511-518.

[124] Carlos Feal, *Lorca: tragedia y mito,* Ottawa, Dovehouse, 1989, pág. 15.

frente a las convenciones sociales asociado a la mujer, no puede entenderse en toda su dimensión sin relacionarlo con la recreación personal ideada por García Lorca de un componente esencial del drama español de los siglos XVI y XVII, el honor[125]. Como escribió Juan Marichal, Federico «supo conciliar el impulso universalizador con la firme voluntad de arraigo en la mejor tradición nacional»[126].

Conviene recordar la importancia que para Federico García Lorca presenta el teatro clásico en la renovación de la escena española del momento. En una entrevista realizada al autor, se declara contrario a llevar a la escena obras modernas, inexistentes para él en el teatro español contemporáneo. Sólo el patrimonio de los clásicos representa la modernidad en España: «Se ha dicho por ahí que por qué no representábamos obras modernas. Por la sencilla razón de que en España casi no existe teatro moderno; las cosas que se representan suelen ser de propaganda y malas, y sólo cobran vida gracias a los excelentes directores que las montan. Nuestro teatro moderno —moderno y antiguo; es decir, eterno, como el mar— es el de Calderón y el de Cervantes, el de Lope y el de Gil Vicente. Mientras tengamos sin representar un *Mágico prodigioso*, y tantas otras maravillas, ¿cómo vamos a hablar de teatro moderno?»[127].

El autor granadino convierte el tema de la honra en un adecuado instrumento para «modernizar» la tragedia clásica, pero son los personajes femeninos, sus víctimas más directas, —«Nacer mujer es el mayor castigo», dirá Amelia (II, pág. 12)—,

---

[125] Al aludir a la influencia de Menéndez Pidal, Carlos Rincón señala la revisión de este código durante la época: «El conocimiento de la relevancia particular del concepto del honor en la época en que se definen las particularidades de España, y su peso específico dentro de las comunidades libres (pueblos), es uno de los logros de la historiografía republicana en el camino hacia el planteamiento de una problemática histórica nacional» («Lorca y la tradición», pág. 145, en Pérez Silva, 1986, págs. 138-156). Se separa del teatro clásico, como bien indica Cedric Busette, al no aceptar los dictados del orden social (*Lorca y la tradición española*, Madrid, Las Américas, 1971, pág. 17).

[126] Juan Marichal, «El testimonio histórico de Federico García Lorca», págs. 21 y 23, *BFFGL*, III, 1989, 6, págs. 13-25.

[127] Recogida en Marie Laffranque, «Federico García Lorca. Encore une interview sur La Barraca», art. cit., pág. 604.

los que le permiten llevar adelante esta nueva perspectiva. No puede entenderse su teatro sin tener en consideración su irónica actitud hacia el tema de la honra, fruto de la dialéctica establecida entre el honor y el amor, piedra angular de sus tragedias. En ese aspecto, Lorca se presenta como un hombre afín al sentir de muchos de sus contemporáneos.

Podemos ver en esto una muestra más de su coherencia artística. La mujer ocupa un lugar preferente en el universo dramático lorquiano, donde son víctimas, casi siempre, de los convencionalismos sociales y los intereses económicos que colisionan con sus deseos más íntimos: Mariana Pineda, que sucumbe en aras de unos ideales liberales, incapaz de traicionar al ser querido; la Zapaterita, acosada y sumida en la soledad por defender su libertad; Belisa y Rosita, protagonistas de *Amor de don Perlimplín* y de la *Tragicomedia de don Cristóbal,* casadas por interés con hombres mucho mayores que ellas, a los que no aman; la novia y la mecanógrafa de *Así que pasen*, modernas Penélopes sujetas a una eterna espera tras un lustro simbólico; la novia de *Bodas de sangre,* escindida entre una antigua pasión y la conveniencia de un matrimonio; Yerma, sometida a la pérdida de identidad al serle negada la posibilidad de convertirse en madre; Rosita, convertida en el hazmerreír de una sociedad por no querer aceptar su condición de mujer abandonada y soltera; la Actriz, rechazada y considerada «despreciable» por el Actor de *Comedia sin título;* Adela y Angustias, enfrentadas por el egoísmo y el interés de Pepe el Romano...

Pero también son mujeres, incapaces de sustraerse a su trágico destino, las que actúan como eficaces medios de coacción contra otras. En *La casa de Bernarda Alba* conviven mujeres de distintas generaciones y clases sociales, cuyos comportamientos resultan paradigmáticos del sentir de una época de profundos cambios sociales. Su concreción simbólica aparece en el manuscrito cuando se refiere a la presencia en escena de 200 mujeres. Dos personajes de la obra, Bernarda, la madre, y Poncia, su criada, constituyen su «eje estructural»[128].

---

[128] Véase al respecto Isaac Rubio, «Notas sobre el realismo de *La casa de Bernarda Alba,* de García Lorca», pág. 174, *RCEH,* IV, 1980, 2, págs. 169-172.

Bernarda representa a tantas mujeres de clase acomodada que, como resultado de una educación conservadora, se convierten en salvaguardas de los valores patriarcales. Como ha observado Brian C. Morris: «Bernarda Alba inherited from her father much more than the house proudly specified as "esta casa levantada por mi padre" [...]; she inherited words spoken and customs perpetuated in it, habits of mind and dress and attitudes to people and possessions»[129]. Autoritaria hasta la crueldad, interesada, religiosa... constituye, como ha puesto de relieve José Monleón, «la expresión histórica de unos intereses económicos, en función de los cuales se habían establecido los conceptos de religión, familia, sexualidad, libertad, y de cuanto, sustancialmente, definía la vida»[130]. Exponente del clasismo arraigado en la sociedad española de la época —«Los pobres son como los animales. Parece como si estuvieran hechos de otras sustancias» (I, págs. 6-7)—, el sentido de su existencia se urde en relación con la imagen que pueda proyectar hacia los demás, aunque sea a costa de ocultar sucesos y sentimientos —«Yo no me meto en los corazones, pero quiero buena fachada y armonía familiar» (III, pág. 6)—. Dispuesta a mantener a su familia dentro de los límites fijados por una moral que rechaza la satisfacción de los instintos frente a las obligaciones impuestas por el matrimonio o la viudedad, protagoniza agrios enfrentamientos con su hija menor, Adela, y la abuela, María Josefa, paradigmas de dos momentos clave en la vida del ser humano, la juventud y la vejez. Algunas de sus afirmaciones la emparentan directamente con la tragedia clásica[131]. Como ha recordado

[129] *García Lorca. La casa de Bernarda Alba, op. cit.*, pág. 60.

[130] José Monleón, «Política y teatro: cinco imágenes de la historia política española a través de otros tantos montajes de *La casa de Bernarda Alba*», art. cit., pág. 379.

[131] Gregorio Torres Nebrera la ha relacionado con el mito de Cronos en «El motivo de "La encerrada" en Lorca y Alberti *(Bernarda Alba* y *El Adefesio* frente a frente)», en Cuevas y Baena, 1995, págs. 43-75). Retomando la vía abierta por Speratti, Rosenforfky y Beyrye, varios críticos han insistido en apuntar la influencia de doña Perfecta, de Benito Pérez Galdós (Miguel García Posada, «Realidad y transfiguración artística en *La casa de Bernarda Alba*», en Doménech, 1985, págs. 151-170, y Luis García Montero, «El teatro, la casa y Bernarda Alba», *CH*, 1986, 433-434, págs. 359-370.

González-del Valle: «Bernarda, la diosa que siempre dice que todo lo puede con su voluntad, añora uno de los atributos —arma— de la deidad más importante de los griegos: el rayo que deje ver a todos su omnipotencia»[132].

La asunción por su parte de los códigos sociales imperantes es tal que llega a subvertir la naturaleza humana, al acallar su dolor ante la muerte de su propia hija. Tanto sus palabras finales que llaman al silencio —«¡A callar he dicho! [...] ¡Silencio!» (III, pág. 23)—, como sus declaraciones iniciales —«¡En ocho años que dure el luto no ha de entrar en esta casa el viento de la calle! Haceros cuenta que hemos tapiado con ladrillos puertas y ventanas. Así pasó en casa de mi padre y en casa de mi abuelo» (I, pág. 11)— recuerdan los discursos en defensa del honor del teatro clásico español[133]. Por ello no debe sorprender que en su caracterización se mezclen elementos masculinos y femeninos[134]. No obstante, conviene tener presentes algunas interesantes apreciaciones sobre este personaje. John Crispin ha visto en él a una víctima más de la contradicción entre las convenciones sociales y la fuerza de los instintos, del poder inexorable del destino, contra el que se lucha en vano. Al señalar dos posibles vías de acción ante el *rol* social imperante, la rebelión y la evasión, ha integrado a Bernarda en este último grupo, junto a su madre, María Josefa. Si por una parte parece defender el papel secundario reservado a la condición femenina —«Hilo y aguja para las hembras. Látigo y mula para el varón. Eso tiene la gente que nace con posibles» (I, pág. 12)—, por otra, su conducta revela una asimilación mimética que le lleva a adoptar una postura masculina de mando[135]. Bernarda sufre una mer-

---

[132] Luis González-del Valle, *La tragedia en el teatro de Unamuno, Valle-Inclán y García Lorca,* Nueva York, Eliseo Torres, 1975, pág. 156.

[133] Conviene apuntar que la actitud cruel de Bernarda, carente de ternura y de compasión, es propia también de las hijas. Todas envidian la suerte de Angustias. Martirio llega a enfrentarse con Adela. Véase al respecto, Andrew A. Anderson, «El último Lorca: unas aclaraciones a *La casa de Bernarda Alba, Sonetos* y *Drama sin título*», art. cit., págs. 135 y ss.

[134] Luis Fernández Cifuentes, «García Lorca y el teatro convencional», *Iberoromania,* XVII, 1983, págs. 66-99.

[135] «Frente a la sociedad en que vive, este papel es insostenible. Bernarda necesita por lo tanto falsificar la realidad y crearse por propia voluntad un

ma paulatina de su autoridad. Una a una, las mujeres de la casa se van rebelando contra ella. Primero Poncia y María Josefa; después, sus hijas, en especial Adela, que llega a romper el bastón de mando: «¡Aquí se acabaron las voces de presidio! (ADELA *arrebata el bastón a su madre y lo parte en dos.*) Esto hago yo con la vara de la dominadora. No dé usted un paso más. ¡En mí no manda nadie más que Pepe!» (III, págs. 20-21).

No obstante, habría que observar el hecho de que Adela, además de representar la rebeldía contra el sistema, obedece a unos condicionamientos más primarios: su conducta tiende a dar respuesta a unos instintos elementales básicos, a la satisfacción de la sexualidad: «No por encima de ti, que eres una criada; por encima de mi madre saltaría para apagarme este fuego que tengo levantado por piernas y boca» (II, pág. 9). No será la única. Sus hermanas envidiarán la suerte de la mayor, Angustias, que por su futuro matrimonio con Pepe el Romano, no deberá verse sujeta a los ocho años de luto prescritos por Bernarda. Y es precisamente este aspecto donde más incidió la censura en los sucesivos intentos de representación durante el período franquista. Hans-Jörg Neuschäfer ha revelado cómo ningún otro texto había sido perseguido tan tenazmente por la censura como éste por su tendencia a abordar la sexualidad femenina de manera «obsesionante»[136]. Palabras como las emitidas por Adela —«Ya no aguanto el horror de estos techos después de haber probado el sabor de su boca. Será lo que él quiera que sea. Todo el pueblo contra mí, quemándome con sus dedos de lumbre, perseguida por los que dicen que son decentes, y me pondré delante de todos la corona de espinas que tienen las queridas de algún hombre casado» (III, pág. 19)— han debido de escandalizar a muchas personas desde su escritura.

---

mundo suyo donde pueda ejercer su dominio, siempre precario e ilusorio; expuesto cada vez más —según se va desarrollando la obra— a la invasión del mundo exterior» (John Crispin, «*La casa de Bernarda Alba* dentro de la visión mítica lorquiana», pág. 178, en Doménech, 1985, págs. 171-175).

[136] Hans-Jörg Neuschäfer, «Los dramas de Lorca y el *huis clos* de la censura. Una lectura política de *La casa de Bernarda Alba*», pág. 142, en Berchem y Laitenberger, 2000, págs. 132-142.

El contrapunto de Bernarda es Poncia, víctima, como la anterior, de un destino asignado desde su nacimiento, pero, en su caso, dentro del seno de una clase social sin recursos —«Nosotras tenemos nuestras manos y un hoyo en la tierra de la verdad» (I, pág. 4)—, contra el que se yergue, rodeada de cierta aureola indómita. Es su boca la que pronuncia las palabras más duras sobre Bernarda: «Tirana de todos los que la rodean. Es capaz de sentarse encima de tu corazón y ver cómo te mueres durante un año sin que se le cierre esa sonrisa fría que lleva en su maldita cara. [...] Buen descanso ganó su pobre marido» (I, pág. 2). Si bien, al crearla, Federico sigue una de las costumbres del teatro naturalista y clásico, la aparición de criados, su formulación rompe con los esquemas ya prefijados al presentarse *desfamiliarizada*[137]. Como consecuencia, resulta difícil compartir las razones apuntadas por John Walsh para explicar el protagonismo atribuido a las mujeres en la producción teatral lorquiana. No creemos que estuviera mediatizado por una costumbre arraigada en las dos primeras décadas del siglo, la de idear obras para conocidas actrices[138].

Estas conexiones con la tradición literaria no se restringen a lo temático y a la caracterización de los personajes. Para su formulación, García Lorca juega con algunos de los principales vehículos de transmisión de ésta, los géneros teatrales: el drama, la comedia, la tragedia, la farsa, los diálogos... Pero, como sus coétaneos, los grandes renovadores escénicos, no los ofrece en «estado puro», sino que experimenta con ellos y fusiona elementos de unos con otros. En *La casa de Bernarda Alba*, ambos, drama y tragedia, aparecen imbricados.

---

[137] Luis Fernández Cifuentes, «García Lorca y el teatro convencional», art. cit., pág. 99.

[138] «Hablando claramente, podemos decir que sus grandes obras trataban de mujeres porque Lorca aprendió a escribir papeles para grandes actrices, pues el teatro en 1930 se concebía en términos del papel central de las mujeres» (John Walsh, «Las mujeres en el teatro de Lorca», pág. 282, en Loureiro, 1988, págs. 279-295).

II.3.2. La estilización por medio del símbolo

«*El poeta advierte que estos tres actos tienen la intención de un documental fotográfico*», aparece al inicio del manuscrito[139]. Su amigo, el musicógrafo y crítico Adolfo Salazar, ha revelado cómo en una lectura privada, un mes antes de finalizarla, al terminar cada escena, Federico exclamaba: «¡Ni una gota de poesía! ¡Realidad! ¡Realismo!»[140]. A Carlos Morla Lynch le confesó la fuente de inspiración de algunos de los personajes: «En la casa vecina y colindante a la nuestra vivía "doña Bernarda", una viuda de muchos años que ejercía una inexorable y tiránica vigilancia sobre sus hijas solteras»[141]. Estas palabras y las declaraciones a su amigo han llevado a numerosos críticos a señalar la vuelta del escritor a planteamientos más convencionales tras sus tentativas expresionistas[142]. Sin embargo, una revisión del texto sugiere un alejamiento de los códigos expresivos asociados al realismo.

En *La casa de Bernarda Alba* se aprecia una clara intención de ajustarse a las pautas del drama rural, un género con el que cosecharon grandes éxitos figuras como Joaquín Dicenta, Feliu i Codina, Ángel Guimerà, Jacinto Benavente y Eduardo Marquina, entre otros[143]. Se ha señalado también la influencia de Valle-Inclán, sobre todo, en la concepción poética de este género, de raíz arquetípica y ritualista[144]. Para en-

---

[139] C. Christopher Soufas ha profundizado en el simbolismo inherente a la mirada fotográfica en «Dialectics of Vision: Pictorial vs. Photographic Representation in Lorca's *La casa de Bernarda Alba*», *Oján*, 1991, 5, págs. 52-56.

[140] Adolfo Salazar, «Un drama inédito de Federico García Lorca», en *Carteles*, La Habana, 10-IV-1938.

[141] Carlos Morla Lynch, *En España con Federico García Lorca. (Páginas de un diario íntimo. 1928-1936)*, Madrid, Aguilar, 1958, págs. 488-489.

[142] Roberto Sánchez, «La última manera dramática de García Lorca», *PSA*, XVI, 1978, 60, págs. 83-102.

[143] Han abordado el tema en sus introducciones a las ediciones de *La casa de Bernarda Alba* Domingo Ynduráin, págs. 131 y ss., Joaquín Forradellas, págs. 37 y ss., y Miguel García Posada, págs. 22-23.

[144] Acerca de esta relación, pueden verse Virgina Higginbotham, *Lorca and Twentieth Century Spanish Theater: Three Precursors*, MD, 1972, 15, págs. 164-174; Gwynne Edwards, *Dramatists in Perspective: Spanish theatre in the Twentieth Century*, Nueva York, St. Martin's Press, 1985, págs. 45-52; Wilfried Floeck, «Contra la deshumanización del teatro. García Lorca frente al esperpento de Valle-

tender esta deuda en toda su magnitud habría que acudir a su *Charla sobre teatro*, donde, al referirse a la supervivencia del género, se confiesa espectador aficionado de otros:

> El delicioso teatro ligero de revista, vodevil y comedia bufa, géneros de los que soy aficionado espectador, podría defenderse y aún salvarse; pero el teatro en verso, el género histórico, la llamada alta comedia y la espléndida zarzuela hispánica sufrirán cada día más reveses, porque son géneros que exigen mucho y donde caben las innovaciones verdaderas, y no hay autoridad ni espíritu de sacrificio para imponerlas a un público al que hay que domar con altura y contradecirlo y atacarlo en muchas ocasiones.

García Lorca conocía la tendencia del gran público a rechazar tentativas experimentales, pero también sabía que, con el paso de los años, algunas de éstas terminan formando parte de la tradición:

> Al público se le puede enseñar —conste que digo público, no pueblo—; se le puede enseñar, porque yo he visto patear a Debussy y a Ravel hace años, y he asistido después a las clamorosas ovaciones que un público popular hacía a las obras antes rechazadas. [...] Yo sé que no tiene razón el que dice: «Ahora mismo, ahora, ahora» con los ojos puestos en las pequeñas fauces de la taquilla, sino el que dice: «Mañana, mañana» y siente llegar la nueva vida que se cierne sobre el mundo (*Charla sobre teatro*).

Sin embargo, lo cierto es que el género experimenta un proceso de transformación en el tamiz creativo del escritor. Ese código se ve trascendido gracias a la capacidad connotativa del lenguaje simbólico utilizado, mediante el cual conecta con los movimientos de renovación vanguardista de la época[145]. Resulta sorprendente que se haya negado la posibilidad de in-

---

Inclán», *HispXX*, XX, 1987, 5, págs. 83 y ss., y José Alberich, «Más sobre el teatro de Lorca y el de Valle-Inclán: Variedades del drama rural», en Morris, 1988, págs. 259 y ss.

[145] Como señala Antonio Sánchez Trigueros, «la obra en la que busca ese realismo más puro, se nos presenta hoy como la más simbólica de la serie» («Federico García Lorca en escena [una invitación al teatro]», art. cit., pág. 187). Véase al respecto el acercamiento a otras obras realizado por Rupert C. Allen,

cluir el texto dentro de la trilogía rural por su condición de obra en prosa. Son numerosos los signos poéticos que aparecen en el texto. Como bien ha advertido Antonio Cao:

> El gran acierto de Lorca como poeta dramático consistió en poder traspasar al teatro la imagen poética y, mediante ella, crear, sugerir o acentuar una situación dramática dada y, lo que tal vez sea más importante, adentrarse, ahondar en la vida anímica de sus personajes y establecer la relación entre éstos y su entorno. La imagen lorquiana nos revela grandes personajes cuya universalidad les otorga categoría mítica[146].

No sorprende, por lo tanto, que Rubia Barcia, al estudiar las acotaciones, los conceptos implícitos y explícitos, la acción y las actitudes de los personajes, haya acuñado el término «realismo mágico». Constituyen «signos sugeridores» que, desde el primer momento, indican la existencia de una duplicación paralelística: una dirección hacia el realismo y otra hacia la inverosimilitud, originada, según su parecer, en el inconsciente[147].

Ya se ha mencionado la condición arquetípica del personaje de Bernarda, pero convendría aludir también a la configuración simbólica de otros. Todos son mujeres, vestidas de negro. Resulta significativo el que se especifiquen las edades de Adela (20), Angustias (40), Bernarda (60) y María Josefa (80), cuatro momentos relevantes en la vida del ser humano que permiten extrapolar una visión del conjunto. Varias de ellas se presentan con denominaciones genéricas (Criada, Mendiga, Muchacha, Mujer 1.ª, Mujer 2.ª, Mujer 3.ª, Mujer 4.ª).

Se ha señalado con cierta frecuencia la condición cristológica del personaje de Adela[148]. La similitud entre ambas figuras se percibe ya desde que se imagina a sí misma coronada

---

Psyche and Symbol in the Federico García Lorca, Austin/Londres, University of Texas, 1974.

[146] Antonio F. Cao, *Federico García Lorca y las vanguardias*, Londres, Tamesis, 1984, pág. 79.

[147] Francisco Rubia, «El realismo *mágico* de *La casa de Bernarda Alba*», en Gil, 1973, págs. 301-321.

[148] Véanse Luis González-del Valle, *La tragedia en el teatro de Unamuno, Valle-Inclán y García Lorca, op. cit.,* pág. 163, y Wilma Newberry, «Patterns of Negation in *La casa de Bernarda Alba*», *Hispania,* LXIX, 1976, págs. 802-809.

por espinas: «y me pondré delante de todos la corona de espinas que tienen las que son queridas de algún hombre casado» (III, pág. 19), y se muestra desamparada, conforme va transcurriendo la acción y ahondando en su soledad frente a su destino: «Dios me ha debido dejar sola, en medio de la oscuridad» (III, págs. 19-20). En torno a ella se configuran otros personajes, que con sus acciones advierten al espectador sobre lo que va a suceder; las etimologías de sus nombres resultan esclarecedoras[149]. Así, el hecho de que María Josefa, que contiene los nombres de los padres de Cristo[150], se presente llevando una oveja mientras los amantes se hallan juntos, puede explicarse como una alegoría de la situación de Adela; en uno de sus cantos anima a acercarse al portal de Belén y alude al hijo no nacido de la unión de los anteriores: «Ovejita, niño mío, / vámonos a la orilla del mar» (III, pág. 14). Junto a ella, Poncia, que lleva el nombre de Pilatos, muestra como él pasividad ante el sacrificio al abstenerse de intervenir en el proceso: «Yo no puedo hacer nada. Quise atajar las cosas, pero ya me asustan demasiado. ¿Tú ves este silencio? Pues hay una tormenta en cada cuarto. El día que estallen nos barrerán a todas. Yo he dicho lo que tenía que decir» (III, pág. 12). Reed Anderson ha llamado la atención sobre una mención simbólica a la Roma imperial en el nombre de Pepe el Romano, que constituye una de las presencias más poderosas de la acción, a pesar de su falta de concreción física. Vicente Cabrera ha apuntado la similitud del desprendimiento de la cruz con la orden de Bernarda de descolgar el cuerpo[151].

---

[149] Se han detenido también en la simbología de otras etimologías Ricardo Doménech (Ricardo Doménech, «Símbolo, mito y rito en *La casa de Bernarda Alba*», publicado en su edición, págs. 189-209), quien destaca en particular las de Adela —«de naturaleza noble»—, Bernarda —«con fuerza o empuje de oso»—, y la de Poncia —femenino del prenombre de Pilatos, que, como él, se lava las manos ante la tragedia—. Robert Lima apunta las de Amelia y Martirio *(The Theater of García Lorca,* Nueva York, Las Américas, 1963, pág. 271).

[150] Luis González-del Valle, *La tragedia en el teatro de Unamuno, Valle-Inclán y García Lorca, op. cit.,* pág. 163.

[151] Véanse Vicente Cabrera, «Cristo y el infierno en *La casa de Bernarda Alba*», págs. 141-142, *REH,* XIII, 1979, págs. 135-142, y Reed Anderson, «Christian Symbolism in Lorca's *La casa de Bernarda Alba*», pág. 223, en Brancaforte, Mulvihill y Sánchez, 1981, págs. 219-230.

Además de las caracterizaciones de los personajes, la recurrencia al símbolo se manifiesta en otros niveles del texto, donde existen, como ha apreciado Ricardo Doménech, numerosos símbolos «de configuración animalista, vegetal y cósmica»[152]. La presencia de animales facilita la intensificación de determinados rasgos de los personajes o de la acción que protagonizan. La asociación de Pepe el Romano a lo equino aumenta su prepotencia; viene montado en jaca, precedido por el sonido en *off* de sus pasos. En ocasiones se *materializa* a través de un blanco garañón que golpea los muros «llenando todo lo oscuro» y llega a semejar una aparición:

> ADELA.—El caballo garañón estaba en el centro del corral. ¡Blanco! Doble de grande, llenando todo lo oscuro.
> AMELIA.—Es verdad. Daba miedo. ¡Parecía una aparición! (III, pág. 8).

Esta condición polisémica alcanza a otros animales de uso doméstico, los perros. Como el anterior, actúan como instrumento para reforzar determinadas actitudes: la aparente sumisión de Poncia —«Pero yo soy buena perra: ladro cuando me lo dice y muerdo los talones de los que piden limosna cuando ella me azuza» (I, pág. 3) —; la actitud amenazante de las gentes del lugar; la condición de cancerbero de Bernarda; su ladrido posee un carácter premonitorio. Otros animales disfrutan de idéntica funcionalidad. Pepe el Romano es identificado con un león —«Él dominará toda esta casa. Ahí fuera está, respirando como si fuera un león» (III, pág. 21)—, mientras que Bernarda posee «cara de hiena» o de «leoparda» (III, pág. 15).

La obra profundiza en las posibilidades connotativas de algunos referentes de carácter vegetal, que se sustentan en la analogía esencial Madre-Tierra: desde la identificación de los segadores con el árbol y el trigo, símbolos de la vida, hasta la de lo femenino con las flores —«el segador pide rosas / para adornar su sombrero» (II, pág. 13). Poseen además esa significación telúrica las referencias al agua en sus distintos estados, que simboliza la libertad y el contacto con la naturaleza. En determi-

---

[152] Ricardo Doménech, «Símbolo, mito y rito en *La casa de Bernarda Alba*», art. cit., pág. 209.

nados casos sirve para aumentar la sensación claustrofóbica de los protagonistas: Magdalena se levanta de madrugada a refrescarse; Martirio expresa su deseo de que lleguen las lluvias: «Me sienta mal el calor. [...] Estoy deseando que llegue noviembre, los días de lluvia, la escarcha; todo lo que no sea este verano interminable» (II, pág. 14); Adela manifiesta una y otra vez su sed. Asociada a la imagen de libertad, a ella se dirigen algunas de las mujeres de la obra en busca de su perdición, como ocurre con la hija menor de Bernarda: «Aquí no hay ningún remedio. La que tenga que ahogarse que se ahogue. Pepe el Romano es mío. Él me lleva a los juncos de la orilla» (III, pág. 18). Se comprende así la significación de otra de sus manifestaciones, el mar, al que evoca Poncia como espacio de paz —«A mí me gustaría cruzar el mar y dejar esta casa de guerra» (III, pág. 12)— y María Josefa como símbolo de futuro y vida —«Me escapé porque me quiero casar, porque quiero casarme con un varón hermoso de la orilla del mar, ya que aquí los hombres huyen de las mujeres» (I, pág. 26).

El tratamiento simbólico alcanza a otros elementos del texto. Ya desde el inicio, las acotaciones sobre el espacio escénico comienzan a preparar al lector/espectador para acceder a un nivel sensorial que permite tejer otra historia «menos realista» que la desarrollada ante sus ojos: *Habitación blanquísima del interior de la casa de Bernarda. Muros gruesos. Puertas en arco con cortinas de yute rematadas con madroños y volantes. Sillas de anea* (I, pág. 1)[153]. Como ha señalado Fernández Cifuentes:

> García Lorca aprovechó la presencia material de las paredes en escena y las convirtió en poderosos y equívocos significantes [...]. En *La casa de Bernarda Alba* el espacio es tema fundamental del diálogo: las voces, los ruidos, los movimientos de los personajes revelarán paulatinamente al espectador que el espacio visible es sólo una zona de paso, sin verdadera capacidad de convocatoria, mientras las palabras y los he-

---

[153] Véanse Beth Wellington, *Reflections on Lorca's Private Mythology: «Once Five Years Pass» and The Rural Plays*, Nueva York, Peter Lang, 1973; John Crispin, «*La casa de Bernarda Alba* dentro de la visión mítica lorquiana», en Doménech, 1985, págs. 171-185, y John P. Gabriele, «Mapping the Boundaries of Gender: Men, Women and Space in *La casa de Bernarda Alba*», *HJo*, XV, 1994, 2, págs. 381-392.

chos definitivos ocurren en múltiples y borrosos interiores que le son cuidadosamente negados[154].

La casa representa el mantenimiento del orden y de la seguridad frente a un espacio externo, símbolo de las fuerzas que pugnan por actuar en su contra. Toda la acción se lleva a cabo en su interior, surcado de cuartos, paredes, pasillos y ventanas, que se mencionan con frecuencia y que le proporcionan cierto aspecto de «laberinto». La existencia de lugares, acciones o personajes fuera de este recinto se conoce por alusión. Sabremos así de un corral contiguo, donde se realizan algunos encuentros, y de calles colindantes, en las que se reúnen los vecinos[155]. Son a su vez espacios simbólicos, sin concreción escénica. Años más tarde, el crítico aludiría al potencial de las ventanas como símbolo de la transgresión femenina, un lugar «donde se realizan todas la asimetrías del poder»[156].

Contribuye a ello la iluminación exigida por Federico en sus didascalias, con las que se refuerza su concepción psicologista: «*Cuatro paredes blancas ligeramente azuladas del patio interior de la casa de* BERNARDA. *Es de noche. El decorado ha de ser de una perfecta simplicidad. Las puertas, iluminadas por la luz de los interiores, dan un tenue fulgor a la escena*» (III, pág. 1). Poncia recrimina a Adela que se muestre «casi desnuda con la luz encendida y la ventana abierta» (II, pág. 8); por ellas Pepe el Romano y los vecinos cruzan los límites fijados —«las vecinas pueden verla desde su ventana» (I, pág. 13).

La acentuación del carácter simbólico del espacio escénico se realiza además por el uso del cromatismo. En las acotaciones que Federico dedica al decorado prima el blanco, un color ligado a la pureza, pero igualmente al luto. El contraste entre la tonalidad de las paredes y el atuendo negro de las

---

[154] Luis Fernández Cifuentes, *García Lorca en el teatro: la norma y la diferencia*, Zaragoza, Universidad de Zaragoza, 1986, págs. 188 y 90 (en adelante citado como *García Lorca en el teatro*).

[155] Ruiz Ramón ha apuntado una doble significación de su espacio dramático en función del género: mientras la casa constituye una prisión para las mujeres, se muestra como un refugio para los hombres («Espacios dramáticos en *La casa de Bernarda Alba*», *Gestos*, 1, 1986, págs. 87-100).

[156] Luis Fernández Cifuentes, «Poder y resistencia en el teatro de García Lorca», pág. 162, *CHisp*, XVI, 1994, 1, págs. 157-169.

mujeres amplifica el conflicto, confiere al recinto un aire de iglesia, donde parece estar oficiándose un ritual de muerte. Constituye un guiño a un arte todavía en ciernes, el cinematógrafo. La oposición entre estos dos colores se rompe al entrar en juego el verde, que en el imaginario lorquiano aparece asociado a la vida. Magdalena relata cómo su hermana Adela se ha puesto un traje verde y se ha ido al corral pidiendo que la miraran las gallinas. Martirio le aconseja teñirlo de negro (I, pág. 22). Para Adela representa el umbral hacia la libertad: «¡Mañana me pondré mi vestido verde y me echaré a pasear por la calle! ¡Yo quiero salir!» (I, pág. 23). Por ello, no debe sorprender el rechazo de Bernarda al abanico *«redondo con flores rojas y verdes»* (I, pág. 10) que le ofrece su hija pequeña y su petición de uno negro, más acorde con sus circunstancias.

García Lorca introduce otros códigos sensoriales de índole simbolista: los de carácter acústico. Como ya hemos visto, otorgaba una gran importancia al ritmo, a la música y a la prosodia por su extraordinaria capacidad evocadora. *La casa de Bernarda Alba* se inicia con el *«doblar las campanas»* (I, pág. 1), premonición de la tragedia que va a acontecer, pero también con una letanía, en la que «se combinan fragmentos reconocibles de un texto previo, tradicional [...] con versos nuevos, inventados, al borde mismo de la verosimilitud del contexto»[157]: «BERNARDA.—Descansa en paz con la santa /compaña de cabecera. [...] Con la llave que todo lo abre / y la mano que todo lo cierra. [...] Con los bienaventurados / y las lucecitas del campo» (I, págs. 8-9). Más adelante, el canto de los segadores, precedido por unos *«campanillos lejanos, como a través de varios muros»* (II, pág. 11) y acompañado del sonido de *«panderos y carrañacas»* (II, pág. 12), remite a una existencia externa, a un recinto de libertad en contraste con el ambiente asfixiante de la casa; representa el deseo frente a la razón: «Ya salen los segadores / en busca de las espigas; / se llevan los corazones / de las muchachas que miran» (II, pág. 12). Habría que recordar asimismo los ladridos de los perros o los golpes del caballo en la cuadra como consecuencia de la

---

[157] *García Lorca en el teatro, op. cit.,* pág. 194.

cercanía de las potras a las que le van a aparear al amanecer, símbolo de la fuerza de la pasión, que lleva a Bernarda a exigir su libertad: «encerrad las potras en la cuadra, pero dejadlo libre, no sea que nos eche abajo las
paredes» (III, pág. 3).

Para conseguir un ritmo, García Lorca realiza continuas
precisiones sobre los movimientos de los intérpretes. En sus
acotaciones da instrucciones precisas sobre la manera en la
que deben moverse en escena. Así, en el Acto I recurre a la
coreografía para provocar el efecto de *distanciamiento* del espectador con la acción, pero también para acentuar el aire
de religiosidad que, a continuación, se trunca en el diálogo.
Las reminiscencias cinematográficas son evidentes: «*(Por el
fondo, de dos en dos, empiezan a entrar mujeres de luto con pañuelos, grandes faldas y abanicos negros. Entran lentamente hasta llenar la escena.)* [...] *Terminan de entrar las doscientas mujeres y
aparecen* BERNARDA *y sus cinco* HIJAS» (I, pág. 6). Al entonar
los cantos, «*al modo gregoriano*» deben ponerse «*de pie*» y, al
final del cuadro, salir «*desfilando todas por delante de* BERNAR-
DA» (I, pág. 9).

El mismo sentido puede deducirse de la utilización de la
voz. Mediante sus acotaciones, crea un espectáculo sonoro.
La presencia de adjetivos y alocuciones para sugerir estados
*(fuerte, enérgica, profunda, con cierta irritación, desesperada, baja,
furiosa, ansiosa, entre dientes, con intención, con retintín, embarazoso, siempre con crueldad...)* y acciones *(pausa, gritos, voces, silencio...)* demuestran su atención por las capacidades connotativas de la prosodia para la sugerencia de estados psicológicos
o la ampliación de espacios físicos. Se crea así un ritmo preciso, parecido a una partitura musical, con sus pausas[158].
A éstos habría que añadir otros elementos *transgresores*, como
el silbido de Pepe el Romano, las voces exteriores, los gritos

---

[158] Fernández Cifuentes ha señalado cómo hacia «la mitad del segundo
acto (la mitad de la obra) se produce el momento más rigurosamente elabo-
rado desde el punto de vista musical: en una sola página del texto-partitura,
García Lorca señala cinco "pausas" y luego la entrada de Angustias "furiosa"
[...], de modo que haya un gran contraste con los silencios anteriores» *(ibidem,* págs. 201-202).

de las gentes que persiguen a la Librada y el diálogo de Bernarda sobre la condición infranqueable de sus muros[159].

Varios críticos han llamado la atención sobre la significación del silencio en la obra[160]. Este silencio presagia la tragedia: «*Todos oyen en un silencio traspasado por el sol*» (II, pág. 12). Facilita, además, los contrastes, como en la entrada de Angustias, cuando reclama el retrato de Pepe el Romano: «*(Entrando furiosa en escena, de modo que haya un gran contraste con los silencios anteriores)*» (II, pág. 15). Como ha apuntado Dru Dougherty, «el silencio como señal anuncia una serie de temas dispuestos en torno a un mismo centro —la muerte—, cuyo valor consiste en encoger, aplazar o cortar con violencia las potencias vitales del personaje dramático»[161]. La obra finaliza de manera significativa con Bernarda pidiendo silencio.

A la creación de este espacio sonoro de múltiples resonancias simbólicas colaboran los registros corales intercalados en el tejido del texto, que se inspira así en la tragedia griega[162]. Si en Sófocles el coro actuaba como comentador de la acción, en Esquilo tomaba parte de la acción y en Eurípides

---

[159] Véase Magdalena Cueto, «Transgresión y límite en el teatro de García Lorca: *La casa de Bernarda Alba*», págs. 100-101, en AA.VV., *Lecturas del texto dramático: variaciones sobre la obra de Lorca,* Oviedo, Universidad, 1990, págs. 97-116.

[160] Desde «el primer momento, el espectador se ve privado de la voz habitual, transparente de los escenarios; se *hace* mucho más de lo que se *dice* y las palabras, en lugar de trasmitir los hechos, se vuelven contra ellos, los traicionan, los alejan; se reducen los significantes y se multiplican los significados, de manera que palabras y gestos llegan cargados de connotaciones inciertas; las historias ajenas contadas en el escenario son fundamentalmente borrosos espejos de las que ocurren en aquellos interiores de la *casa* de Bernarda donde el espectador no tiene acceso; el diálogo se ve siempre truncado e incompleto, y el silencio, una máscara, no un vacío» *(García Lorca en el teatro, op. cit.,* págs. 195-196).

[161] «El lenguaje del silencio en el teatro de García Lorca», págs. 27-28, en *García Lorca,* Madrid, Casa de Velázquez/Universidad Complutense, 1998, págs. 23-39. Véase también Michael Thompson, «"Poetry that gets up off the page and becomes human": poetic coherence and eccentricity in Lorca's theatre», en Doggart y Thompson, 1999, págs. 67-79.

[162] «Lorca toma del teatro griego dos elementos fundamentales: el coro y el sentido íntimo de la tragedia» (Rafael Martínez Nadal, «Ecos clásicos en las obras de Federico García Lorca y Luis Cernuda», pág. 46, en Rodríguez y Bravo, 1986, págs. 36-55).

proveía de elementos líricos, en García Lorca se produce una fusión de todas estas funciones. En *La casa de Bernarda Alba* se distancia de *Bodas de sangre* y *Yerma* al no dedicarle ningún cuadro completo, pero, como ha puesto de relieve Arnulfo G. Ramírez, el coro empleado es «la gente que está en la escena»[163] y son esencialmente personas del pueblo. La primera aparición del coro tiene lugar en el Acto I, cuando un grupo de mujeres plañideras irrumpe en la casa siguiendo al esposo muerto. En la acotación, García Lorca da instrucciones precisas sobre su entrada:

> *Por el fondo, de dos en dos, empiezan a entrar mujeres de luto con pañuelos grandes, faldas y abanicos negros. Entran lentamente hasta llenar la escena. [...] Terminan de entrar las doscientas mujeres y aparecen* BERNARDA *y sus cinco* HIJAS (I, pág. 6).

Sumner Greenfield ha incidido en la condición de coro en la supuesta *entrada* de 200 mujeres al inicio del Acto I y la presencia física de toda la población femenina del pueblo. Sin embargo, de este amplio colectivo sólo cuatro acaban interviniendo en la acción. Son las plañideras que irrumpen en el recinto siguiendo al cortejo fúnebre[164] y ofrecen la primera imagen de Bernarda antes de su aparición:

> MUJER 2.ª *(Aparte y en baja voz.).*—¡Mala, más que mala!
> MUJER 3.ª *(Aparte y en baja voz.).*—¡Lengua de cuchillo! [...]
> MUJER 1.ª *(En voz baja.).*—¡Vieja lagarta recocida! (I, pág. 8).

Vuelve a aparecer un coro en la entrada de los segadores en el Acto II. El autor revela su intención en la propia denominación que aparece en el manuscrito: «CORO». Su afán de sintetizar al máximo la acción y estimular los sentidos puede explicar el no conferirles una presencia física en el escenario. Del contexto se deduce que se realizará a través de sus cantos: «CORO.—Ya salen los segadores / en busca de las espigas; / se

---

[163] Arnulfo G. Ramírez, «El coro en las tragedias poéticas de García Lorca», en Alvar, 1988, págs. 184 y ss.
[164] Sumner M. Greenfield, «Poetry and Stagecraft in *La Casa de Bernarda Alba*», pág. 47, *HispaEU*, XXXIX, marzo 1965, págs. 456-461.

llevan los corazones / de las muchachas que miran. [...] Abrir puertas y ventanas / las que vivís en el pueblo; / el segador pide rosas / para adornar su sombrero» (II, págs. 12-13). Conviene recordar también la presencia de los lugareños, en especial al finalizar el Acto II. Es un coro de naturaleza aural, sin presencia física, pero cuyos miembros aparecen constantemente, bien en los diálogos de Poncia y Bernada —«¡En lo alto de la calle hay un gran gentío y todos los vecinos están en sus puertas»!—, bien a través de «*rumores lejanos*» (II, pág. 24) —«*(Fuera se oye un grito de mujer y un gran rumor)*» (II, pág. 26)[165].

Me he atrevido a hablar de «trilogía rural», aún siendo consciente de que el propósito inicial de García Lorca no era tal. En unas declaraciones realizadas en 1933, declaró su intención de escribir una «trilogía dramática de la tierra española» que incluiría *Bodas de sangre*, *Yerma* y *La destrucción de Sodoma*, a la que, en otras ocasiones alude con otro título, *Las hijas de Loth*[166]. Más adelante cambió su proyecto y pensó en escribir otra trilogía, «bíblica» en este caso, compuesta por esta última obra, *Thamar y Amnón* (titulada en ocasiones *La sangre no tiene voz* o *El sabor de la sangre)*, y *Caín y Abel* (denominada también *Carne de cañón)*[167]. No existen declaraciones del escritor que corroboren su intención de que la obra fuera el último elemento de esa trilogía rural. No obstante, estas observaciones sobre el uso del símbolo, unidas a su ambientación rural, recuerdan las coordenadas estilísticas y temáticas de *Bodas de sangre* y *Yerma*, y confirman la reciente revisión de Andrew A. Anderson, quien apunta, además, su condición de tragedias, sus conexiones a través del protagonismo de las

---

[165] Más cuestionables resultan las observaciones del crítico sobre la última aparición del coro, que, a su entender, se encontraría al final del Acto III, donde constituye una entidad «invisible e inaudible». La acción de Bernarda contra Pepe el Romano despierta a los vecinos y para mantener la honorabilidad de la familia, Bernarda habla «en voz baja como un rugido» pidiendo silencio y augurando su inmersión en un mar de luto.

[166] J. S. Serna, «Charla amable con Federico García Lorca», *Heraldo de Madrid*, 11-VII-1933, y Alardo Prats, «Los artistas en el ambiente de nuestro tiempo», *El Sol*, 15-XII-1934.

[167] Véase Marie Laffranque, «Puertas abiertas y cerradas en la poesía y el teatro de García Lorca», pág. 264, en Gil, 1973, págs. 249-269.

mujeres y la similitud de algunos de sus temas[168]. Coincido con Roberto G. Sánchez, cuando señala que *La casa de Bernarda Alba* surgiría del proceso de maduración en la creación de *La destrucción de Sodoma*, lo que no descartaría tampoco el que su contacto con Francisca Alba hubiera actuado como catalizador[169].

Como hemos podido observar, *La casa de Bernarda Alba* constituye sin duda un exponente más de la capacidad de Federico García Lorca para aunar la tradición y la vanguardia por medio de un teatro simbólico de índole muy personal que le sitúa entre los valores más destacados del canon internacional. Revela el interés del autor granadino por continuar en el camino de la experimentación con temas, personajes y géneros de la tradición teatral —desde la griega hasta el teatro aúreo, sin olvidar el teatro poético y el drama rural de su época—, a los que presenta desde inusitadas perspectivas y filtra por el tamiz de unas modernas técnicas expresivas que tienden a la estilización, deudoras de las corrientes más renovadoras de la vanguardia teatral del momento. No supone una vuelta hacia el realismo, sino una profundización en las posibilidades connotativas de los símbolos[170].

---

[168] Ricardo Doménech, «Símbolo, mito y rito en *La casa de Bernarda Alba*», art. cit., pág. 190, y Andrew A. Anderson, «The Strategy of García Lorca's Dramatic Composition 1930-1936», *RQ*, XXXIII, 1986, 2, págs. 220 y ss. De hecho, frente a los críticos que apuntan su divergencia respecto de las otras dos debido al abandono del verso, hay que señalar que en el proyecto original de Federico había una fuerte presencia de elementos líricos. En unas declaraciones recogidas por Manuel Altolaguirre, indicó: «He suprimido muchas cosas en esta tragedia, muchas canciones fáciles, muchos romancillos y letrillas. Quiero que mi obra teatral tenga severidad y sencillez» (Manuel Altolaguirre, «Nuestro teatro», *Hora de España*, septiembre de 1937, pág. 9).

[169] «Si consideramos el resto de la trilogía, pasión adúltera y frustración de la mujer estéril, se puede llegar a la conclusión de que el último drama había de tratar de la represión sexual. Todo esto lo estuvo madurando Lorca durante varios años. Lo pensó y lo repensó, y de ello —para nosotros no cabe la menor duda— surgió su drama cumbre, *La casa de Bernarda Alba*» (Roberto Sánchez, «La última manera dramática de García Lorca (Hacia una clarificación de lo *social* en su teatro)», art. cit., págs. 90-91.

[170] Wilfried Floeck sostiene un planteamiento diferente, basado en el menoscabo del drama rural lorquiano: «¿García Lorca y la vanguardia literaria? Hace veinte años apenas habría podido plantearse esta pregunta, cuando menos por lo que respecta al teatro de Lorca. En cuanto dramaturgo, Lorca era

III. La edición del texto

III.1. *El apógrafo y el autógrafo*

La casa de Bernarda Alba es una de las obras teatrales de Federico García Lorca que más ediciones ha conocido desde su publicación por la Editorial Losada, en Buenos Aires, en 1945[171]. Ésta se basaba en un apógrafo, perdido en la actualidad, entregado por Margarita Xirgu, después de que Julio Fuensalida, un amigo de la familia, se lo hiciera llegar, según testimonio de la actriz recogido en una carta a Isabel Pradas con fecha del 20 de enero de 1945[172]. Una vez en sus manos, decidió encargar los decorados a Santiago Ontañón y estrenar la obra en la ciudad bonaerense, el 8 de marzo de 1945, en el

---

conocido, por una parte, como autor de piezas populares de marionetas, fácilmente accesibles al público y, por otra, como autor de tragedias rurales, surgidas en la década de los treinta y situadas en el ambiente andaluz, *Bodas de sangre* y *Yerma*, así como el drama social *La casa de Bernarda Alba*. Estas últimas piezas trataban justamente de temas tradicionales, típicamente españoles, como por ejemplo el conflicto del honor, la venganza de la sangre, la esterilidad femenina y la pugna entre las rígidas normas sociales y la libertad individual» («García Lorca y la vanguardia. Observaciones sobre el drama de García Lorca *El Público*», págs. 27-28, *FyL*, XXII, 1996, 2, págs. 27-44).

[171] Si bien en la primera edición de Losada de 1945 no aparece Guillermo de Torre como editor, su protagonismo es reconocido en la publicada por esta editorial al año siguiente, en 1946, en el tomo VIII de las *Obras completas*, de Federico García Lorca. Se trata del mismo texto. Antonina Rodrigo, en su biografía sobre Margarita Xirgu, escribió al respecto: «Con Guillermo de Torre colabora la actriz, cuando a los pocos meses del fusilamiento del poeta, la editorial Losada emprende la tarea de reunir su obra completa. La actriz ayuda a localizar las copias de los manuscritos teatrales que conservan los actores que han interpretado sus dramas. Y pone en relación al editor con Francisco García Lorca para realizar la publicación de lo que serán las primeras *Obras completas*, que aparecerán a principios de 1939» *(Margarita Xirgu,* Madrid, Aguilar, 1988, págs. 337-338). Joaquín Forradellas, en su edición de la obra para la colección Austral alude a la existencia de una edición anterior citada por Gonzalo Torrente Ballester, que fue publicada en Caracas, *El Universal,* en 1938 (pág. 24). Por el momento no ha sido posible localizar más información sobre ésta.

[172] *Ibidem,* pág. 364.

Teatro Avenida[173]. Fue éste el apógrafo en el que se basó también Arturo del Hoyo para la edición de la obra que incluyó en las *Obras completas* de Federico García Lorca publicadas por la Editorial Aguilar en 1954, el texto que durante décadas han manejado con asiduidad profesores, críticos y lectores.

Sin embargo, en 1981 apareció en Madrid una edición decisiva para el conocimiento de la obra, preparada por Mario Hernández. Presentaba la novedad de haber utilizado un autógrafo de la obra conservado en la Fundación Federico García Lorca. Con toda probabilidad se trataba del manuscrito que el autor llevaba consigo constantemente, como recuerda el musicólogo Adolfo Salazar[174], un texto en el que estuvo trabajando mientras se encontraba refugiado en casa de los Rosales y que permaneció escondido en un almiar de Granada con el fin de preservarlo de los registros efectuados. Sería también el que había leído en la casa de los Condes de Yebes, en una reunión en la que estuvieron presentes, entre otros, el doctor Marañón y Marichalar, velada recordada en su momento por el diplomático Carlos Morla Lynch[175].

---

[173] La obra había sido escrita pensando en esta prestigiosa actriz, como ella misma declaró a Octavio Hornos Paz, el 9 de marzo de 1945, en *La Nación*: «Federico García Lorca escribió *La casa de Bernarda Alba* porque yo le pedí que, luego de *Doña Rosita*, me diera la oportunidad de encarnar a un ser duro, opuesto a la ternura de la solterona» (*ibidem*, pág. 363). Sin muchas precisiones, Carlos Martínez menciona un estreno anterior: «Poco después, por los días a que me estoy refiriendo (años 40 a 41), se efectuó una brillante temporada, también en los Bellas Artes, con *La casa de Bernarda Alba*, de Federico García Lorca, que obtuvo un éxito rotundo, permaneciendo mucho tiempo en cartel» (*Crónica de una emigración [La de los Republicanos Españoles en 1939]*, México, Libro Mex, 1959). Es evidente que se trata de una confusión de fechas. Se refiere al que se produjo en el Palacio de Bellas Artes de México el 2 de septiembre de 1945.

[174] «Federico llevaba constantemente en su bolsillo el original de *La casa de Bernarda Alba*. Decía que, al terminar su drama, había tenido una congoja de llanto. Creía comenzar ahora su verdadera carrera de poeta dramático» (recogido por Mario Hernández en «Hilos y filos», prólogo a Federico García Lorca, *La casa de Bernarda Alba*, Madrid, Alianza, 1998, pág. 18).

[175] *En España con Federico García Lorca. (Páginas de un diario íntimo. 1928-1936)*, Madrid, Aguilar, 1958, págs. 483-488. Por cierto que, al recordar la velada, confundió el nombre de uno de los personajes, Angustias, por Augusta (pág. 486).

La comparación entre los textos ofrecidos por Guillermo de Torre y Arturo del Hoyo, basados en el apógrafo, y el manuscrito conservado en la Fundación Federico García Lorca revela que no existen diferencias ni en su trama, ni en su estructura, ni en el número de personajes y la extensión de sus intervenciones. No obstante, aparecen tanto omisiones, añadiduras y sustituciones de términos y frases, como numerosas variaciones en la utilización de los signos ortográficos.

A continuación voy a tratar de dilucidar las razones que puedan explicar la existencia de estas diferencias, proyectar alguna luz sobre las dudas esgrimidas en torno a la validez actual de unas ediciones en detrimento de otras y justificar así la propuesta de esta edición, para cuya redacción he tenido en cuenta la fuente original, el autógrafo, así como las tres ediciones citadas con anterioridad, la de Guillermo de Torre, de 1945, la de Arturo del Hoyo, de 1954, y la de Mario Hernández, de 1981[176].

III.1.a. Género y caracteres

La lectura del autógrafo permite apreciar numerosas tachaduras y anotaciones en distinto tamaño de letra, lo que revela al menos una revisión posterior del escritor, una vez acabada la obra. Suprimió palabras que consideraba innecesarias para la acción —«Poncia. [Ya viene] La vieja, ¿está bien encerrada?» (I, pág. 2)[177]— y añadió sobre éstas otras más suge-

---

[176] Espero así aclarar algunas de las reservas sobre las ediciones de la obra expresadas por C. Brian Morris en su excelente acercamiento a la obra: «Hernández has established a text that, although not substantially different from the one long reprinted in successive Aguilar editions of the *Obras completas*, has obliged Arturo del Hoyo and Aguilar to reconsider for the 22nd edition (3 vols, 1986) a small number of words and stage directions with uneven results. Howewer, my reservations about the Hernández edition, which I cannot explain in the space available, do not give it in my view a decisive advantage over the revised Aguilar text, and I have therefore opted to use the latter» (*García Lorca: La casa de Bernarda Alba*, Londres, Grant&Cutler, 1990, pág. 7).

[177] Como he señalado con anterioridad, el número de las páginas hace referencia al autógrafo, que edito según la normativa actual sobre el uso de signos ortográficos y tipos de letras, con la excepción de algún párrafo donde

rentes o expresivas —«Si Bernarda no ve relucientes [limpias] las mesas, me arrancará los pocos pelos que me quedan» (I, pág. 2). En otras ocasiones trató sólo de corregir alguna incorrección idiomática detectada, como la presencia de determinantes delante de los nombres propios —«que quitando a [la] Angustias» (I, pág. 4). Son de especial significación las modificaciones realizadas en la primera hoja, la que contiene el título, el género, los personajes —«Personas»—, y la advertencia sobre su carácter de «documental fotográfico». Son cambios que se explican en gran medida por su creciente deseo de acentuar el protagonismo femenino conforme iba escribiendo el texto.

En efecto, García Lorca abordó en *La casa de Bernarda Alba* la problemática de las mujeres en el ámbito rural español e intentó resaltar la condición dramática de la trama, cuestiones ya tratadas en esta edición. De ahí su decisión de barretear la referencia inicial a los tres actos del texto, dejándolo en «Drama de mujeres en los pueblos de España», y añadir éstos al final de dicha hoja, junto con su declaración de intenciones: «El poeta advierte que estos tres actos tienen la intención de un documental fotográfico». También se explicarían en función de dicho protagonismo las supresiones en esta relación de varios personajes masculinos: Apolinar (50 años), José Nicasio (35 años), los «Mozos», y «El hombre de la guitarra». Ninguno de ellos aparece en el texto, pues se recordará que no hay ninguna presencia física masculina en la obra, sólo alusiones a determinados varones o intervenciones vocales en el espacio sonoro (Coro de los segadores del Acto II). En esta fase, se debió de producir asimismo la tachadura del lugar de la acción: «en un pueblo andaluz de tierra seca». Federico debió de observar que la condición simbólica de la acción, apuntada en el subgénero «Drama de mujeres en los pueblos de España», entraba en contradicción con una referencia tan específica a Andalucía.

---

se explican aspectos relacionados con los criterios de edición en materia de puntuación. Utilizo los corchetes para acotar los términos, frases, signos ortográficos y tipos de letras que fueron finalmente añadidos, suprimidos o sustituidos por los distintos editores.

Quiero resaltar, además, el hecho de que en esta primera hoja prescinda de algunos nombres femeninos. Desaparecieron una bailarina («la bailarina»), varias criadas y un personaje concreto, Araceli, que debía tener 40 años. Por su disposición, detrás de las dos criadas y Prudencia, no parece tratarse de la supuesta sexta hija de Bernarda Alba que inicialmente pensaba incluir, como lo demuestran las dos referencias a éstas con el número seis en el Acto I. En la primera de ellas, Poncia comenta a la otra criada la existencia de seis hijas: «Le quedan seis mujeres, seis hijas feas» (I, pág. 4), un número que vuelve a aparecer en una acotación posterior que alude a la presencia de Bernarda con sus «seis hijas»: «*(Terminan de entrar las doscientas mujeres y aparece[n]* BERNARDA *y sus seis [cinco]* HIJAS)»* (I, pág. 6). Por la inexistencia de tachaduras en otra referencia realizada en el Acto II: «*Pero todavía no soy anciana y tengo cinco cadenas para vosotras*» (II, pág. 18), parece lógico pensar que su decisión de fijar el número de hijas en cinco fue tomada poco después del comienzo de la redacción de la obra. Por supuesto, sus editores han optado sistemáticamente por subsanar en sus respectivas propuestas este «despiste» en relación con el número de hijas.

Existen otros dos datos más que permiten oponerse a la idea de que nos hallamos ante un autógrafo acabado y sostener la necesidad de una revisión más detallada por parte del autor que no pudo realizar debido a su muerte. Se trata de las oscilaciones en la denominación de una de las criadas[178], que permanece en la obra con los genéricos de «Criada» y «Criada 1.ª», empleados indistintamente; de la aparición entre las «personas» de Angustias con 36 años, mientras que, a lo largo del texto, se alude a ella como una mujer que ya ha cumplido los «treinta y nueve justos» (I, pág. 15), y la inexistencia de varios personajes que, sin embargo, aparecen en el Acto I: una Mendiga, acompañada de una niña, que charla con la criada, y la Muchacha 1.ª, a la que se dirige Bernarda recriminándole que, a su edad, hable delante de personas mayores (I, pág. 5), y a la que, poco después, manda callar una de las mujeres (I, pág. 8).

---

[178] Denominada en la relación inicial Josefa, antes de tachar este nombre.

Pero no son éstas las únicas cuestiones que nos llevan a pensar en la conveniencia de realizar una edición que subsane los distintos problemas planteados, con independencia de la idoneidad de los criterios que pueda seguir cada editor.

III.1.b. Las modificaciones necesarias

Como ya se ha comentado, en la primera revisión efectuada, García Lorca tachó lo que consideraba accesorio, introdujo cambios para ajustar la acción a sus propósitos y «reparó» algunos descuidos. Pero no todos. Son escasos algunos signos ortográficos (tildes y puntuación) y aparecen incompletos o no existen otros (signos de interrogación y admiración). Hay frases en las que faltan algunos términos para su perfecta comprensión y oscilaciones en el empleo de los modos verbales. Además, no presenta homogeneidad en la escritura de los nombres de los personajes (unas veces completos y otras con distintas abreviaturas), y, en ocasiones, aparecen fluctuaciones en las especificaciones numéricas de los genéricos («Mujer [1.ª]», I, pág. 7).

El autógrafo muestra términos innecesarios: «Es capaz de capaz de sentarse encima» (I, pág. 2); «Ni con el jabón, ni con bayeta se le quitan» (I, pág. 4); «¡Lo mejor que puede hacer es regalárselo a Angustias para la su boda con Pepe el Romano!» (I, pág. 22). Pero también aparece el fenómeno contrario, es decir, la carencia de una o varias palabras: «Por la puerta se va [a] la calle» (I, pág. 5); *«Por el fondo, de dos [en dos], empiezan a entrar mujeres de luto»* (I, pág. 6); «Ve con ella y ten cuidado [de] que no [se] acerque al pozo» (I, pág. 12); «¡Pero el duelo de [los] hombres habría salido ya!» (I, pág. 13); «Adelaida habrá pasado [un] mal rato» (I, pág. 17); «Lo natural sería que te pretendiera a ti, Amelia, o [a] nuestra Adela» (I, pág. 21); «Lo [que] sea de una será de todas» (I, pág. 23); «Tened cuidado con no entreabrirla mucho, por[que] son capaces de dar un empujón para ver quién mira» (II, pág. 13); «¡Calla y no me hagas hablar, que si hablo se van [a] juntar las paredes unas con otras de vergüenza!» (II, pág. 17); *«Se cubre con [un] pequeño mantón negro de talle»* (III, pág. 15); «Tengo miedo de [que] los perros me muerdan» (III, pág. 16); *«(Se [oye] como un golpe)»* (III, pág. 22).

En el texto existen, además, casos de un conocido uso coloquial, la utilización del modo infinitivo por el imperativo: «Sentarse» (I, pág. 7); «Andar a vuestras cuevas a criticar todo lo que habéis visto» (I, pág. 10); «¡Ayudarla vosotras!» (I, pág. 27); «Dejar esa conversación» (II, pág. 2); «¡Pues seguir!» (II, pág. 6); «¡Callar! ¡Callar!» (II, pág. 13); «Abrir puertas y ventanas» (II, pág. 13); «¡Contestarme!» (II, pág. 16); «¡Dejarme en paz!» (III, pág. 9); «Andar vosotras también» (III, pág. 9). No obstante, los mismos personajes emplean en otras ocasiones el modo imperativo para la función de mandato: «Tened cuidado con no entreabrirla mucho, por[que] son capaces de dar un empujón para ver quién mira» (II, pág. 13); «¡Trabadlo y que salga al corral!» (III, pág. 2); «¡Echadlo, que se revuelque en los montones de paja!» (III, pág. 3); «Pues encerrad las potras en la cuadra, pero dejadlo libre» (III, pág. 3). Hay, incluso, fluctuaciones en un mismo párrafo, donde se alternan ambos modos verbales: «¡Descolgarla! ¡Mi hija ha muerto virgen! Llevadla a su cuarto y vestirla como si fuera doncella. [...] Avisad que al amanecer den dos clamores las campanas» (III, pág. 23).

Asimismo en el autógrafo aparecen otros usos lingüísticos propios de algunos hablantes andaluces: el uso de la preposición «de» por «a»: «Yo tengo derecho de [a] enterarme» (II, pág. 24); la supresión de algunas preposiciones: «Después que te haya quitado esos polvos de la cara» (I, pág. 25); «Se empeña que, con el calor que hace, vaya a traerle no sé qué cosa de la tienda» (II, pág. 10); «Y si pasara algún día, estáte segura que no traspasaría las paredes» (II, pág. 21); «Mira a un lado y otro con sigilo» (III, pág. 14); la alteración del orden sintáctico: «Los muebles me han dicho que son preciosos» (III, pág. 4), y alguna omisión, como la supresión del verbo «estar» en el diálogo entre Magdalena, Amelia y Martirio (I, pág. 19):

MAGDALENA.—¿Qué hacéis?
MARTIRIO.—Aquí.

El autógrafo no incluye numerosos signos ortográficos (tildes, comas, puntos, puntos y comas, aperturas de admiración, signos de interrogación y exclamación) y aparecen en él usos incorrectos de las mayúsculas y minúsculas. En esta ocasión no se trata de una carencia de revisión por parte del autor. Al escribir, García Lorca no se preocupaba de estos aspectos formales, como lo demuestra el cotejo con otros textos conservados de la misma índole.

En efecto, todas las hojas manuscritas adolecen de carencias en la puntuación, tanto en los diálogos —«Y no quiero entenderte[,] porque si llegara al alcance de todo lo que dices te tendría que arañar» (II, pág. 22)—, como en las acotaciones —«*Las puertas[,] iluminadas por la luz de los interiores[,] dan un tenue fulgor a la escena*» (III, pág. 1)—, y de algunos de los signos de admiración y de interrogación —«¡Eso no! porque aparecerá!» [¡Eso no, porque aparecerá!] (II, pág. 15). Se percibe una tendencia manifiesta a no emplear los signos de apertura de interrogación y de admiración y aparecen usos incorrectos de las mayúsculas y minúsculas. Sirvan como ejemplo las frases proferidas por la Criada (I, pág. 6):

> Sí sí vengan clamores! venga caja con filos dorados y tohallas de seda para llevarla! que lo mismo estarás tu que estaré yo.

El autógrafo ofrece varios casos en los que se percibe una alteración en el orden de los signos, en especial, en las frases interrogativas: «¿Y tu marido cómo sigue?» [Y tu marido, ¿cómo sigue?] (III, pág. 1); «¿Y vosotras no descansáis?» [Y, ¿vosotras no descansáis?] (III, pág. 13); «¿Abuela dónde va usted?» [Abuela, ¿dónde va usted?] (III, pág. 15). García Lorca oscilaba a la hora de presentar estas construcciones, como se percibe en otras ocasiones: «Pues, ¿no estaba dormida?» (II, pág. 6).

Se producen también en este manuscrito desviaciones de la norma en la escritura de otros signos ortográficos: los dos puntos —«Bernarda:[,] dejemos esa conversación» (III, pág. 10); «Bernarda:[,]yo no quiero hablar» (III, pág. 11); «No a ti, que eres débil:[.] A un caballo encabritado soy capaz de poner de rodillas con la fuerza de mi dedo meñique» (III, pág. 19)—; los puntos suspensivos, que García Lorca tendía a reproducir sin un número determinado —«Estaba......» (II, pág. 16); «¿Y con tu hija.......» (III, pág. 1)—, con alteraciones en el orden de éstos al situarlos casi siempre antes del signo de cierre de la interrogación —«¿Y Martirio también.......?» (III, pág. 13)—, y los paréntesis —«Sabes (porque lo has visto), que me quiere a mí» (III, pág. 18)—, sobre todo, en las didascalias, donde abusa de ellos —«*(Sale corriendo de detrás la Pon) aparece Amelia por el fondo que mira aterrada con la cabeza sobre la pared) (sale detrás Martirio)*» (III, pág. 21).

III.1.c. La complejidad de las lecturas

Ante estos hechos, no cabe la menor duda de la necesidad de editar el texto adecuándolo a la norma lingüística. Quedaría por dilucidar si en la actualidad todavía pueden considerarse válidas las ediciones previas a la divulgación del autógrafo conservado en la Fundación Federico García Lorca, aquellas que se basaron en el apógrafo. Un análisis comparativo con la primera edición, la de Guillermo de Torre, y con la más divulgada, la de Arturo del Hoyo[179], permite afirmar que las ediciones que han seguido el apógrafo presentan numerosas divergencias con el autógrafo, algunas de importancia, que alejan el texto no sólo de la intención del autor en determinados momentos, sino también de la norma. Espero que esta revisión justifique el planteamiento de la edición que propongo. El cotejo de esta edición que publica la editorial Cátedra con las propuestas de los editores citados permitirá al lector hacerse una idea de la diversidad de opciones[180].

Veamos, en primer lugar, las dos ediciones basadas en el apógrafo, la de Guillermo de Torre y Arturo del Hoyo[181].

---

[179] He tomado como ejemplo la de 1965.

[180] Deseo resaltar que no he localizado ningún testimonio sobre la disponibilidad del apógrafo por parte de Arturo del Hoyo. Hay numerosas divergencias con la edición de Guillermo de Torre, pero podrían deberse al resultado de las propias opciones de ambos.

[181] Gran parte de estas cuestiones planteadas se pueden explicar por una interpretación incorrecta de la persona que realizó el apógrafo sobre el que basaron sus ediciones Guillermo de Torre y Arturo del Hoyo.

En ellas aparecen palabras inexistentes en el autógrafo[182]: «que es lo que ella dice que [tú] le das» (I, pág. 12); «Ésa sale a sus tías; blancas y untosas, [y] que ponían ojos de carnero al piropo de cualquier barberillo» (I, pág. 15); «se ponen [de] velo blanco» (I, pág. 19); «Y [que] me está muy bien» (I, pág. 22); «No, no [me] callo» (I, pág. 26); «Desde luego [que] hay que reconocer que lo mejor» (II, pág. 1); «Sí, y por poco [si] lo [le] dejo tuerto» (II, pág. 5); «Estaba en mi cuarto y [ya] no está» (II, pág. 15); «Una hija que desobedece deja de ser hija para convertirse en [una] enemiga» (III, pág. 2); «Esto no puede seguir [así]» (III, pág. 17).

Las divergencias afectan a la transcripción del singular y el plural existente en estas ediciones: «Ha sacado del cofre sus anillos y los pendientes de amatistas [amatista]» (I, pág. 12); «y que siempre ha sido la que ha tenido menos mérito [méritos] de todas nosotras» (I, pág. 21); «a una mujer que, como su padre, habla con la nariz [las narices]» (I, pág. 22); «Estoy deseando que llegue noviembre, los días de lluvia [lluvias]» (II, pág. 14); «¿Por qué aquí no hay espuma [espumas]?» (III, pág. 15)[183]. También se aprecian diferencias en la transcripción de las personas verbales: «¡Lo mejor que puede [puedes] hacer es regalárselo a Angustias para su boda con Pepe el Romano!» (I, pág. 22); de los puntos suspensivos: «No es por eso [...]» (I, pág. 13); «Chisss [...]» (II, pág. 4), y, en general, del resto de los signos ortográficos: «[i]Silencio, silencio he dicho[!]» (III, pág. 23); lo que influye, por lo tanto, en el empleo de las mayúsculas y minúsculas: «De Pepe el Romano, [...] ¿n[N]o es eso?» (II, pág. 7).

Estas desviaciones del autógrafo pueden llegar a modificar el sentido de las frases, como en la agregación de una negación en la respuesta de Bernarda a Martirio del Acto III: «Fue culpa mía» (III, pág. 21), convertida en «No fue culpa mía» por Guillermo de Torre y Arturo del Hoyo.

Quizás llamen más la atención las numerosas sustituciones de unos términos por otros que han realizado los edito-

---

[182] Sitúo entre corchetes los términos añadidos, suprimidos o sustituidos por los editores.
[183] Arturo del Hoyo (en adelante, AH) lo escribe como el autógrafo.

res antes aludidos: «La [Ya] están tomando en el patio» (I, pág. 7); «Podéis empezar a bordaros [bordar] el ajuar» (I, pág. 11); «Sé que ya [yo] no me voy a casar» (I, pág. 11); «Siempre que viene, le tira puñaladas con [en] el asunto» (I, págs. 17-18); «Es buen hombre [mozo]» (I, pág. 21)[184]; «¡Dios nos [me] valga!» (I, pág. 22); «Yo no quiero [puedo] estar encerrada» (I, pág. 23); «CRIADA *(Apareciendo.)» [Aparece la* CRIADA.] (I, pág. 24); *«(Le quita violentamente con su [un] pañuelo los polvos)»* (I, pág. 25); «Aunque mi madre esté loca, yo estoy con [en] mis cinco sentidos» (I, pág. 25); «asustada, como si tuviera [tuviese] una lagartija entre los pechos» (II, pág. 1); «Abre la puerta del patio a ver si nos entra un poco el [de] fresco» (II, pág. 2); «Era la una de la madrugada y salía [subía] fuego de la tierra» (II, pág. 2); «Tu hermana Angustias es una [está] enferma» (II, pág. 8); «para manteruelos [mantehuelos] de cristianar» (II, pág. 11); «Son los hombres, que vuelven al [del] trabajo» (II, pág. 11); «puede ser un volunto [barrunto] mío» (II, pág. 14); «¡Qué escándalo es éste en mi casa y con [en] el silencio del peso del calor» (II, pág. 16); *«(Sale* PONCIA.) *[(Saliendo.)]»* (II, pág. 16); «Mi sangre no se junta con la de los Humanes [Humanas] mientra yo viva» (II, pág. 20); «Y que pague la que pisotea su [la] decencia» (II, pág. 26); «Pone una escalera y salta las tapias del [y el] corral» (III, pág. 1); *«(Interviniendo [Interrumpiendo].)»* (III, pág. 2); «Pues encerrad [cerrad] las potras» (III, pág. 3)[185]; «Bernarda no me deja descanso [descansar]» (III, pág. 13); «Adela arrebata el [un] bastón a su madre» (III, pág. 20); «Salió corriendo en la [su] jaca» (III, pág. 21).

La complejidad en el uso de los pronombres personales en la lengua castellana debió de ser la causa de la aparición de casos de laísmo y leísmo en la edición de Arturo del Hoyo: «Le [la] quedan cinco mujeres» (I, pág. 4); «Nadie la [le] ve a una en camisa» (II, pág. 10); aunque en alguna ocasión incurre en leísmo Guillermo de Torre: «Sí, y por poco lo [le] dejo tuerto» (II, pág. 5); «¡Lo [Le] quiero!» (III, pág. 18). El propio García Lorca se muestra laísta en una ocasión: *«(La da un abanico redondo con flores rojas y verdes)»* (I, pág. 10).

---

[184] Guillermo de Torre (en adelante, GT) lo escribe como el autógrafo.
[185] GT lo escribe como el autógrafo.

Este fenómeno afecta también a los tiempos y modos verbales. Los editores antes mencionados sustituyen el presente de subjuntivo por el presente de indicativo —«Si quieres te daré mis ojos, que son frescos, y mis espaldas, para que te compongas la joroba que tienes, pero vuelve la cabeza cuando yo pase [paso]» (II, págs. 6-7); «Una buena noche para ladrones, para el que necesite [necesita] escondrijo» (III, pág. 8)—; el presente de indicativo por el imperfecto de subjuntivo —«¡Qué lástima de cuerpo que no va [vaya] a ser para nadie!» (II, pág. 7)—; el presente de indicativo por el futuro —«y ésa eres [serás] tú» (II, pág. 8)[186]—; el imperfecto de indicativo por el de subjuntivo —«Debíamos [debiéramos] tener cuidado» (II, pág. 14)—; el imperativo por el presente de indicativo —«Haceros [hacemos] cuenta que hemos tapiado con ladrillos puertas y ventanas» (I, pág. 11)—; el presente de subjuntivo por el imperativo —«Déjela [déjala]» (II, pág. 17)[187]—; el indefinido por el presente de indicativo —«¿Qué otra cosa pudo [puede] ser?» (II, pág. 20)—; el imperfecto de subjuntivo por el presente de indicativo y el condicional simple por el futuro —«Y si pasara [pasa] algún día, estáte segura que no traspasaría [traspasará] las paredes» (II, pág. 21)—; el imperfecto de indicativo por el presente —«Y ésta estaba [está] loca» (III, pág. 12)[188]—; el futuro por el imperativo —«¡Nadie dirá [diga] nada» (III, pág. 23)—; el pretérito perfecto por el presente de indicativo —«Desde luego hay que reconocer que lo mejor que has tenido siempre ha sido [es] el talle y la delicadeza» (II, págs. 1-2)—, y el futuro por el presente de indicativo —«Aquí no pasará [pasa] nada» (III, pág. 11).

Sus modificaciones alcanzan a las personas verbales: «por eso ahora, que nuestro padre ha muerto y ya se harán particiones, vienen [viene] por ella» (I, pág. 21)[189]; «¿Y que querías [queríais] que hiciera?» (I, pág. 22); «Si es que discutís [discuten] por las particiones» (I, pág. 25); «Después de que te haya [hayas] quitado esos polvos de la cara» (I, pág. 25)[190].

---

[186] GT lo escribe como el autógrafo.
[187] GT lo escribe como el autógrafo.
[188] GT lo escribe como el autógrafo.
[189] GT lo escribe como el autógrafo.
[190] GT lo escribe como el autógrafo.

Y, por supuesto, llegan, además, a los signos de puntuación: «¡Mala puñalada te den, mosca muerta!» [Mala puñalada te den, ¡mosca muerta!] (II, pág. 17); «¡Para qué otra cosa lo iba a querer!» [¿Para qué lo iba a querer?] (II, pág. 17); «Obrar y callar a todo, es la obligación de los que viven a sueldo» [Obrar y callar a todo. Es la obligación de los que viven a sueldo] (II, pág. 21); «¡No, no, para matarla no!» [No, no. Para matarla no] (II, pág. 26); «Mi sangre ya no es la tuya y, aunque quisiera verte como hermana, no te miro ya más que como mujer» [Mi sangre ya no es la tuya. Aunque quisiera verte como hermana, no te miro ya más que como mujer] (III, pág. 18).

Estas alteraciones llegan a modificar el sentido de la frase, como en el comentario de Poncia a la Criada, al principio del Acto I, cuando afirma que Magdalena «Era a la única que quería el padre» (I, pág. 1), transcrita por Guillermo de Torre y Arturo del Hoyo por «Era la única que quería al padre», o en la petición de María Josefa a su nieta Martirio en el Acto III: «¿Me acompañarás tú a salir del campo? Yo no quiero campo» (III, pág. 16), cuyo sentido cambian Guillermo de Torre al escribir: «¿Me acompañarás tú a salir del campo? Yo quiero campo», o Arturo del Hoyo: «¿Me acompañarás tú a salir al campo? Yo quiero campo».

Las ediciones basadas en el apógrafo que se han tomado como muestra presentan numerosas supresiones de términos y frases. Prescinden de una o varias palabras: «En el Pater Noster subió, [subió,] subió la voz» (I, pág. 4); «Venga caja con filos dorados y toallas [de seda] para llevarla» (I, pág. 6); «A Pepe no lo ha visto [ni] ella ni yo» (I, pág. 8); «Las mujeres en la iglesia no deben de mirar más hombre que al oficiante, y [a] ése por que tiene faldas» (I, pág. 8); «¡No[, no] ha tenido novio ninguna, ni les hace falta» (I, pág. 16); «Yo [Y] veo que todo es una terrible repetición» (I, pág. 18)[191]; «No sé a qué [cosa] te refieres» (I, pág. 20)[192]; «¡[Adela] Qué es tu hermana!» (II, pág. 7); «Se empeña en que, con el calor que hace, vaya a traerle no sé qué [cosa] de la tienda» (II, pág. 10);

---

[191] GT lo escribe como el autógrafo.
[192] GT lo escribe como el autógrafo.

«¡Para qué [otra cosa] lo iba a querer!» (II, pág. 17); «[No], Bernarda. Aquí pasa una cosa muy grande» (II, pág. 20); «¡sí!, [o] con Adela» (II, pág. 21); «¡Quién sabe si [se] saldrán con la suya» (II, pág. 22)[193]; *«(Se oye un gran golpe, [como] dado en los muros.)»* (III, pág. 2); «¡No, granos de trigo, [no]!» (III, pág. 16); «En voz [más] alta» (III, pág. 17); «Mi sangre ya no es la tuya [y,] aunque quisiera verte como hermana, no te miro ya más que como mujer» (III, pág. 18); «y me pondré [delante de todos] la corona de espinas que tienen las que son queridas de un hombre casado» (III, pág. 19); «Llevadla a su cuarto y vestirla como [si fuera] doncella» (III, pág. 23). En una de las acotaciones finales la omisión de una frase entera va acompañada de una alteración del orden: *«(Sale detrás* MARTIRIO. *Aparece* AMELIA *por el fondo, que mira aterrada con la cabeza sobre la pared.)»*, en lugar de *«(Sale corriendo de detrás Poncia. Aparece Amelia por el fondo, que mira aterrada con la cabeza sobre la pared. Sale detrás Martirio)»* (III, pág. 21).

Estas supresiones afectan en ocasiones a las personas verbales: «La tienen [tiene] miedo a nuestra madre» (I, pág. 17); «y por eso ahora, que nuestro padre ha muerto y ya se harán particiones, vienen [viene] por ella» (I, pág. 21)[194]; a los pronombres personales: «Tiene a quien parecérse[le]» (I, pág. 12); «pero sin desahogaros[se] con nadie» (I, pág. 20); «¿Tú [lo] crees así?» (II, pág. 20)[195]; «[Yo] voy a descansar» (III, pág. 11). Alcanzan también al empleo del singular y el plural: «gorras de niños [niño]» (II, pág. 11)[196], y, por supuesto, a la utilización de comas, puntos, puntos y comas, dos puntos y puntos suspensivos.

En estas dos ediciones se aprecian carencias de signos de admiración que, sin embargo, sí están apuntados en el autógrafo: «[¡]Ya me chocó a mí verla escabullirse hacia el patio[!]» (I, pág. 14); «[¡]Guárdate la lengua en la madriguera[!]» (I, pág. 26); «[¡]No os hagáis ilusiones de que vais a poder conmigo[!]» (I, pág. 26); «[¡]Y a mí, pero hay que pasar-

---

[193] GT lo escribe como el autógrafo.
[194] GT lo escribe como el autógrafo.
[195] GT lo escribe como el autógrafo.
[196] AH lo escribe como el autógrafo.

las[!]» (II, pág. 3); «[i]No tiene mal tipo[!]» (II, pág. 4); «[i]Pues seguir[!]» (II, pág. 6); «[i]Se necesita buen humor[!]» (II, pág. 10); «[i]No me lo recuerdes[!]» (II, pág. 20); «[i]Eso no lo sé yo[!]» (II, pág. 21); «[i]Me ha retemblado dentro del pecho[!]» (III, pág. 3)[197]; «[i]Ya has derramado la sal[!]» (III, pág. 4).

Son especialmente relevantes las supresiones realizadas por Guillermo de Torre y Arturo del Hoyo en las acotaciones donde se hace referencia al bastón de Bernarda, un elemento de indudable efectismo que acentúa el simbolismo del personaje: «*Sale lentamente [apoyada en el bastón] y al salir vuelve la cabeza*» (I, pág. 17); «*(Golpeando [con el bastón] en el suelo.)*» (I, pág. 26); «*(Entrando [con su bastón].)*» (II, pág. 16); «*(Avanzando y golpeándola [con el bastón].)*» (II, pág. 17).

Figuran en estas ediciones, además, algunas ordenaciones distintas de las frases: «Es lo que mejor ha cortado Magdalena» [«Es lo mejor que ha cortado Magdalena»] (I, pág. 22); «digas tú lo que quieras» [digas lo que tú quieras]» (II, pág. 20). Quizás los fragmentos más notables sean los que incluyen los versos del poema que recita María Josefa, la abuela (III, pág. 14):

> Bernarda, cara de leoparda.
> Magdalena, cara de hiena.
> Ovejita.
> Meee, meeee.
> Vamos a los ramos del portal de Belén.

Los cinco versos de la segunda estrofa del original se convierten en siete en las ediciones de Guillermo de Torre y Arturo del Hoyo:

> Bernarda,
> cara de leoparda.
> Magdalena,
> cara de hiena.
> ¡Ovejita!
> Meee, meeee.
> Vamos a los ramos del portal de Belén.

---

[197] GT lo escribe como el autógrafo.

Casi todos estos problemas no existen en la edición de Mario Hernández, quien sigue con bastante fidelidad el autógrafo, aunque en ocasiones se desvía de él, como se podrá apreciar a continuación en el cotejo con su primera edición.

En ella aparecen sustituciones de unos términos por otros, tanto de sustantivos y determinantes —«Una noche [vez] estuve en camisa detrás de la ventana» (I, pág. 18); *«(La Criada [La* PONCIA*] lo hace.)»* (II, pág. 2); *«(*ADELA *arrebata el [un] bastón a su madre y lo parte en dos.)»* (III, pág. 20)—, como de tiempos y personas verbales —«Si no quieres [queréis] bordarlas, irán sin bordados» (I, pág. 11); «¿Qué otra cosa pudo [puede] ser?» (II, pág. 20).

Aunque Mario Hernández cuida con detalle la adición o sustitución de términos necesarios para la comprensión del texto —«Después [de] que te hayas quitado esos polvos de la cara» (I, pág. 25)—, que, como se ha visto, a veces no siguen la norma, en determinadas ocasiones se aleja de ésta y transcribe literalmente el autógrafo: *«Terminan de entrar las* doscientas *mujeres y aparece[n]* BERNARDA *y sus cinco hijas»* (I, pág. 6); «Hace años [que] no he conocido calor igual» (I, pág. 7); «Adelaida habrá pasado [un] mal rato» (I, pág. 17); *«(Se cubre con [un] pequeño mantón negro de talle)»* (III, pág. 15)[198].

Condicionado, quizás, por el cotejo de otras ediciones consultadas, introduce un régimen preposicional de probabilidad diferente al de obligación implícito en el autógrafo en la tan difundida advertencia de Bernarda en el Acto I: «La mujeres en la iglesia no deben mirar más hombre que al oficiante», frase transcrita como «Las mujeres en la iglesia no deben [de] mirar más hombre que el oficiante» (I, pág. 8). Añade, además, signos de admiración no existentes en el autógrafo, como cuando Amelia, en diálogo con Martirio, califica a su hermana de «Y fea como un demonio» (I, pág. 19), que es transcrita por Hernández con admiraciones («[¡]Y fea como un demonio[!]»), o más adelante, cuando asegura: «No, no me acostumbraré» (I, pág. 23), escrita por el crítico con los dos signos, el de apertura y el de cierre: «¡No, no me acostum-

---

[198] Los paréntesis indican aquí mi lectura.

braré!». Incluye asimismo otro término inexistente en el autógrafo :«Me ha costado mucho [trabajo] sujetarla» (I, pág. 12).

En su lectura fiel del autógrafo, prefiere no introducir algunos signos de interrogación que facilitarían la comprensión del texto, como en la conversación mantenida entre Bernarda y Poncia sobre Paca la Roseta (I, pág. 15), donde se lee:

> PONCIA.—Contaban muchas cosas más.
> BERNARDA (*Mirando a un lado y otro con cierto temor.*).—¿Cuáles?
> PONCIA.—Me da vergüenza referirlas.
> BERNARDA.—Y, [¿]mi hija las oyó[?]
> PONCIA.—¡Claro!

Lo mismo ocurre con los signos de admiración en otro de los diálogos, el mantenido entre Bernarda y su madre al final de ese mismo acto, no añadidos por el crítico para seguir al autógrafo:

> BERNARDA.—¡Encerradla!
> MARÍA JOSEFA.—[¡]Déjame salir, Bernarda[!].

Son cuestionables algunas modificaciones realizadas con los signos ortográficos de puntuación. Por fidelidad al autógrafo, prescinde, a veces, de las comas en los sintagmas que forman determinadas oraciones compuestas: «A pesar de sus ochenta años[,] tu madre es fuerte como un roble» (I, pág. 12)[199]; «Dios me ha hecho débil y fea[,] y los ha apartado definitivamente de mí» (I, pág. 18); «Las novias se ponen de blanco[,] como en las poblaciones, y se bebe vino de botella» (I, pág. 19); «Aunque Angustias es nuestra hermana[,] aquí estamos en familia y reconocemos que está vieja» (I, pág. 21); «pero no que venga a buscar lo más oscuro de esta casa, a una mujer que[,] como su padre[,] habla con la nariz» (I, págs. 21-22); «Hasta que salga de esta casa con los pies adelante[,] mandaré en lo mío y en lo vuestro» (I, pág. 26); «La encuentro sin

---

[199] En estos casos, como en los dos anteriores, figura entre corchetes mi propuesta frente a su ausencia en el manuscrito y en la edición de Hernández.

sosiego, temblona, asustada[,] como si tuviera una lagartija entre los pechos» (II, pág. 1); «Como le dé por tener crías, vais a estar cosiendo mañana y tarde» (II, pág. 11). Con toda probabilidad por la misma causa, en la edición de Mario Hernández se utiliza un paréntesis sin una significación precisa de aparte: «Sabes (porque lo has visto), que me quiere a mí» (III, pág. 18).

En su edición es frecuente la ausencia de comas cuando se trata de oraciones condicionales, como en el autógrafo: «Si Bernarda no ve relucientes las cosas[,] me arrancará los pocos pelos que me quedan» (I, pág. 2); «Si no quieres [queréis] bordarlas[,] irán sin bordados» (I, pág. 11); «Si fuera rica[,] la tendría de holanda» (II, pág. 10); «Si las gentes del pueblo quieren levantar falsos testimonios[,] se encontrarán con mi pedernal» (II, pág. 24). Se produce asimismo en un caso de oración de relativo: («Ésa sale a sus tías; blancas y untosas[,] que ponían ojos de carnero al piropo de cualquier barberillo» (I, pág. 15).

Conviene indicar también que este editor se aleja del autógrafo en otros usos de los signos de puntuación, como en la sustitución del punto por punto y coma —«Antes era alegre. Ahora ni polvos se echa en la cara» [Antes era alegre; ahora ni polvos se echa en la cara] (I, pág. 17)—; la supresión del punto —«Deja en paz a tu hermana. Y si Pepe el Romano te gusta te aguantas» [Deja en paz a tu hermana y, si Pepe el Romano te gusta, te aguantas] (II, pág. 8)—; el cambio del punto y coma por la coma —«Claro; hay que retirarla de aquí» [Claro, hay que retirarla de aquí] (II, pág. 19); «Sí; esta noche no viene Pepe» [Sí, esta noche no viene Pepe] (III, pág. 8)—, y la sustitución de un punto por dos —«No a ti, que eres débil. A un caballo encabritado soy capaz de poner de rodillas con la fuerza de mi dedo meñique» [No a ti que eres débil: a un caballo encabritado soy capaz de poner de rodillas con la fuerza de mi dedo meñique] (III, pág. 19).

En su fidelidad al autógrafo, la edición de Mario Hernández presenta oscilaciones en relación con la escritura del número que acompaña a veces al personaje de la Criada, cuando en la relación de los *Dramatis personae* de la primera página se decanta por suprimir el número, ya que, al final,

García Lorca decidió no introducir más criadas, aparte de Poncia (I, pág. 24):

> *(Entra la* CRIADA 1.ª*)*
>
> MAGDALENA *(Autoritaria.).*—¡Adela!
> CRIADA 1.ª.—¡La pobre! ¡Cuánto ha sentido a su padre!

Pocas líneas después escribirá el nombre de la criada sin la numeración, como en el autógrafo (I, pág. 24):

> CRIADA *(Apareciendo.).*—Pepe el Romano viene por lo alto de la calle.

La edición de Mario Hernández presenta alguna omisión de palabras. Puede encontrarse en el Acto II, cuando Poncia alude a la afición de su marido, Evaristo, por la que se le otorgó el apodo que llevaba —«En vez de darle por otra cosa, le dio por criar colorines hasta que se murió» (II, págs. 4-5, donde prescinde del reflexivo «se»)—, o en el Acto III, en una de las acotaciones finales, en la que se da cuenta del movimiento de los personajes: «*(Sale corriendo de detrás* PONCIA. *Aparece* AMELIA *por el fondo, que mira aterrada con la cabeza sobre la pared. Sale detrás* MARTIRIO.*)*» (III, pág. 21), donde ha suprimido los términos «*de detrás* PONCIA»[200], o cuando prescinde del adverbio «más»: «*En voz [más] alta*» (III, pág. 17).

También hay que llamar la atención sobre el hecho de que, a veces, no incluye los signos de admiración apuntados en el autógrafo, que, desde mi punto de vista, tienen plena justificación: «[i]Tiene mala intención[!]» (I, pág. 12); «[i]Es un vestido precioso[!]» (I, pág. 22); «[i]Amelia[!]» (II, pág. 14). Este hecho hay que relacionarlo con otro: la tendencia de García Lorca a prescindir de los signos de apertura o cierre. Su situación en el autógrafo no es clara, lo que ha llevado sin duda a este editor a plantear una propuesta distinta a la mía. Sirva como ejemplo el diálogo mantenido entre las hermanas sobre el futuro casamiento entre Angustias y Pepe el Ro-

---

[200] En el autógrafo «la Pon».

mano, uno de cuyos parlamentos, el de Magdalena, aparece recogido sin signos de admiración por Mario Hernández, mientras que en el autógrafo se escribe el signo inicial: «¡Mejor que yo lo sabéis las dos, siempre cabeza con cabeza como dos ovejitas, pero sin desahogaros con nadie» [Mejor que yo lo sabéis las dos, siempre cabeza con cabeza como dos ovejitas, pero sin desahogaros con nadie] (I, pág. 20). Vuelve a producirse igualmente en la Acto II, en la conversación entablada entre Bernarda y Poncia, donde Mario Hernández prescinde de dos de los signos: «¡Y lo haría mil veces! Mi sangre no se junta con la de los Humanes mientras yo viva!» [¡Y lo haría mil veces. Mi sangre no se junta con la de los Humanes mientras yo viva!] (II, pág. 20).

Esta cuidada edición no se libra, por lo demás, de los casi inevitables errores tipográficos, resultado, sin duda, del proceso de edición, como ciertos olvidos de tildes —«Esa» (I, pág. 1)—; cambios de los signos de cierre de puntuación —«¡Aunque fuera por decencia!» (I, pág. 25)— o carencia del signo de apertura —«Bernarda; acuérdate que ésta es tu obligación!» (II, pág. 18)—; algunas oscilaciones en el uso de corchetes, que emplea para incluir las palabras no existentes en el texto —«*MAGDALENA*», en lugar de «*[MAGDALENA]*» (III, pág. 21)—, y en la transcripción del pronombre personal delante del personaje de Poncia en las acotaciones, donde no sigue un criterio fijo, ya que se reproduce tanto con el determinante (I, pág. 10; III, pág. 21), como sin él (II, pág. 18).

III.2. *Criterios de esta edición*

Esta edición se basa en el autógrafo conservado en la Fundación Federico García Lorca. Sin embargo, como he señalado antes, su estado obliga al crítico que emprende la edición de este texto a tomar una serie de decisiones sustentadas en opciones que, en ocasiones, son de índole personal. La primera de ellas, la conveniencia de presentarlo según la norma actual sobre el uso de signos ortográficos y tipos de letras. Son tantas las divergencias de mi edición de las otras ediciones, antes mencionadas, que he creído necesario ofrecer en notas las distintas propuestas para dar la oportunidad a los lectores de apreciar las diferencias.

Sin duda la edición más citada entre los estudiosos del teatro lorquista ha sido la realizada por Arturo del Hoyo para la Editorial Aguilar, publicada en 1954, un texto que ha tenido a lo largo de los años numerosas reediciones apenas sin cambios y que ha sido la más accesible para los críticos. Puesto que se basa en el apógrafo del que había partido también Guillermo de Torre para la primera edición de la obra y presenta divergencias con esta última, era de rigor tomarlas a ambas como fuentes. No se podía dejar de lado, tampoco, la primera edición de la obra que tuvo en consideración el manuscrito. Me refiero a la preparada por Mario Hernández para Alianza Editorial[201].

Como ya han hecho otros editores, en este trabajo he corregido algunos errores que García Lorca no tuvo ocasión de modificar en sucesivas revisiones debido a su trágica desaparición. En la primera página he sustituido la edad de 36 por 39 años de Angustias, he suprimido los personajes que están debajo de las tachaduras, y he situado a Poncia delante de la criada de 50 años. El protagonismo de ésta no casa con su aparición detrás de otra criada, además de estar reñida esta posición con la práctica escénica de jerarquizar su ubicación inicial en función de su importancia. He completado la relación de personajes con aquéllos que aparecen en el Acto I y que están en ella: una Mendiga, acompañada de una niña, que charla con la criada (I, pág. 5), y la Muchacha 1.ª, a la que se dirige Bernarda recriminándole que, a su edad, hable delante de personas mayores y a la que, poco después, manda callar una de las mujeres (I, pág. 7). No he tenido vacilaciones a la hora de plantear el cambio del número seis por el cinco, cuando se alude a las hijas de Bernarda, o de incorporar, cuando faltan, los nombres de los personajes que van a intervenir o salir a escena: «[*(Se va* MARTIRIO.*)*]» (II, pág. 7).

---

[201] Me hubiera gustado haber podido incluir el análisis comparativo con otras ediciones de *La casa de Bernarda Alba*, pero hubiera desbordado los límites razonables de una edición concebida no sólo para estudiosos, sino también para cualquier lector interesado en este clásico contemporáneo.

Más dudas me han surgido al decidir mantener en la relación inicial de personajes el determinante femenino delante de Poncia, ya que, con la excepción de algunas acotaciones: «*La Poncia sale comiendo chorizo y pan*» (I, pág. 1); «*La Poncia limpia el suelo*» (I, pág. 10); «*La Poncia está de pie, arrimada a los muros*» (II, pág. 18)[202], García Lorca no lo emplea antes de los diálogos y lo escribe frecuentemente con su abreviatura. Así pues, al aparecer el personaje de Poncia sin el determinante delante de los diálogos, he optado por prescindir siempre de él, alejándome así de las decisiones de Guillermo de Torre y Arturo del Hoyo, o de Mario Hernández, que recoge las fluctuaciones del texto. Siguiendo el mismo criterio unificador, he suprimido el ordinal cuando aparece el nombre de la Criada y he añadido el número correspondiente al personaje de la Mujer 1.ª.

No he temido subsanar su error con el nombre de Bernarda —«Ella, la hija menor de Bernalda [Bernarda] Alba ha muerto virgen» (III, pág. 23)—, algunos descuidos ortográficos, debidos, sobre todo, a su escaso interés por la utilización de tildes, y ciertas alteraciones con las concordancias de los verbos con sus personas correspondientes —«*Terminan de entrar las doscientas mujeres y aparece[n]* BERNARDA *y sus cinco hijas*» (I, pág. 6); «*(Sale[n]* BERNARDA *y* PONCIA*)*» (I, pág. 24). Es igualmente el caso de la supresión de términos innecesarios a los que se ha aludido en el apartado anterior, así como el fenómeno contrario, las ausencias de una o varias palabras, fundamentales para la comprensión del texto.

Separándome de las tres ediciones, pero respetando el autógrafo, he optado por no incluir en el Acto II la acotación presentada por éstos, donde se alude a la salida de Martirio: «*(Se va* MARTIRIO*.)*» (II, pág. 7). El diálogo que sucede a continuación es mantenido únicamente, hasta la llegada de Angustias, entre Adela y Poncia. La salida de Martirio y la criada están señaladas en la acotación anterior —«*(salen) (al salir Martirio mira fijamente a Adela)*» (II, pág. 6)—, por lo que resulta reiterativa. Por cierto que en esta didascalia

---

[202] Sirva como excepción la siguiente acotación: «*(Entran* PONCIA, MAGDALENA *y* ADELA*.)*» (II, pág. 15).

he creído conveniente suprimir uno de los paréntesis: *«(Salen. Al salir,* Martirio *mira fijamente a* Adela.*)».* También he añadido algún personaje delante del diálogo, aunque éste no aparezca en el autógrafo:»[Poncia] / ¿Estás todavía aquí?» (III, pág. 10).

García Lorca no trató de reproducir en este texto los giros idiomáticos de los distintos hablantes, en función de su origen y de su clase social. Perseguía la universalidad de los temas y caracteres. Pero sí intentó plasmar la ruralidad del medio donde se desarrolla la acción, y no sólo en la primera página con la especificación del género. Existen algunos términos y expresiones muy empleadas en la práctica coloquial del lenguaje en este ámbito. Tal sería el caso de «tragar quina», una expresión con la que la Criada reprocha a Bernarda su afán de diferenciarse socialmente —«Suelos barnizados con aceite, alacenas, pedestales, camas de acero, para que traguemos quina las que vivimos en las chozas de tierra con un plato y una cuchara» (I, pág. 5)—; «tirarse al monte», utilizada en el sentido de desviarse de los comportamientos sociales imperantes —«¡Cuánto hay que sufrir y luchar para hacer que las personas sean decentes y no tiren al monte demasiado!» (I, pág. 15)—; «venir de correr las cámaras», usada con la significación de recorrer las habitaciones —«Vengo de correr las cámaras» (I, pág. 19)—; «gastar sabrosa pimienta», referida a la capacidad del personaje para dar una rápida e irónica respuesta ante determinados hechos o provocaciones —«¡Siempre gasté sabrosa pimienta!» (II, pág. 22)—; «llegarse a», utilizada con la significación de «acercarse» —«Me llegue a ver si habían puesto las gallinas» (I, pág. 13), etc.

Son frecuentes también los términos y frases de carácter peyorativo como las utilizadas por las mujeres antes de la entrada de la dueña de la casa: «Lengua de cuchillo», «Vieja lagarta recocida», «Sarmentosa por calentura de varón» (I, pág. 8). Sin embargo, no son exclusivas de éstas; Bernarda las emplea en varias ocasiones: referidas a sus hijas —«Yeyo», «Suavona» (I, pág. 25); «mosca muerta! ¡Sembradura de vidrios!» (II, pág. 17)—, y a las tías de éstas —«Ésa sale a sus tías; blancas y untosas, que ponían ojos de carnero al piropo de cualquier barberillo» (I, pág. 15).

En el mismo sentido convendría valorar algunos dichos, refranes y letanías populares que aquí y allá salpican el texto: «mal dolor de clavo le pinche en los ojos» (I, pág. 3); «¡Más vale onza en el arca que ojos negros en la cara!» (II, pág. 2); «Mala puñalada te den» (II, pág. 17); «La noche quiere compaña» (III, pág. 5); «Santa Bárbara bendita / que en el cielo estás escrita / con papel y agua bendita» (III, pág. 8).

García Lorca no deseaba que sus personajes reprodujeran el habla propia de su condición social o de su procedencia geográfica, pero solía emplear el infinitivo como imperativo: «Andar a vuestras cuevas a criticar todo lo que habéis visto» (I, pág. 10); «¡Ayudarla vosotras!» (I, pág. 27); «Dejar esa conversación» (II, pág. 2); «¡Pues seguir!» (II, pág. 6); «¡Callar! ¡Callar!» (II, pág. 13); «Abrir puertas y ventanas» (II, pág. 13); «¡Contestarme!» (II, pág. 16); «¡Dejarme en paz!» (III, pág. 9); «Andar vosotras también» (III, pág. 9). En varias partes del autógrafo, sin embargo, se pueden encontrar oscilaciones en este uso, incluso, en un mismo párrafo: «¡Descolgarla! ¡Mi hija ha muerto virgen! Llevadla a su cuarto y vestirla como si fuera doncella» (III, pág. 23). A veces también se halla en su uso normativo: «Tened cuidado con no entreabrirla mucho por[que] son capaces de dar un empujón para ver quién mira» (II, pág. 13); «¡Trabadlo y que salga al corral!» (III, pág. 2); «¡Echadlo, que se revuelque en los montones de paja!» (III, pág. 3); «Pues encerrad a las potras en la cuadra, pero dejadlo libre» (III, pág. 3). Dado que esas oscilaciones siguen produciéndose en la actualidad entre hablantes del castellano procedentes de esta área lingüística, en mi edición he optado por reflejarlas tal como aparecen en el autógrafo de la obra.

He tomado una decisión semejante a la hora de recoger frases donde se aprecian alteraciones del régimen preposicional y las supresiones de algunas preposiciones. He seguido en ello al autógrafo, que refleja el uso popular andaluz de la época: «Y si pasara algún día, estáte segura que no traspasaría las paredes» (II, pág. 21); «Mira a un lado y otro con sigilo» (III, pág. 14). He respetado, por idénticas causas, la elipsis del verbo «estar» en el diálogo entre Magdalena, Amelia y Martirio del Acto I (I, pág. 19). Sin embargo, para facilitar la comprensión del texto, he añadido las preposiciones en dos momentos: «Después [de] que te haya quitado esos polvos de la cara» (I, pág. 25) y «Se empeña [en] que, con el calor que hace, vaya a traerle no sé qué cosa de la tienda» (II, pág. 10).

La escasez de signos ortográficos (tildes, puntuación, apertura de interrogaciones y admiraciones) del autógrafo me ha llevado a seguir en toda la transcripción las normas del español sobre el uso de los signos ortográficos, aunque el autor se aleje de ella. Será aquí donde el lector encuentre mayores divergencias con la edición del autógrafo de Mario Hernández y con otros editores que se han basado en él, al igual que en la utilización de signos para resaltar los matices tonales de las intervenciones de los personajes. Igual que hiciera con los modos verbales y los regímenes preposicionales mencionados antes, en esta edición he intentado en todo momento atenerme al autógrafo, recogiendo los signos de puntuación escritos por García Lorca, siempre que no sean contrarios a la norma, y completando los ausentes.

Debido a ello, son numerosos los párrafos en los que mi lectura diverge del autógrafo en el uso de las comas: «Y si pasara algún día[,] estáte segura que no traspasaría las paredes» (II, pág. 21); «¡Pues encerrad las potras en la cuadra[,] pero dejarlo libre, no sea que nos eche abajo las paredes!» (III, pág. 3); «(MAGDALENA *se sienta en una silla baja[,] retrepada contra la pared.)*» (III, pág. 5); «¡A lo mejor[,] de pronto[,] cae un rayo! ¡A lo mejor[,] de pronto, un golpe de sangre te para el corazón!» (III, pág. 11); «Cuando una no puede con el mar[,] lo más fácil es volver las espaldas para no verlo» (III, pág. 12); «Mi sangre ya no es la tuya y[,] aunque quisiera verte como hermana[,] no te miro ya más que como mujer» (III, pág. 18).

En algún caso, la introducción de una coma aclara el sentido de una frase y permite no introducir preposiciones —«¡Echadlo[,] que se revuelque en los montones de paja!» (III, pág. 3)— o alterar el orden sintáctico —«Los muebles[,] me han dicho que son preciosos» (III, pág. 4); «Eso te importa a ti[,] que eres su madre. A mí, con servir tu casa tengo bastante» (III, pág. 10).

Lógicamente, por el mismo deseo de seguir la norma ortográfica he reducido a tres los puntos suspensivos que García

Lorca tendía a reproducir sin un número determinado, situándolos detrás del signo de interrogación, cuando éste aparece —«¿Y Martirio también?...» (III, pág. 13)—, y he suprimido algunos paréntesis, igual que Guillermo de Torre y Arturo del Hoyo, poniendo la frase entre comas —«Sabes, porque lo has visto, que me quiere a mí» (III, pág. 18)—, en especial en las acotaciones, en las que he mantenido el inicial y el final, prescindiendo de los demás: «*(se van las tres) (Martirio queda sentada en la silla baja, con la cabeza entre las manos)*» (II, pág. 13), transcrita por «*(Se van las tres.* MARTIRIO *queda sentada en la silla baja, con la cabeza entre las manos.)*».

En relación con su manifiesta tendencia a no emplear los signos de apertura de admiración e interrogación, he seguido también la norma.

En esta edición el lector comprobará, al cotejar esta propuesta con las notas, otras decisiones menos significativas. Se siguen las costumbres idiomáticas actuales sobre la acentuación de las mayúsculas, práctica inexistente cuando se redactó el autógrafo y en la época de la publicación de las ediciones de Guillermo de Torre y Arturo del Hoyo, ya que su empleo no fue normativo hasta época reciente. Hay que considerar también las prácticas de edición habituales con los textos teatrales, que obligan al uso de las mayúsculas para los personajes que aparecen delante de los diálogos y aconsejan asimismo el empleo de las cursivas y paréntesis para las acotaciones, costumbres no seguidas por García Lorca en su autógrafo, quien prefirió las minúsculas y no marcó en modo alguno las didascalias con otro tipo de letra que no fuera la redonda.

Más oscilaciones ha experimentado el empleo de un punto, punto y guión o simplemente nada, detrás de los nombres que preceden a los diálogos. La práctica contemporánea resulta bastante generosa; se permiten dos puntos, punto y coma, punto o, incluso, ningún signo después de la denominación del personaje. Mientras García Lorca se decantó por el punto, Arturo del Hoyo y Mario Hernández han preferido no emplear ningún signo, opción que he seguido en esta edición de la obra.

El autógrafo no presenta homogeneidad en la escritura de los nombres de los personajes. A veces, García Lorca los es-

115

cribía completos, y otras, con distintas abreviaturas. Como han hecho críticos anteriores, he utilizado siempre el mismo nombre, que aparece con todas sus letras.

Por último, quiero indicar que no he recogido en nota la divergencia entre mi propuesta y el autógrafo en el uso de los signos ortográficos, mayúsculas y minúsculas, y tipos de letras, cuando no han surgido divergencias con las lecturas de los otros editores. Entiendo que el lector no tendrá confusiones al respecto.

III.3. *Conclusiones*

La lectura del autógrafo permite distinguir desde el primer momento numerosas tachaduras y anotaciones en distinto tamaño de letra. Son escasos algunos signos ortográficos (tildes y puntuación) y aparecen incompletos otros (signos de interrogación y admiración). Existen frases en las que faltan algunos términos para su perfecta comprensión y oscilaciones en el empleo de los tiempos verbales. Además, no presenta homogeneidad en la escritura de los nombres de los personajes (unas veces completos y otras con distintas abreviaturas) y, en ocasiones, aparecen fluctuaciones en las especificaciones numéricas de algunos personajes (mujer, criada). Hay olvidos en relación con el número de las hijas, que, en un primer momento, iban a ser seis, y en la primera hoja, donde figura la relación de personajes, no están algunos de los que intervendrán a lo largo de la obra. Parece obvio, pues, que el autógrafo de *La casa de Bernarda Alba* fue sometido, una vez escrita la obra, a un proceso de corrección en el cual García Lorca eliminó elementos reiterativos y añadió otros con el objeto de matizar mejor la acción o los caracteres. Los cambios afectan también al subgénero, la concreción del lugar de la acción y la relación final de personajes. La carencia de algunas palabras imprescindibles para la comprensión del significado, el olvido al introducir las modificaciones en la relación de personajes de la primera hoja o en el texto, y algunos descuidos de carácter ortográfico, llevan a suponer que los trágicos acontecimientos que segaron su vida en Viznar impidieron una revisión definitiva del manuscrito, que, sin embargo, intentaron realizar sus distintos editores[203].

Hasta el descubrimiento del autógrafo y la aparición posterior de la edición de Mario Hernández, las referencias al texto lorquiano solían remitir no a la primera edición conocida, la realizada por Guillermo de Torre a mediados de los cuarenta, sino a la incluida en las *Obras completas*, publicadas por Arturo del Hoyo en 1954 y reeditadas con posterioridad varias veces. El análisis comparativo de ambas y nuestra lectura del autógrafo, permiten afirmar que las ediciones que han seguido el apógrafo presentan numerosos problemas, algunos de suma importancia, que alejan el texto en determinados momentos no sólo de la intención del autor, sino también de la práctica lingüística al uso.

IV. Agradecimientos

Deseo expresar mi agradecimiento a Manuel Fernández Montesinos, Presidente de la Fundación Federico García Lorca, a Pilar Nieva de la Paz, Científica Titular del CSIC, y a Mariano Martín Rodríguez, Traductor Titular en la Dirección General de Traducción de la Comisión de las Comunidades Europeas, por sus minuciosas lecturas del manuscrito final y por sus inestimables sugerencias.

Quiero manifestar asimismo mi deuda con otras personas que han hecho posible esta edición: Araceli Gassó, Sonia González, Margarita Rodera y Rosa Yllán, eficaces y dispuestas siempre a facilitar mi trabajo en la Fundación Federico

---

[203] Coincido con Mario Hernández en sus afirmaciones sobre la rapidez con la que escribió la obra. Como bien señala, resulta sorprendente que no existan declaraciones del escritor sobre la gestación del drama: «No deja de ser llamativo, por otro lado, el que sobre este drama de mujeres no exista ninguna declaración conocida del poeta, tan dado a describir sus proyectos en las numerosas entrevistas de prensa que le solicitaron. Sabemos, sin embargo, por la Xirgu, que el poeta había hablado «muchas veces» con ella sobre la obra futura [...]. Dadas las costumbres orales del poeta, el silencio resulta en cierto modo insólito» («Hilos y filos», art. cit., págs. 16-17).

García Lorca, y a José Ibáñez, por su colaboración como ayudante de investigación.

Gracias también a todos aquellos estudiosos y admiradores de la obra dramática de Federico García Lorca, que con sus investigaciones y apoyo me han impulsado a seguir adelante con este proyecto.

Bibliografía

AA.VV., *Lecturas del texto dramático: variaciones sobre la obra de Lorca*, Oviedo, Universidad, 1990.

ADANI, Silvia, *La presenza di Shakespeare nell'opera di García Lorca*, Bolonia, Il Capitello del Sole, 1999.

AGUILERA SASTRE, Juan, *El debate sobre el Teatro Nacional en España (1900-1936). Ideología y estética*, Madrid, CDT, 2002.

— y AZNAR SOLER, Manuel, *Cipriano de Rivas Cherif y el teatro español de su época (1891-1967)*, Madrid, ADE, 2000.

— y LIZÁRRAGA VIZCARRA, Isabel, *Federico García Lorca y el teatro clásico. La versión escénica de La dama boba*, Logroño, Universidad de La Rioja, 2000.

ALBERICH, José, «Más sobre el teatro de Lorca y el de Valle-Inclán: variedades del drama rural», en Morris, 1988, págs. 259-276.

ALLEN, Rupert C., *Psyche and Symbol in the Theater of Federico García Lorca*, Austin/Londres, University of Texas, 1974.

ALVAR, Manuel (ed.), *Homenaje a Federico García Lorca*, Málaga, Ayuntamiento, 1988.

AMBROSI, Paola, «El prólogo en la concepción dramática lorquiana», *ALEC*, XXIV, 1999, 3, págs. 389-409.

ANDERSON, Andrew A., «Some Shakespearian Reminiscences in García Lorca's Drama», *CLS*, XXII, 1985, 2, págs. 187-210.

— «The Strategy of García Lorca's Dramatic Composition 1929-1936», *RQ*, XXXIII, 1986, 2, págs. 211-229.

— *Bibliografía lorquiana reciente*, *BFFGL*, 1987-2002.

— «Bewitched, Bothered and Bewildered: Spanish Dramatists and Surrealism, 1924-1936», en Morris, 1991, págs. 240-281.

119

— «*El público, Así que pasen cinco años* y *El sueño de la vida:* tres dramas expresionistas de García Lorca», en Dougherty y Vilches, 1992, págs. 215-226.

— «On Broadway, Off Broadway: García Lorca and the New York Theatre, 1929-1930», *Gestos*, 1993, 16, págs. 135-148.

— «El último Lorca: unas aclaraciones a *La casa de Bernarda Alba, Sonetos* y *Drama sin título*», en Soria, 1997, págs. 131-145.

— (ed.), *América en un poeta. Los viajes de Federico García Lorca al Nuevo Mundo y la repercusión de su obra en la literatura americana*, Sevilla, Universidad Internacional de Andalucía/Fundación Focus-Abengoa, 1999.

ANDERSON, Reed, «Christian Symbolism in Lorca's *La casa de Bernarda Alba*», en B. Brancaforte, E. R. Mulvihill y R. G. Sánchez (eds.), *Homenaje a Antonio Sánchez Barburdo*, Madison, University of Wisconsin, 1981, págs. 219-230.

— «*Prólogos* y *advertencias:* Lorca's beginnings», en Morris, 1988, págs. 209-232.

AYÉNDEZ ALDER, Ruth, «García Lorca, Díaz Fernández y el compromiso social del artista», *CHisp*, X, 1988, 1-2, págs. 67-81.

AZNAR SOLER, Manuel, «"El Búho": teatro de la F.U.E. de la Universidad de Valencia», en Dougherty y Vilches, 1992, págs. 415-427.

— «El teatro de García Lorca en el contexto de la vida escénica española durante la Segunda República», en Monegal y Micó, 2000, págs. 63-71.

— y SCHNEIDER, L. M., *II Congreso Internacional de Escritores Antifascistas, 1937*, Barcelona, Laia, 1979.

BÉCARAUD, Jean y LÓPEZ CAMPILLO, Eveline, *Los intelectuales españoles durante la II República*, Madrid, Siglo XXI, 1978.

BERCHEM, Theodor y LAITENBERGER, Hugo (eds.), *Federico García Lorca*, Sevilla, Fundación El Monte, 2000.

BOETSCH, Laurent, *José Díaz Fernández y la otra Generación del 27*, Madrid, Pliegos, 1985.

BOREL, Jean-Paul, *El teatro de lo imposible*, Madrid, Guadarrama, 1966 (*Théâtre de l'impossible*, Neuchâtel, Baconnière, 1963).

BOSCÁN DE LOMBARDI, Lilia, «El fracaso de la libertad: García Lorca y la tragedia griega», *Actas del XII Congreso de la AIH*, Birmingham, University of Birmingham, 1998, págs. 107-114.

BOZAL, Valeriano, «Arte de masas y arte popular (1928-1937)», *CH*, 1986, 435-436, págs. 745-762.

Busette, Cedric, *Obra dramática de García Lorca. Estudio de configuración*, Madrid, Las Américas, 1971.

Byrd, Suzanne W., *García Lorca: La Barraca and the Spanish National Theater*, Nueva York, Las Americas, 1975.

Cabrera, Vicente, «Cristo y el infierno en *La casa de Bernarda Alba*», *REHA*, XIII, 1979, págs. 135-142.

Cano, José Luis, *García Lorca (Biografía ilustrada)*, Barcelona, Destino, 1962.

Cano Ballesta, Juan, «García Lorca y el compromiso social: el drama», *Íns*, XXVI, enero 1971, 290, pág. 3.

Cao, Antonio, *Federico García Lorca y las vanguardias: hacia el teatro*, Londres, Tamesis, 1984.

Capra, Fritjof, *La trama de la vida. Una nueva perspectiva de los sistemas vivos*, Barcelona, Anagrama, 1998.

Carrasquer, Francisco, «Sorprendente balance de la novela española de preguerra 1898-1936», Leiden, Cuadernos de Leiden, 1980, 5, págs. 27-63.

Caudet, Francisco, «Lorca: por una estética popular (1929-1936)», *CH*, 1986, 435-436, págs. 763-778.

Chicharro, Antonio y Sánchez Trigueros, Antonio (eds.), *La verdad de las máscaras: Teatro y vanguardia en Federico García Lorca*, Montpellier, Imprévue, 1999.

Colequia, Francesca, «The 'Prólogo' in the Theatre of Federico García Lorca: Towards the Articulation of a Philosophy of Theatre», *HispEU*, XLIX, 1986, 4, págs. 791-796.

— «Federico García Lorca: A Selectively Updated Bibliography», en Durán y Colecchia, 1991, págs. 239-264.

Collard, Patrick, «Autorretrato del artista en maestro grave y austero (Releyendo las declaraciones de Federico García Lorca sobre el teatro)», *Acta Literaria*, 1998, 43, págs. 43-53.

Cobb, Christopher, *La cultura y el pueblo: España, 1930-1939*, Barcelona, Laia, 1981.

Crispin, John, «*La casa de Bernarda Alba* dentro de la visión mítica lorquiana», en Doménech, 1985, pág. 171-185.

Cueto, Magdalena, «Transgresión y límite en el teatro de García Lorca: *La casa de Bernarda Alba*», en AA.VV., 1990, págs. 97-116.

Cuevas, Cristóbal (dir.) y Baena, Enrique (coord.), *El teatro de Lorca. Tragedia, drama y farsa*, Barcelona, Anthropos, 1995.

121

DEGOY, Susana, *En lo más oscuro del pozo. Figura y rol de la mujer en el teatro de García Lorca*, Granada, Miguel Sánchez, 1999.

DELGADO, María (ed.), *Spanish Theatre 1920-1995*, India, *CTR*, VII, 1998.

DESIDERIO, M.ª Cristina, FRATTALE, Loreta y ZAGOLIN, M.ª Serena (eds.), *Ripensando a Federico García Lorca*, Gaeta, Bibliotheca, 2000.

DEVOTO, Daniel, «Notas sobre el elemento tradicional en la obra de García Lorca», en Gil, 1973, págs. 115-164.

DÍAZ FERNÁNDEZ, José, *El nuevo romanticismo. Polémica de arte, política y literatura*, Madrid, Zeus, 1930.

DÍEZ DE REVENGA, Francisco Javier, *Panorama crítico de la Generación del 27*, Madrid, Castalia, 1988, págs. 151-210.

— y DE PACO, Mariano (eds.), *Tres poetas, tres amigos. Estudios sobre Vicente Aleixandre, Federico García Lorca y Dámaso Alonso*, Murcia, CajaMurcia, 1999.

DOGGART, Sebastian y THOMPSON, Michael (eds.), *Fire, Blood and the Alphabet. One Hundred Years of Lorca*, Durham, University of Durham, 1999.

DOLFI, Laura (ed.), *L'imposible/posible di Federico García Lorca*, Nápoles, Edizione Scientifiche Italiane, 1989.

— *Federico García Lorca e il suo tempo*, Roma, Bulzoni, 1999.

DOMÉNECH, Ricardo, «*La casa de Bernarda Alba*», *PA*, febrero 1964, 50, págs. 14-16.

— (ed.), *La casa de Bernarda Alba y el teatro de García Lorca*, Madrid, Teatro Español/Cátedra, 1985.

— «Símbolo, mito y rito en *La casa de Bernarda Alba*», en Doménech, 1985, págs. 189-209.

DOUGHERTY, Dru, «Lorca y las multitudes: Nueva York y la vocación teatral», *BFFGL*, 1992, 10-11, págs. 75-84.

— «Poética y práctica de la farsa: *La Marquesa Rosalinda*, de Valle-Inclán», en Dougherty y Vilches, 1996, págs. 125-144.

— «El lenguaje del silencio en el teatro de García Lorca», en *García Lorca*, Madrid, Casa de Velázquez/Universidad Complutense, 1998, págs. 23-39.

— y VILCHES DE FRUTOS, M.ª Francisca (coords. y eds.), *El teatro en España entre la tradición y la vanguardia (1918-1939)*, Madrid, CSIC/Fundación Federico García Lorca/Tabapress, 1992.

DURÁN, Manuel, «El surrealismo en el teatro de Lorca y Alberti», *Hispa*, 1957, págs. 61-67.

— y COLECCHIA, Francesca (eds.), *Lorca's Legacy. Essays on Lorca's Life, Poetry and Theatre*, Nueva York, Peter Lang, 1991.

EDWARDS, Gwyne, *El teatro de Federico García Lorca*, Madrid, Gredos, 1983.

— *Dramatists in Perspective: Spanish Theatre in the Twentieth Century*, Nueva York, St. Martin's Press, 1985.

FEAL, Carlos, «Eurípides y Lorca: observaciones sobre el cuadro final de *Yerma*», en *Actas del VIII Congreso de la AIH*, I, Madrid, Istmo, 1986, págs. 511-518.

— «La idea del honor en las tragedias de Lorca», en Morris, 1988, págs. 277-293.

— *Lorca: tragedia y mito*, Ottawa, Dovehouse, 1989.

FERNÁNDEZ CIFUENTES, Luis, «García Lorca y el teatro convencional», *Iberoromania*, XVII, 1983, págs. 66-99.

— *García Lorca en el teatro: la norma y la diferencia*, Zaragoza, Universidad de Zaragoza, 1986.

— «García Lorca: historia de una evaluación, evaluación de una historia», en Loureiro, 1988, págs. 233-262.

— «El viejo y la niña: tradición y modernidad en el teatro de García Lorca», en Dougherty y Vilches, 1992, págs. 89-102.

— «Poder y resistencia en el teatro de García Lorca», *CHisp*, XVI, 1994, 1, págs. 157-169.

FERNÁNDEZ GALIANO, Manuel, «Los dioses de Federico», *CH*, enero, 1968, págs. 31-43.

FERNÁNDEZ-MONTESINOS, Manuel, *Descripción de la Biblioteca de Federico García Lorca (Catálogo y estudio)*, tesina de licenciatura, Madrid, Universidad Complutense, 1985.

— «La preocupación social de García Lorca», en Menarini, 1987, págs. 15-33.

FLOECK, Wilfried, «Contra la deshumanización del teatro. García Lorca frente al esperpento de Valle-Inclán», *HispXX*, 1987, 5, págs. 81-90.

— «García Lorca y la vanguardia. Observaciones sobre el drama de García Lorca *El Público*», *FyL*, XXII, 1996, 2, págs. 27-44.

FORRADELLAS, Joaquín, «Introducción», en Federico García Lorca, *La casa de Bernarda Alba*, 22.ª ed., Madrid, Austral, 1997, págs. 9-64.

GABRIELE, John P., «Of Mothers and Freedom: Adela's Struggle for Selfhood in *La casa de Bernarda Alba*», *Sym*, XLVII, 1993, 3, págs. 188-199.

— «Mapping the Boundaries of Gender: Men, Women and Space in *La casa de Bernarda Alba*», *HJo*, XV, 1994, 2, págs. 381-392.

GALLEGO MORELL, Antonio, «El teatro lorquiano: del fracaso inicial a la apoteosis», en *Philologica Hispaniensia in honorem Manuel Alvar*, Madrid, Gredos, 1986-1987, págs. 153-164.

— *Sobre García Lorca*, Granada, Universidad de Granada, 1993.

GARAFOLA, Lynn, *Diaghilev's Ballets Russes*, New York, Oxford University Press, 1989.

GARCÍA-ABAD GARCÍA, Teresa, «*Viaje a la luna*: del texto *óstrakon* a la imagen onírica», en Vilches, 2001, págs. 27-44.

GARCÍA LORCA, Federico, *Amor de don Perlimplín con Belisa en su jardín*, ed. de Margarita Ucelay, Madrid, Cátedra, 1990.

— *Bodas de sangre*, ed. Mario Hernández, Madrid, Alianza, 1984.

— *La casa de Bernarda Alba*, ed. Domingo Pérez Minik, Barcelona, Aymá, 1964.

— *La casa de Bernarda Alba*, ed. Allen Josephs y Juan Caballero, Madrid, Cátedra, 1976.

— *La casa de Bernarda Alba*, ed. Ricardo Doménech, Madrid, Cátedra, 1985.

— *La casa de Bernarda Alba*, ed. Miguel García Posada, Madrid, Castalia, 1987.

— *La casa de Bernarda Alba*, ed. Mario Hernández, Madrid, Alianza Editorial, 1998.

— *Charla sobre teatro*, edición facsímil, Fuente Vaqueros, Casa-Museo Federico García Lorca, 1989.

— *Epistolario completo*, ed. de Andrew Anderson y Christopher Maurer, I, Madrid, Cátedra, 1997.

— *Obras completas*, ed. Arturo del Hoyo, 8.ª ed., Madrid, Aguilar, 1965.

— *Obras completas*, ed. Arturo del Hoyo, 19.ª ed., Madrid, Aguilar, 1975.

— *Obras completas*, ed. Miguel García Posada, Madrid, Galaxia Gutenberg/Círculo de Lectores, 1997.

— *Teatro inconcluso. Fragmentos y proyectos incabados*, ed. Marie Laffranque, Granada, Universidad de Granada, 1987.

— *Teatro inédito de juventud*, ed. Andrés Soria, Olmedo, Madrid, Cátedra, 1994.

— *Tres diálogos*, ed. Andrés Soria Olmedo, Granada, Universidad de Granada, 1997.

124

García Lorca, Francisco, *Federico y su mundo*, ed. y pról. de Mario Hernández, Madrid, Alianza, 1980.

García Montero, Luis, «El teatro, la casa y Bernarda Alba», *CH*, 1986, 433-434, págs. 359-370.

García Plata, Valentina, «Primeras teorías españolas de la puesta en escena: Adrià Gual», *ALEC*, XXI, 1996, 3, págs. 291-312.

García Posada, Miguel, «Realidad y transfiguración artística en *La casa de Bernarda Alba*», en Doménech, 1985, págs. 151-170.

— «Lorca y el surrealismo: una relación conflictiva», *Íns*, XLIV, 1989, 515, págs. 7-9.

— «Prólogo. El teatro de Federico García Lorca», en Federico García Lorca, *Teatro*, Madrid, Galaxia Gutenberg/Círculo de Lectores, 1997.

García Queipo de Llano, Genoveva, «El choque con Benavente (1928)», en Genoveva García Queipo de Llano, *Los intelectuales y la dictadura de Primo de Rivera*, Madrid, Alianza, 1988, págs. 416-422.

Gibson, Ian, *Granada, 1936. El asesinato de García Lorca*, Barcelona, Grijalbo, 1979.

— *Federico García Lorca. 1. De Fuentevaqueros a Nueva York (1898-1929)*, Barcelona/Buenos Aires/México D.F., Grijalbo, 1985.

— *Federico García Lorca. 2. De Nueva York a Fuente Grande (1929-1936)*, Barcelona/Buenos Aires/México D.F., Grijalbo, 1987.

— *Granada en 1936 y el asesinato de Federico García Lorca*, Barcelona, Crítica, 1986 (6.ª ed.).

— *Vida, pasión y muerte de Federico García Lorca (1898-1936)*, Barcelona, Plaza&Janés, 1998.

— «Federico García Lorca y el amor imposible», en Díez de Revenga y de Paco, 1999, págs. 135-160.

Gil, Ildefonso Manuel (ed.), *Federico García Lorca*, Madrid, Taurus, 1973.

Gómez Torres, Ana M.ª, *Experimentación y teoría en el teatro de Federico García Lorca*, Málaga, Arguval, 1995.

— *Una teoría teatral de la ruptura: Lorca y la España de anteguerra*, Málaga, Universidad de Málaga, 1996.

— «El cine imposible de Federico García Lorca», en Anderson, 1999, págs. 43-68.

González-del Valle, Luis, *La tragedia en el teatro de Unamuno, Valle-Inclán y García Lorca*, Nueva York, Eliseo Torres, 1975.

125

— «Ideología política en varias obras de Jacinto Benavente», en Vilches y Dougherty, 1996, págs. 187-212.

GRANATA DE EGÜES, Gladys (ed.), *Recuerdo y homenaje a Federico García Lorca en su centenario. 1898-1998*, Mendoza, Fundación Municipal de Mendoza, 1999.

GRANDE, María Ángeles, *La noche esteticista de Edward Gordon Craig. Poética y práctica teatral*, Alcalá, Universidad, 1997.

GRANELL, Eugenio, *Escritos sobre Federico García Lorca*, La Coruña, Fundación Eugenio Granell, 1998.

GREENFIELD, Sumner M., «Poetry and Stagecraft in *La Casa de Bernarda Alba*», *HispEU*, XXXIX, marzo 1955, págs. 456-461.

— «Lorca's Tragedies: Practice without theory», *Siglo XX/20TH Century*, IV, 1986-1987, 1-2, págs. 1-5.

— «El poeta de vuelta en España: lo neoyorquino en el teatro de Lorca, 1933-1936», *BFFGL*, IV, 1992, 10-11, págs. 85-93.

GUERRERO RUIZ, Pedro (ed.), *Federico García Lorca en el espejo de su tiempo*, Alicante, Caja de Ahorros/Aguadara, 1998.

GUERRERO ZAMORA, Juan, *Historia del teatro contemporáneo*, III, Barcelona, Juan Flores, 1962.

HERNÁNDEZ, Mario, *Libro de los dibujos de Federico García Lorca*, Madrid, Tabapress/Fundación Federico García Lorca, 1990.

— «Federico García Lorca: rueda y juego de la tradición popular», en Lapesa, 1992, págs. 261-292.

— «Hilos y filos», en Federico García Lorca, *La casa de Bernarda Alba*, Madrid, Alianza, 1998, págs. 2-24.

HESS, Carol, *Manuel de Falla and Modernism in Spain. 1898-1936*, Chicago/Londres, The University of Chicago Press, 2001.

HIGGINBOTHAM, Virginia, «Lorca and Twentieth Century Spanish Theater: Three Precursors», *MD*, 1972, 15, págs. 164-174.

— «Lorca's Soundtrack: Music in the Structure of his Poetry and Plays», en Morris, 1988, págs. 191-207.

HUÉLAMO KOSMA, Julio, «La influencia de Freud en el teatro de García Lorca», *BFFGL*, 1989, 6, págs. 59-83.

JACQUOT, J. (ed.), *Le Théatre moderne*, Paris, CNRS, 1958.

LAFFRANQUE, Marie, «Federico García Lorca. Expérience et conception de la condicion du dramaturge», en Jacquot, 1958, págs. 275-298.

— «Pour l'étude de F.G.L. Bases chronologiques», *BHi*, LXV, julio-diciembre de 1963, 3-4, págs. 333-337.

— *Les idées esthétiques de Federico García Lorca*, Paris, Centre de Recherches Hispaniques, 1967.

— «Federico García Lorca. Encore une interview sur La Barraca», *BHi*, LXXI, 1969, 4, págs. 604-606.

— «Puertas abiertas y cerradas en la poesía y el teatro de García Lorca», en Gil, 1973, págs. 249-269.

— (estudio y notas), Federico García Lorca, *Teatro inconcluso. Fragmentos y proyectos inacabados*, Granada, Universidad de Granada, 1987, págs. 343-345.

LAPESA, Rafael (ed.), *El legado cultural de España al siglo XXI. La Literatura: Clásicos contemporáneos*, Barcelona, Círculo de Lectores, 1992.

LARRAZ, Emmanuel, «Cinéma et mémoire: *Judíos de patria española* (1929) d'Ernesto Giménez Caballero», en Eliane Lavaud, 1999, págs. 155-169.

LAVAUD, Eliane (ed.), *Le XXème siècle. Parcours et repères*, Dijon, *HispXX*, 1999.

LAVAUD, Jean-Marie (ed.), *Le théâtre de l'impossible*, Dijon, *HispXX*, 1999.

LÁZARO CARRETER, Fernando, «Apuntes sobre el teatro de Federico García Lorca», *PSA*, julio 1960, en Gil, 1973, págs. 271-286.

LIMA, Robert, *The Theater of García Lorca*, Nueva York, Las Américas, 1963.

LÓPEZ DE ABIADA, José Manuel, «De la vanguardia deshumanizada al nuevo realismo. Notas sobre *El nuevo romanticismo* y la novela española (1923-1932)», *Ver*, 1983, 5, págs. 139-154.

LOUREIRO, Ángel (ed.), *Estelas, laberintos, nuevas sendas. Unamuno, Valle-Inclán, García Lorca. La Guerra Civil*, Barcelona, Anthropos, 1988.

MACHADO, Antonio, *Juan de Mairena. Sentencias, donaires, apuntes y recuerdos de un profesor apócrifo, 1936*, Madrid, Castalia, 1971.

MAHIEU, José Agustín, «García Lorca y su relación con el cine», *CH*, 1986, 433-434, págs. 119-128.

MANRIQUE DE LARA, José Gerardo, «El sentido de la muerte en la obra de Federico García Lorca», en Alvar, 1988, págs. 127-168.

MARFUL AMOR, Inés, *Lorca y sus dobles. Interpretación psicoanalítica de la obra dramática y dibujística*, Kassel, Reichenberg, 1991.

MARICHAL, Juan, «El testimonio histórico de Federico García Lorca», *BFFGL*, III, 1989, 6, págs. 13-25.

MARRAST, Robert, *El teatre durant la Guerra Civil espanyola. Assaig d'historia i documents*, Barcelona, Institut del Teatre, 1978.

MARTÍN, Eutimio, *Federico García Lorca, heterodoxo y mártir. Análisis y proyección de la obra juvenil inédita*, Madrid, Siglo XXI, 1986.

MARTÍN RODRÍGUEZ, Mariano, «*Azorín*, adaptador teatral: El caso de *Maya*, de Simon Gantillon», *ALEC*, XX, 1995, 3, págs. 393-408.

— «El teatro del *grottesco* en España: Los estrenos madrileños de Luigi Chiarelli hasta 1936», *ALEC*, XXIII, 1998, 3, págs. 751-773.

— *El teatro francés en Madrid (1918-1936)*, Boulder, Society of Spanish and Spanish-American Studies, 1999.

MARTÍNEZ, Carlos, *Crónica de una emigración (La de los Republicanos Españoles en 1939)*, México, Libro Mex, 1959.

MARTÍNEZ NADAL, Rafael, *El Público: Amor, teatro y caballos en la obra de Federico García Lorca*, Oxford, The Dolphin Books, 1970.

— «Ecos clásicos en las obras de Federico García Lorca y Luis Cernuda», en Rodríguez y Bravo (eds.), 1986, págs. 36-55.

MAURER, Christopher, «Sobre *joven literatura* y política: Cartas de Pedro Salinas y de Federico García Lorca (1930-1935)», en Loureiro, 1988, págs. 297-319.

— «García Lorca y el arte tradicional: del *Romancero* oral a los *Ballets rusos*», en Soria, 1997, págs. 43-62.

MENARINI, Piero (ed.), *Lorca, 1986*, Bolonia, Atesa, 1987.

MONEGAL, Antonio y MICÓ, José María (coords. y eds.), *Federico García Lorca i Catalunya*, Barcelona, Universitat Pompeu Fabra/ Diputació de Barcelona, 2000.

MONLEÓN, José, «Política y teatro: cinco imágenes de la historia política española a través de otros tantos montajes de *La casa de Bernarda Alba*», *CH*, 1986, 433-434, págs. 371-384.

MORA GUARNIDO, José, *Federico García Lorca y su mundo. Testimonio para una biografía*, Buenos Aires, Losada, 1958 (reeditado con pról. de Mario Hernández en Granada, Caja de Granada, 1998).

MORLA LYNCH, Carlos, *En España con Federico García Lorca. (Páginas de un diario íntimo. 1928-1936)*, Madrid, Aguilar, 1958.

MORRIS, C. Brian, *This Loving Darkness. The Cinema and Spanish Writers. 1920-1936*, Nueva York, Oxford University Prees, 1980.

— (ed.), *Cuando yo me muera...: Essays in Memory of Federico García Lorca*, Lanham, University Press of America, 1988.

— «Voices in the Void: Speech in *La casa de Bernarda Alba*», *HispEU*, LXXII, 3, 1989, págs. 489-509.

— *García Lorca: La casa de Bernarda Alba*, London, Grant&Cutler, 1990.

— (ed.), *The Surrealist Adventure in Spain*, Ottawa, Dovehouse, 1991.

— *Son of Andalusia. The Lyric Landscape of Federico García Lorca*, Nashville, Vandelbilt University Press, 1997.

NEUSCHÄFER, Hans-Jörg, «Los dramas de Lorca y el *huis clos* de la censura. Una lectura política de *La casa de Bernarda Alba*», en Berchem y Laitenberger, 2000, págs. 132-142.

NEWBERRY, Wilma, «Patterns of Negation in *La casa de Bernarda Alba*», *HispEU*, LXIX, 1976, págs. 802-809.

NICOLODI, Fiamma, «Federico García Lorca, Manuel de Falla e la musica», en Dolfi, 1989, págs. 229-249.

NIEVA DE LA PAZ, Pilar, «Revisando el canon: hacia una selección crítica del teatro escrito por mujeres en la España de entreguerras», en Zavala, 1998, págs. 155-184.

ORRINGER, Nelson R., «Mariana Pineda, o Ifigenia en Granada», en Berchem y Latenberger, 2000, págs. 81-96.

OSORIO, Marta, *Miedo, olvido y fantasía. Crónica de la investigación de Agustín Penón sobre Federico García Lorca. Granada-Madrid (1955-1956)*, Granada, Comares, 2001.

PAEPE, Christian de, *Catálogo general de los fondos documentales de la Fundación Federico García Lorca, IV, manuscritos y documentos relacionados con las obras teatrales*, Madrid, Junta de Andalucía/Fundación Federico García Lorca, 1997.

PÉREZ BAZO, Javier (ed.), *La vanguardia en España: Arte y Literatura*, Paris, CRIC/Orphrys, 1998.

PÉREZ SILVA, Vicente (comp.), *Federico García Lorca bajo el cielo de Nueva Granada*, Bogotá, Instituto Caro y Cuervo, 1986.

PERSIA, Jorge de, «Lorca, Falla y la música. Una coincidencia intergeneracional», en Pérez Bazo, 1998, págs. 427-430.

PITTALUGA, Gustavo, *Canciones del teatro de Federico García Lorca*, Madrid, Unión Musical Española, 1960.

PREDMORE, Richard L., *Lorca's New York Poetry; Social Injustice, Dark Love, Lost Faith*, Durham, Duke University, 1980.

RAMÍREZ, Arnulfo G., «El coro en las tragedias poéticas de García Lorca», en Alvar, 1988, págs. 169-191.

REES, Margaret (ed.), *Leeds papers on Lorca and on Civil War verse*, Leeds, Trinity and All Saints, 1988.

REICHENBERGER, Kurt y RODRÍGUEZ LÓPEZ VÁZQUEZ, Alfredo (eds.), *Federico García Lorca: perfiles críticos*, Kassel, Reichenberger, 1992.

129

Rey Faraldos, Gloria, «El teatro de las Misiones Pedagógicas», en Dougherty y Vilches, 1992, págs. 153-164.

Richards, Katharine C., «Social Criticism in Lorca's Tragedies», *REHA*, XVII, 1983, págs. 212-226.

Rincón, Carlos, «Lorca y la tradición», en Pérez Silva, 1986, págs. 138-156.

Rivas Cherif, Cipriano, *Cómo hacer teatro: Apuntes de orientación profesional en las artes y oficios del teatro español*, ed. de Enrique de Rivas, Valencia, Pre-Textos, 1991.

Robertson, Sandra, «Mariana Pineda: el romance popular y su "retrato teatral"», *BFFGL*, I, 1988, 3, págs. 88-106.

Rodrigo, Antonina, *Margarita Xirgu*, Madrid, Aguilar, 1988.

Rodríguez Adrados, Francisco, «Las tragedias de García Lorca y los griegos», *REC*, XXXI, 1989, págs. 51-61.

Rodríguez Alfageme, I. y Bravo García, A. (eds.), *Tradición clásica y siglo XX*, Madrid, Coloquio, 1986.

Romera Castillo, José, «Apuntes sobre la actividad escénica madrileña (1919-1920) de García Lorca en su epistolario», en Guerrero Ruiz, 1998, págs. 193-201.

Rubia Barcia, Francisco, «El realismo *mágico* de *La casa de Bernarda Alba*», en Gil, 1973, págs. 301-321.

Rubio, Isaac, «Notas sobre el realismo de *La casa de Bernarda Alba*, de García Lorca», *RCEH*, IV, 2, 1980, págs. 169-182.

Rubio Jiménez, Jesús, *El teatro poético en España. Del Modernismo a las vanguardias*, Murcia, Universidad de Murcia, 1993.

— (ed.), *La renovación teatral española de 1900*, Madrid, Asociación de Directores de Escena de España, 1998.

Ruiz Ramón, Francisco, *Historia del teatro español. Siglo XX*, Madrid, Cátedra, 1975 (2.ª ed. ampliada).

— «Espacios dramáticos en *La casa de Bernarda Alba*», *Gestos*, 1, 1986, págs. 87-100.

— «Lorca y la trilogía clásica: introducción a un proceso», en Berchem y Laitenberg, 2000, págs. 117-132.

Sáenz de la Calzada, Luis, *«La Barraca» teatro universitario*, Madrid, Revista de Occidente, 1976.

Salvat, Ricard, «La teatralitat de Lorca (Lorca vist als 50 anys de la seva mort)», en *Escrits per al teatre*, Barcelona, Institut del Teatre, 1990, págs. 23-37.

SAMPER, Edgar, «La figuration de l'espace dans *La casa de Bernarda Alba*», en Soubeyroux, 1993, págs. 175-193.

SÁNCHEZ, José Antonio, *Dramaturgias de la imagen*, 2.ª ed. corregida y aumentada, Cuenca, Universidad de Castilla-La Mancha, 1999.

— (ed.), *La escena moderna. Manifiestos y textos sobre teatro de la época de las vanguardias*, Madrid, Akal, 1999.

SÁNCHEZ, Roberto, «La última manera dramática de García Lorca (Hacia una clarificación de lo *social* en su teatro)», *PSA*, XVI, 60, 1978, págs. 82-102.

SÁNCHEZ TRIGUEROS, Antonio, «Federico García Lorca en escena (una invitación al teatro)», en Cuevas y Baena, 1995, págs. 179-198.

— «Texto de tradición y espectáculo de vanguardia (a propósito del teatro de Federico García Lorca)», en Chicharro y Sánchez, 1999, págs. 15-40.

SÁNCHEZ VIDAL, Agustín, «La literatura entre pureza y revolución. La novela», en Agustín Sánchez Vidal (ed.), «Época contemporánea: 1914-1939», en Francisco Rico (dir.), *Historia y crítica de la Literatura Española*, Barcelona, Crítica/Grijalbo/Mondadori, 1995, págs. 440-447.

SCHNEIDER, Luis, *II Congreso Internacional de Escritores Antifascistas (1937)*, I, *Inteligencia y guerra civil en España*, Barcelona, Laia, 1978.

SMITH, Paul Julian, «Lorca and Foucault», en *The Body Hispanic. Gender and Sexuality in Spanish American Literature*, Oxford, Clarendon, 1989, págs. 105-137.

— *The Theater of García Lorca: text, performance, psychoanalysis*, Cambridge, University Press, 1998.

SORIA OLMEDO, Andrés (ed.), *Lecciones sobre Federico García Lorca*, Granada, Comisión Nacional del Cincuentenario, 1986.

— «Una fiesta íntima de arte moderno en la Granada de los años veinte», en Soria, 1986, págs. 149-178.

— (ed.), *La mirada joven*, Granada, Universidad de Granada, 1997.

SOUBEYROUX, Jacques (ed.), *Lieux dits. Recherches sur l'espace dans les textes hispaniques (XVIe-XXe siécles)*, Saint-Étienne, Université de Saint-Étienne, 1993.

SOUFAS, C. Christopher, «Dialectics of Vision: Pictorial vs. Photographic Representation in Lorca's *La casa de Bernarda Alba*», *Oján*, 1991, 5, págs. 52-56.

— *Audience and Authority in the Modernist Theater of Federico García Lorca*, Tuscaloosa, University of Alabama, 1996.

THOMSON, Michael, «"Poetry that gets up off the page and becomes human": poetic coherence and eccentricity in Lorca's theatre», en Doggart y Thompson, 1999, págs. 67-79.

TINNELL, Roger D., *Federico García Lorca y la música*, Madrid, Fundación Juan March/Fundación Federico García Lorca, 1993.

TORRES MONREAL, Francisco, «La recepción del teatro de Lorca en París (1938-1955)», en Reichenberger y Rodríguez, 1992, págs. 33-38.

TORRES NEBRERA, Gregorio, «El motivo de "La encerrada" en Lorca y Alberti (*Bernarda Alba* y *El Adefesio* frente a frente)», en Cuevas y Baena, 1995, págs. 43-75.

TUÑÓN DE LARA, Manuel, *Medio siglo de cultura española (1885-1936)*, Madrid, Tecnos, 1970.

UCELAY, Margarita, «Federico García Lorca y el Club Teatral Anfistora: el dramaturgo como director de escena», en Soria, 1986, págs. 51-64.

— «La problemática teatral: testimonios directos de Federico García Lorca», *BFFGL*, III, 1989, 6, págs. 27-58.

— «Federico García Lorca y el Club Teatral Anfistora», en Dougherty y Vilches, 1992, págs. 56-60.

UTRERA, Rafael, *García Lorca y el cinema. Lienzo de plata para un viaje a la luna*, Sevilla, Edisur, 1982.

— *Federico García Lorca/Cine (El cine en su obra, su obra en el cine)*, Sevilla, AECA, 1987.

VILCHES DE FRUTOS, Mª Francisca, «El compromiso en la literatura: la narrativa de los escritores de la Generación del Nuevo Romanticismo (1926-1936)», *ALEC*, VII, 1982, 1, págs. 31-58.

— «Directors of the Twentieth Century Spanish Stage», en Delgado, 1998, págs. 1-23.

— «El teatro de Federico García Lorca en el contexto internacional: la dirección de escena», *Acotaciones*, 1998, 1, págs. 11-21.

— «La representación en España del teatro de Federico García Lorca durante la década de los sesenta», *BFFGL*, 1999, 25, págs. 81-106.

— «La otra vanguardia histórica: cambios sociopolíticos en la narrativa y el teatro español de preguerra (1926-1936)», *ALEC*, XXIV, 1999, 1-2, págs. 243-268.

— (ed.), *Teatro y cine: la búsqueda de nuevos lenguajes expresivos*, 2 vols., Boulder, *ALEC*, 2001 y 2002.

— y DOUGHERTY, Dru, *Los estrenos teatrales de Federico García Lorca (1920-1945)*, Madrid, Fundación Federico García Lorca/Tabapress, 1992.

— «Federico García Lorca: Director de escena», en Dougherty y Vilches, 1992, págs. 241-251.

— *La escena madrileña entre 1926 y 1931. Un lustro de transición*, Madrid, Fundamentos, 1997.

VITALE, Rosana, *El metateatro en la obra de Federico García Lorca*, Madrid, Pliegos, 1991.

WALSH, John, «Las mujeres en el teatro de Lorca», en Loureiro, 1988, págs. 279-295.

WEINGARTEN, Barry E., «La estética de la farsa violenta lorquiana y el esperpento valleinclanesco», *HJo*, XII, 1991, 1, págs. 47-57.

WELLINGTON, Beth, *Reflections on Lorca's Private Mytohology: «Once Five Years Pass» and The Rural Plays*, Nueva York, Peter Lang, 1973.

WRIGHT, Sarah, *The Trickster-Function in the Theatre of García Lorca*, Londres, Tamesis, 2000.

YNDURÁIN, Francisco, «*La casa de Bernarda Alba*, ensayo de interpretación», en Doménech, 1985, págs. 123-147.

ZAPKE, Susana (ed.), *Falla y Lorca. Entre la tradición y la vanguardia*, Kassel, Reichenberger, 1999.

ZAVALA, Iris (dir.), *Breve historia feminista de la literatura española*, V, Barcelona, Anthropos, 1998.

Abreviaturas

ADE: Asociación de Directores de Escena.
AECA: Asociación de Escritores Cinematográficos de Andalucía.
AH: Arturo del Hoyo.
AIH: Asociación Internacional de Hispanistas.
ALEC: Anales de la Literatura Española Contemporánea/Annals of Contemporary Spanish Literature. Boulder, CO.
BFFGL: Boletín de la Fundación Federico García Lorca. Madrid.
BHi: Bulletin Hispanique. Bourdeaux.
CDT: Centro de Documentación Teatral.
CH: Cuadernos Hispanoamericanos. Madrid.
CHisp: Crítica Hispánica. Pittsburgh, PA.
CLS: Comparative Literature Studies. PA.
CNRS: Centre National de la Recherche Scientifique.
CTR: Contemporary Theatre Review.
FyL: Filología y Lingüística.
Gestos: Gestos. Irvine, CA.
GT: Guillermo de Torre.
Hispa: Hispanófila. Chapel Hill, NC.
HispEU: Hispania. Los Ángeles, CA.
HispXX: Hispanística XX. Bourgogne.
HJo: Hispanic Journal. Indiana, PA.
Iberoromania: Iberoromania. Tübingen.
Íns: Ínsula. Madrid.
M: Autógrafo.
MD: Modern Drama. Toronto.
MH: Mario Hernández.
Oján: Ojáncano. Santander.

135

PA: Primer Acto. Madrid.
PSA: Papeles de Son Armadans. Palma de Mallorca.
RCEH: Revista Canadiense de Estudios Hispanistas. Toronto.
REC: Revista de Estudios Clásicos. Madrid.
REH: Revista de Estudios Hispánicos. Alabama.
RQ: Romance Quarterly. Lexington, KY.
Sym: Symposium. Siracuse, NY.
Ver: Versants. Ginebra.

La casa de Bernarda Alba

DRAMA DE MUJERES EN LOS PUEBLOS
DE ESPAÑA

PERSONAS

BERNARDA, *60 años*

MARÍA JOSEFA *(madre de Bernarda), 80 años*

ANGUSTIAS *(hija de Bernarda), 39 años*[1]

MAGDALENA *(hija de Bernarda), 30 años*

AMELIA *(hija de Bernarda), 27 años*

MARTIRIO *(hija de Bernarda), 24 años*

ADELA *(hija de Bernarda), 20 años*

PONCIA *(criada), 60 años*[2]

CRIADA, *50 años*

PRUDENCIA, *50 años*

MENDIGA CON NIÑA[3]

MUJER 1.ª

MUJER 2.ª

MUJER 3.ª

MUJER 4.ª

MUCHACHA

MUJERES DE LUTO[4]

El poeta advierte que estos tres actos tienen la intención de un documental fotográfico.

---

[1] M: 36 años.

[2] M, GT, AH, MH: La Poncia. Mientras el autógrafo y Mario Hernández sitúan a Poncia detrás de la criada, Guillermo de Torre y Arturo del Hoyo la colocan delante.

[3] M: No aparece.

GT, AH: MENDIGA

MH: [MENDIGA CON NIÑA]

[4] M: No incluye a MUJER 1.ª, MUJER 2.ª, MUJER 3.ª, MUJER 4.ª y MUCHACHA.

GT, AH: MUJER 1.ª, MUJER 2.ª, MUJER 3.ª, MUJER 4.ª, MUCHACHA.

MH: [MUJER 1.ª, MUJER 2.ª, MUJER 3.ª, MUJER 4.ª, MUCHACHA]

Acto primero

Habitación blanquísima del interior de la casa de Bernarda. Muros gruesos. Puertas en arco con cortinas de yute rematadas con madroños y volantes. Sillas de anea. Cuadros con paisajes inverosímiles de ninfas, o reyes de leyenda[1]. Es verano. Un gran silencio umbroso se extiende por la escena. Al levantarse el telón está la escena sola. Se oyen doblar las campanas. (Sale la CRIADA.)[2]

CRIADA[3]

Ya tengo el doble de esas campanas metido entre las sienes.

PONCIA *(Sale comiendo chorizo y pan.)*[4]

Llevan ya más de dos horas de gori-gori. Han venido curas de todos los pueblos. La iglesia está hermosa. En el primer responso se desmayó la Magdalena.

---

[1] M: de ninfas, o reyes de leyenda.
GT, AH: ninfas o reyes de leyenda.
MH: *ninfas o reyes de leyenda.*
[2] M: Sale la Criada 1.ª
GT: *(Sale la* Criada.)
AH: Sale la CRIADA.
MH: (Sale la CRIADA 1.ª)
[3] M: No aparece.
GT, AH: CRIADA.
MH: [CRIADA]
[4] M: La poncia. (sale comiendo chorizo y pan)
GT, AH: LA PONCIA. *(Sale comiendo chorizo y pan.)*
MH: LA PONCIA *(Sale comiendo chorizo y pan.)*

CRIADA

Ésa es la que se queda más sola[5].

PONCIA

Era a la única que quería el padre[6]. ¡Ay! Gracias a Dios que estamos solas un poquito[7]. Yo he venido a comer.

CRIADA

¡Si te viera Bernarda![8]

PONCIA

¡Quisiera que ahora, como no come ella[9], que todas nos muriéramos de hambre! ¡Mandona! ¡Dominanta! ¡Pero se fastidia! Le he abierto la orza de chorizos[10].

CRIADA *(Con tristeza ansiosa.)*[11]

¿Por qué no me das para mi niña, Poncia?

---

[5] M: Cria. Esa es la que se queda mas sola.
GT, AH: CRIADA. Es la que se queda más sola.
MH: CRIADA. Esa es la que se queda más sola.
[6] M: Era a la unica que queria el padre.
GT, AH: Era la única que quería al padre.
AH: Era a la única que quería el padre.
[7] M: ¡Ay! Gracias a Dios que estamos solas un poquito.
GT, AH, MH: ¡Ay! ¡Gracias a Dios que estamos solas un poquito!
[8] M: Cria. ¡Si te viera Bernarda!
GT, AH: CRIADA. ¡Si te viera Bernarda!...
MH: CRIADA. ¡Si te viera Bernarda!
[9] M: Poncia. ¡Quisiera que ahora como no come ella
GT: La PONCIA. ¡Quisiera que ahora como no come ella,
AH: La PONCIA. ¡Quisiera que ahora que no come ella,
MH: PONCIA. ¡Quisiera que ahora, como no come ella,
[10] M: Le he habierto la orza de chorizos
GT, MH: Le he abierto la orza de chorizos.
AH: Le he abierto la orza de los chorizos.
[11] M: Cria. (con tristeza ansiosa)
GT: CRIADA. *(con tristeza ansiosa).*
AH: CRIADA. *(Con tristeza, ansiosa.)*
MH: *(Con tristeza ansiosa.)*

Entra y llévate también un puñado de garbanzos. ¡Hoy no se dará cuenta!

VOZ *(Dentro.)*

¡Bernarda!

PONCIA

La vieja, ¿está bien encerrada?[12]

CRIADA

Con dos vueltas de llave.

PONCIA

Pero debes poner también la tranca. Tiene unos dedos como cinco ganzúas.

VOZ

¡Bernarda!

PONCIA *(A voces.)*

¡Ya viene! *(A la* CRIADA.) Limpia bien todo. Si Bernarda no ve relucientes las cosas, me arrancará los pocos pelos que me quedan[13].

CRIADA

¡Qué mujer!

PONCIA

Tirana de todos los que la rodean. Es capaz de sentarse[14] encima de tu corazón y ver cómo te mueres durante un año sin

---

[12] M: Poncia. La vieja ¿Está bien encerrada?
GT, AH, MH: La PONCIA. La vieja. ¿Está bien cerrada?
[13] M, GT, AH, MH: Si Bernarda no ve relucientes las cosas me arrancará los pocos pelos que me quedan.
[14] M: Es capaz de capaz de sentarse

que se le cierre esa sonrisa fría que lleva en su maldita cara. ¡Limpia, limpia ese vidriado!

CRIADA

Sangre en las manos tengo de fregarlo todo.

PONCIA

Ella, la más aseada; ella, la más decente; ella, la más alta. Buen descanso ganó su pobre marido[15].

(Cesan las campanas.)

CRIADA

¿Han venido todos sus parientes?

PONCIA

Los de ella. La gente de él la odia. Vinieron a verlo muerto, y le hicieron la cruz[16].

CRIADA

¿Hay bastantes sillas?

PONCIA

Sobran. Que se sienten en el suelo. Desde que murió el padre de Bernarda no han vuelto a entrar las gentes bajo estos techos. Ella no quiere que la vean en su dominio. ¡Maldita sea!

---

[15] M: Ella la mas aseada, ella la mas decente, ella la mas alta. Buen descanso ganó su pobre marido.
GT: Ella la más aseada, ella la más decente, ella la más alta. ¡Buen descanso ganó su pobre marido!
AH: Ella, la más aseada; ella, la más decente; ella, la más alta. ¡Buen descanso ganó su pobre marido!
MH: Ella la más aseada, ella la más decente, ella la más alta. Buen descanso ganó su pobre marido.
[16] M, MH: Vinieron a verlo muerto, y le hicieron la cruz.
GT, AH: Vinieron a verlo muerto y le hicieron la cruz.

CRIADA

Contigo se portó bien.

PONCIA

Treinta años lavando sus sábanas, treinta años comiendo sus sobras, noches en vela cuando tose, días enteros mirando por la rendija para espiar a los vecinos y llevarle el cuento; vida sin secretos una con otra, y, sin embargo, ¡maldita sea!, ¡mal dolor de clavo le pinche en los ojos![17]

CRIADA

¡Mujer!

PONCIA

Pero yo soy buena perra: ladro cuando me lo dice y muerdo los talones de los que piden limosna cuando ella me azuza. Mis hijos trabajan en sus tierras y ya están los dos casados, pero un día me hartaré[18].

CRIADA

Y ese día...

---

[17] M: Treinta años lavando sus sabanas, treinta años comiendo sus sobras, noches en vela cuando tose, dias enteros mirando por la rendija para espiar a los vecinos y llevarle el cuento; vida sin secretos una con otra, y sinembargo ¡maldita sea! mal dolor de clavo le pinche en los ojos!

GT, AH: Treinta años lavando sus sábanas; treinta años comiendo sus sobras; noches en vela cuando tose; días enteros mirando por la rendija para espiar a los vecinos y llevarle el cuento; vida sin secretos una con otra, y sin embargo, ¡maldita sea! ¡Mal dolor de clavo le pinche en los ojos!

MH: Treinta años lavando sus sábanas, treinta años comiendo sus sobras, noches en vela cuando tose, días enteros mirando por la rendija para espiar a los vecinos y llevarle el cuento; vida sin secretos una con otra, y sin embargo, ¡maldita sea!, ¡mal dolor de clavo le pinche en los ojos!

[18] M: Pon. Pero yo soy buena perra: Ladro cuando me lo dice y muerdo los talones de los que piden limosna cuando ella me azuza; Mis hijos trabajan en sus tierras y ya estan los dos casados pero un dia me hartaré.

GT, AH: LA PONCIA. Pero yo soy buena perra; ladro cuando me lo dice y muerdo los talones de los que piden limosna cuando ella me azuza; mis hijos trabajan en sus tierras y ya están los dos casados, pero un día me hartaré.

MH: Pero yo soy buena perra: ladro cuando me lo dice y muerdo los talones de los que piden limosna cuando ella me azuza; mis hijos trabajan en sus tierras y ya están los dos casados, pero un día me hartaré.

PONCIA

Ese día me encerraré con ella en un cuarto y le estaré escupiendo un año entero[19]: «Bernarda, por esto, por aquello, por lo otro», hasta ponerla como un lagarto machacado por los niños, que es lo que es ella y toda su parentela. Claro es que no le envidio la vida. Le quedan cinco mujeres, cinco hijas feas, que, quitando a Angustias, la mayor, que es la hija del primer marido y tiene dineros, las demás, mucha puntilla bordada, muchas camisas de hilo, pero pan y uvas por toda herencia[20].

CRIADA

¡Ya quisiera tener yo lo que ellas!

PONCIA

Nosotras tenemos nuestras manos y un hoyo en la tierra de la verdad.

CRIADA

Ésa es la única tierra que nos dejan a los que no tenemos nada[21].

---

[19] M: le estaré escupiendo un año entero. "Bernarda por esto por lo otro",
GT, AH: le estaré escupiendo un año entero. "Bernarda, por esto, por aquello, por lo otro",
MH: le estaré escupiendo un año entero: «Bernarda, por esto, por aquello, por lo otro»,
[20] M: Le quedan seis mujeres, seis hijas feas, que quitando a Angustias, la mayor, que es la hija del primer marido y tiene dineros, las demas mucha puntilla bordada muchas camisas de hilo pero pan y uvas por toda herencia.
GT: Le quedan cinco mujeres, cinco hijas feas, que quitando Angustias, la mayor, que es la hija del primer marido y tiene dineros, las demás, mucha puntilla bordada, muchas camisas de hilo, pero pan y uvas por toda herencia.
AH: La quedan cinco mujeres, cinco hijas feas, que quitando Angustias, la mayor, que es la hija del primer marido y tiene dineros, las demás, mucha puntilla bordada, muchas camisas de hilo, pero pan y uvas por toda herencia.
MH: Le quedan cinco mujeres, cinco hijas feas, que quitando Angustias, la mayor, que es la hija del primer marido y tiene dineros, las demás, mucha puntilla bordada, muchas camisas de hilo, pero pan y uvas por toda herencia.
[21] M: Esa es la unica tierra que nos dejan a los que no tenemos nada.
GT: Ésa es la única tierra que nos dejan a las que no tenemos nada.
AH: Esa es la única tierra que nos dejan a las que no tenemos nada.
MH: Ésa es la única tierra que nos dejan a los que no tenemos nada.

PONCIA *(En la alacena.)*

Este cristal tiene unas motas.

CRIADA

Ni con jabón, ni con bayeta se le quitan[22].

(Suenan las campanas.)

PONCIA

El último responso. Me voy a oírlo. A mí me gusta mucho cómo canta el párroco. En el «Pater noster» subió, subió, subió la voz, que parecía un cántaro llenándose de agua poco a poco. ¡Claro es que al final dio un gallo, pero da gloria oírlo! Ahora que, ¡nadie como el antiguo sacristán, Tronchapinos! En la misa de mi madre, que esté en gloria, cantó. Retumbaban las paredes y, cuando decía amén, era como si un lobo hubiese entrado en la iglesia. *(Imitándolo.)* ¡Ameeeén! *(Se echa a toser.)* [23]

---

[22] M: Ni con el jabon ni con bayeta se le quitan.
GT: Ni con el jabón ni con bayeta se le quitan.
AH: Ni con jabón ni con bayeta se le quitan.
MH: Ni con jabón ni con bayeta se le quitan.
[23] M: En el Pater Noster subió subio subió la voz que parecía un cantaro llenandose de agua poco a poco iclaro es que al final dio un gallo pero dá gloria oirlo. Ahora que nadie como el antiguo sacristan Tronchapinos En la misa de mi madre que esté en gloria cantó. Retumbaban las paredes y cuando decia amen era como si un lobo hubiese entrado en la iglesia, (imintandolo) améeeem (se echa a toser)
GT: En el "Pater Noster" subió, subió la voz que parecía un cántaro de agua llenándose poco a poco; claro es que al final dió un gallo; pero da gloria oirlo. Ahora, que nadie como el antiguo sacristán Tronchapinos. En la misa de mi madre que esté en gloria, cantó. Retumbaban las paredes y cuando decía Amén era como si un lobo hubiese entrado en la iglesia. *(Imitándolo.)* ¡Amé-é-én! *(Se echa a toser.)*
AH: En el "Pater Noster" subió la voz que parecía un cántaro de agua llenándose poco a poco; claro es que al final dio un gallo; pero da gloria oírlo. Ahora que nadie como el antiguo sacristán Tronchapinos. En la misa de mi madre, que esté en gloria, cantó. Retumbaban las paredes, y cuando decía Amén era como si un lobo hubiese entrado en la iglesia. *(Imitándolo.)* ¡Améé-én! *(Se echa a toser.)*
MH: En el «Pater Noster» subió, subió, subió la voz que parecía un cántaro llenándose de agua poco a poco. ¡Claro es que al final dio un gallo, pero

CRIADA

Te vas a hacer el gaznate polvo.

PONCIA

¡Otra cosa hacía polvo yo! *(Sale riendo.)*

(La CRIADA *limpia. Suenan las campanas.)*

CRIADA *(Llevando el canto.)*

Tin, tin, tan. Tin, tin, tan. ¡Dios lo haya perdonado!

MENDIGA *(Con una niña.)*

¡Alabado sea Dios!

CRIADA

Tin, tin, tan. ¡Que nos espere muchos años! Tin, tin, tan.

MENDIGA *(Fuerte, con cierta irritación.)*

¡Alabado sea Dios![24]

CRIADA *(Irritada.)*

¡Por siempre!

MENDIGA

Vengo por las sobras.

(Cesan las campanas.)

CRIADA

Por la puerta se va a la calle[25]. Las sobras de hoy son para mí.

---

da gloria oírlo! Ahora que nadie como el antiguo sacristán, Tronchapinos. En la misa de mi madre, que esté en gloria, cantó. Retumbaban las paredes, y cuando decía amén era como si un lobo hubiese entrado en la iglesia. *(Imitándolo.)* ¡Améééén! *(Se echa a toser.)*

[24] M: (fuerte con cierta irritacion) Alabado sea Dios
GT: *(fuerte y con cierta irritación.)* ¡Alabado sea Dios!
AH: *(Fuerte y con cierta irritación.)* ¡Alabado sea Dios!
MH: *(Fuerte con cierta irritación.)* ¡Alabado sea Dios!
[25] M: Por la puerta se va la calle

MENDIGA

Mujer, tú tienes quien te gane. Mi niña y yo estamos solas[26].

CRIADA

También están solos los perros y viven.

MENDIGA

Siempre me las dan.

CRIADA

Fuera de aquí. ¿Quién os dijo que entrarais?[27] Ya me habéis dejado los pies señalados. *(Se van. Limpia.)* Suelos barnizados con aceite, alacenas, pedestales, camas de acero, para que traguemos quina las que vivimos en las chozas de tierra con un plato y una cuchara. ¡Ojalá que un día no quedáramos ni uno para contarlo! *(Vuelven a sonar las campanas.)* Sí, sí, ¡vengan clamores!, ¡venga caja con filos dorados y toallas de seda para llevarla! ¡Que lo mismo estarás tú que estaré yo![28] Fastídiate, Antonio María Benavides, tieso con tu traje de paño y tus botas enterizas. ¡Fastídiate! ¡Ya no volverás a levantarme las enaguas detrás de la puerta de tu corral!

---

[26] M: Mi niña y yo estamos solas
GT, AH: ¡Mi niña y yo estamos solas!
MH: Mi niña y yo estamos solas.
[27] M: ¿Quien os dijo que entrarais?
GT, AH: ¿Quién os dijo que entraseis?
MH: ¿Quién os dijo que entrarais?
[28] M: Si si vengan clamores! venga caja con filos dorados y tohallas de seda para llevarla! que lo mismo estarás tu que estaré yo!
GT: Sí, sí, ¡vengan clamores! ¡Venga caja con filos dorados y tohalla para llevarla! ¡Que lo mismo estarás tú que estaré yo!
AH: Sí, sí, ¡vengan clamores! ¡Venga caja con filos dorados y toalla para llevarla! ¡Que lo mismo estarás tú que estaré yo!
MH: Sí, sí, ¡vengan clamores!, ¡venga caja con filos dorados y toallas de seda para llevarla!; ¡que lo mismo estarás tú que estaré yo!

(Por el fondo, de dos en dos, empiezan a entrar mujeres de luto con pañuelos, grandes faldas y abanicos negros. Entran lentamente hasta llenar la escena.)[29]

CRIADA *(Rompiendo a gritar.)* [30]

¡Ay, Antonio María Benavides, que ya no verás estas paredes, ni comerás el pan de esta casa! Yo fui la que más te quiso de las que te sirvieron. *(Tirándose del cabello.)* ¿Y he de vivir yo después de haberte marchado? ¿Y he de vivir?

(Terminan de entrar las doscientas mujeres y aparecen BERNARDA *y sus cinco* HIJAS. BERNARDA *viene apoyada en un bastón.)*[31]

BERNARDA *(A la* CRIADA.)

¡Silencio!

CRIADA *(Llorando.)*

¡Bernarda!

BERNARDA

Menos gritos y más obras. Debías haber procurado que todo esto estuviera más limpio para recibir al duelo. Vete. No es éste

---

[29] M: (Por el fondo de dos empiezan a entrar mujeres de luto con pañuelos grandes faldas y abanicos negros) Entran lentamente hasta llenar la escena)

GT: *(Por el fondo, de dos en dos, empiezan a entrar mujeres de luto, con pañuelos grandes, faldas y abanicos negros. Entran lentamente hasta llenar la escena.)*

AH: *(Por el fondo, de dos en dos, empiezan a entrar* MUJERES DE LUTO, *con pañuelos grandes, faldas y abanicos negros. Entran lentamente hasta llenar la escena.)*

MH: *(Por el fondo, de dos [en dos], empiezan a entrar* MUJERES DE LUTO *con pañuelos, grandes faldas y abanicos negros. Entran lentamente hasta llenar la escena.)*

[30] Guillermo de Torre y Arturo del Hoyo unen esta intervención a la acotación anterior.

[31] M: terminan de entrar las <u>doscientas</u> mujeres y aparece Bernarda y sus seis hijas. (Bernarda viene apoyada en un baston)

GT: *(Terminan de entrar las doscientas mujeres y aparece Bernarda y sus cinco hijas.)*

AH: *(Terminan de entrar las doscientas* MUJERES *y aparece* BERNARDA *y sus cinco* HIJAS.)

MH: *(Terminan de entrar las* doscientas *mujeres y aparece* BERNARDA *y sus cinco* HIJAS. BERNARDA *viene apoyada en un bastón.)*

tu lugar. *(La* CRIADA *se va sollozando.)* Los pobres son como los animales. Parece como si estuvieran hechos de otras sustancias.

MUJER 1.ª

Los pobres sienten también sus penas.

BERNARDA

Pero las olvidan delante de un plato de garbanzos.

MUCHACHA[32] *(Con timidez.)*

Comer es necesario para vivir.

BERNARDA

A tu edad no se habla delante de las personas mayores.

MUJER 1.ª[33]

Niña, cállate.

BERNARDA

No he dejado que nadie me dé lecciones. Sentarse. *(Se sientan. Pausa. Fuerte.)* Magdalena, no llores. Si quieres llorar te metes debajo de la cama. ¿Me has oído?

MUJER 2.ª *(A* BERNARDA.)

¿Habéis empezado los trabajos en la era?

BERNARDA

Ayer.

MUJER 3.ª

Cae el sol como plomo.

---

[32] M: Es el único lugar donde se la denomina Muchacha 1.ª.
[33] M: Mujer.
GT, AH: MUJER 1.ª
MH: MUJER [1.ª]

149

MUJER 1.ª

Hace años que no he conocido calor igual[34].

(Pausa. Se abanican todas.)

BERNARDA

¿Está hecha la limonada?

PONCIA
*(Sale con una gran bandeja llena de jarritas blancas,
que distribuye.)*

Sí, Bernarda.

BERNARDA

Dale a los hombres.

PONCIA

La están tomando en el patio[35].

BERNARDA

Que salgan por donde han entrado. No quiero que pasen
por aquí.

MUCHACHA *(A* ANGUSTIAS.)

Pepe el Romano estaba con los hombres del duelo.

ANGUSTIAS

Allí estaba.

---

[34] M: Hace años no he conocido calor igual
GT, AH, MH: Hace años no he conocido calor igual.
[35] M: La están tomando en el patio
GT, AH: Ya están tomando en el patio.
MH: La están tomando en el patio.

BERNARDA

Estaba su madre. Ella ha visto a su madre. A Pepe no lo ha visto ni ella ni yo[36].

MUCHACHA

Me pareció...

BERNARDA

Quien sí estaba era el viudo de Darajalí. Muy cerca de tu tía. A ése lo vimos todas.

MUJER 2.ª *(Aparte y en baja voz.)*

¡Mala, más que mala!

MUJER 3.ª *(Aparte y en baja voz.)*

¡Lengua de cuchillo!

BERNARDA

Las mujeres en la iglesia no deben mirar más hombre que al oficiante, y a ése porque tiene faldas[37]. Volver la cabeza es buscar el calor de la pana.

MUJER 1.ª *(En voz baja.)*

¡Vieja lagarta recocida!

---

[36] M, MH: A Pepe no lo ha visto ni ella ni yo.
GT, AH: A Pepe no lo ha visto ella ni yo.
[37] M: Las mujeres en la iglesia no deben mirar mas hombre que al oficiante y a ese porque tiene faldas.
GT: Las mujeres en la iglesia no deben de mirar más hombre que al oficiante y ése porque tiene faldas.
AH: Las mujeres en la iglesia no deben de mirar más hombre que al oficiante, y ese porque tiene faldas.
MH: Las mujeres en la iglesia no deben de mirar más hombre que al oficiante, y a ése porque tiene faldas.

151

PONCIA *(Entre dientes.)*

¡Sarmentosa por calentura de varón!

BERNARDA *(Dando un golpe de bastón en el suelo.)*

¡Alabado sea Dios![38]

TODAS *(Santiguándose.)*

¡Sea por siempre bendito y alabado![39]

BERNARDA

Descansa en paz con la santa compaña de cabecera[40].

TODAS

¡Descansa en paz!

BERNARDA

Con el ángel san Miguel
y su espada justiciera.

TODAS

¡Descansa en paz! [41]

BERNARDA

Con la llave que todo lo abre
y la mano que todo lo cierra.

---

[38] M: (dando un golpe de baston en el suelo) Alabado sea Dios
GT, AH: ¡Alabado sea Dios!
MH: *(Dando un golpe de bastón en el suelo.)* Alabado sea Dios.
[39] M, GT, AH, MH: Sea por siempre bendito y alabado.
[40] M: Descansa en paz con la santa
    compaña de cabecera
GT, AH: ¡Descansa en paz con la santa
    compaña de cabecera!
MH: Descansa en paz con la santa
    compaña de cabecera.
[41] M: Descansa en paz

TODAS

¡Descansa en paz! [42]

BERNARDA

Con los bienaventurados
y las lucecitas del campo.

TODAS

¡Descansa en paz!

BERNARDA

Con nuestra santa caridad
y las almas de tierra y mar.

TODAS

¡Descansa en paz!

BERNARDA

Concede el reposo a tu siervo Antonio María Benavides y
dale la corona de tu santa gloria.

TODAS

Amén.

BERNARDA *(Se pone de pie y canta.)*

Requiem aeternam donat eis, Domine[43].

---

[42] M: Descansa en paz
[43] M: Requiem aeternam dona eis domine
GT: Requiem aeternam donat eis domine.
AH: "Requiem aeternam donat eis Domine."
MH: *Requiem aeternam dona eis, Domine.*

TODAS *(De pie y cantando al modo gregoriano.)*
Et lux perpetua luceat eis. (Se santiguan.)[44]

MUJER 1.ª

Salud para rogar por su alma.

(Van desfilando.)

MUJER 3.ª

No te faltará la hogaza de pan caliente.

MUJER 2.ª

Ni el techo para tus hijas.

(Van desfilando todas por delante de BERNARDA *y saliendo. Sale* ANGUSTIAS *por otra puerta, la que da al patio.)*[45]

MUJER 4.ª

El mismo trigo[46] de tu casamiento lo sigas disfrutando.

PONCIA *(Entrando con una bolsa.)*

De parte de los hombres esta bolsa de dineros para responsos.

BERNARDA

Dales las gracias y échales una copa de aguardiente.

---

[44] M: E lux perpetua luceat eis.
GT: Et lux perpetua luce ab eis.
AH: «Et lux perpetua luceat eis.»
MH: *Et lux perpetua luceat eis.*
[45] M: (Sale Angustias por otra puerta la que dá al patio)
GT: *(Sale* Angustias *por otra puerta que da al patio.)*
AH: *(Sale* ANGUSTIAS *por otra puerta que da al patio.)*
MH: *(Sale* ANGUSTIAS *por otra puerta, la que da al patio.)*
[46] M, GT, AH: trigo
MH: lujo

MUCHACHA *(A* MAGDALENA.)

Magdalena...[47]

BERNARDA *(A* MAGDALENA, *que inicia el llanto.)*

Chisss. *(Golpea con el bastón[48]. Salen todas. A las que se han ido.)*
¡Andar a vuestras cuevas a criticar todo lo que habéis visto!
¡Ojalá tardéis muchos años en pasar el arco de mi puerta![49]

PONCIA

No tendrás queja ninguna. Ha venido todo el pueblo.

BERNARDA

Sí, para llenar mi casa con el sudor de sus refajos y el veneno
de sus lenguas[50].

AMELIA

¡Madre, no hable usted así!

---

[47] M: Magdalena
GT, AH: Magdalena...
MH: Magdalena.
[48] M: Chissssss. (golpea con el baston)
GT: Chisss.
AH: Chiss.
MH: Chisss. *(Golpea con el bastón.)*
[49] M: ¡Andar a vuestras cuevas a criticar todo lo que habeis visto! Ojalá
tardeis muchos años en volver a pasar el arco de mi puerta
GT, AH: ¡Andar a vuestras casas a criticar todo lo que habéis visto! ¡Ojalá
tardéis muchos años en pasar el arco de mi puerta!
MH: ¡Andar a vuestras cuevas a criticar todo lo que habéis visto! Ojalá
tardéis muchos años en pasar el arco de mi puerta.
[50] M: Si; para llenar mi casa con el sudor de sus refajos y el veneno de sus
lenguas.
GT, AH: Sí; para llenar mi casa con el sudor de sus refajos y el veneno de
sus lenguas.
MH: Sí, para llenar mi casa con el sudor de sus refajos y el veneno de sus
lenguas.

155

BERNARDA

Es así como se tiene que hablar en este maldito pueblo sin río, pueblo de pozos, donde siempre se bebe el agua con el miedo de que esté envenenada.

PONCIA

¡Cómo han puesto la solería!

BERNARDA

Igual que si hubiese pasado por ella una manada de cabras. (PONCIA[51] *limpia el suelo.*) Niña, dame un abanico.

ADELA

Tome usted. (*Le da un abanico redondo con flores rojas y verdes.*)[52]

BERNARDA (*Arrojando el abanico al suelo.*)

¿Es éste el abanico que se da a una viuda? Dame uno negro y aprende a respetar el luto de tu padre.

MARTIRIO

Tome usted el mío.

BERNARDA

¿Y tú?

MARTIRIO

Yo no tengo calor.

---

[51] M: (La Poncia limpia el suelo)
GT: (La Poncia *limpia el suelo.*)
AH: (*La* PONCIA *limpia el suelo.*)
MH: (*La* PONCIA *limpia el suelo.*)
[52] M: (la dá un abanico redondo con flores rojas y verdes)
GT, AH, MH: (*Le da un abanico redondo con flores rojas y verdes.*)

156

BERNARDA

Pues busca otro, que te hará falta. ¡En ocho años que dure el luto no ha de entrar en esta casa el viento de la calle! Haceros cuenta que hemos tapiado con ladrillos puertas y ventanas[53]. Así pasó en casa de mi padre y en casa de mi abuelo. Mientras, podéis empezar a bordaros el ajuar[54]. En el arca tengo veinte piezas de hilo con el que podréis cortar sábanas y embozos. Magdalena puede bordarlas.

MAGDALENA

Lo mismo me da.

ADELA *(Agria.)*

Si no quieres bordarlas, irán sin bordados[55]. Así las tuyas lucirán más.

MAGDALENA

Ni las mías ni las vuestras. Sé que ya no me voy a casar[56]. Prefiero llevar sacos al molino. Todo menos estar sentada días y días dentro de esta sala oscura.

BERNARDA

Eso tiene ser mujer.

---

[53] M: En ocho años que dure el luto no ha de entrar en esta casa el viento de la calle. Haceros cuenta que hemos tapiado con ladrillos puertas y ventanas.

GT, AH: En ocho años que dure el luto no ha de entrar en esta casa el viento de la calle. Hacemos cuenta que hemos tapiado con ladrillos puertas y ventanas.

MH: En ocho años que dure el luto no ha de entrar en esta casa el viento de la calle. Haceros cuenta que hemos tapiado con ladrillos puertas y ventanas.

[54] M: Mientras podeis empezar a bordar el ajuar.

GT, AH: Mientras podéis empezar a bordar el ajuar.

MH: Mientras, podéis empezar a bordaros el ajuar.

[55] M: Si no quieres bordarlas iran sin bordados

GT, AH: Si no quieres bordarlas, irán sin bordados.

MH: Si no queréis bordarlas irán sin bordados.

[56] M: Se que ya no me voy a casar

GT, AH: Sé que yo no me voy a casar.

MH: Sé que yo no me voy a casar.

157

MAGDALENA

Malditas sean las mujeres.

BERNARDA

Aquí se hace lo que yo mando. Ya no puedes ir con el cuento a tu padre. Hilo y aguja para las hembras. Látigo y mula para el varón. Eso tiene la gente que nace con posibles.

(Sale ADELA.*)*

VOZ

¡Bernarda! ¡Déjame salir![57]

BERNARDA *(En voz alta.)*

¡Dejadla ya!

(Sale la CRIADA.*)*[58]

CRIADA

Me ha costado mucho sujetarla. A pesar de sus ochenta años, tu madre es fuerte como un roble[59].

BERNARDA

Tiene a quien parecérsele[60]. Mi abuela fue igual.

---

[57] M: Bernarda! dejame salir!
GT, AH: ¡Bernarda! ¡Déjame salir!
MH: Bernarda, ¡déjame salir!
[58] M: (sale la criada 1.ª)
GT: *(Sale la criada.)*
AH: *(Sale la* CRIADA.*)*
MH: *(Sale la* CRIADA 1.ª*)*
[59] M: Me ha costado mucho sujetarla. A pesar de sus ochenta años tu madre es fuerte como un roble.
GT, AH: Me ha costado mucho sujetarla. A pesar de sus ochenta años, tu madre es fuerte como un roble.
MH: Me ha costado mucho trabajo sujetarla. A pesar de sus ochenta años tu madre es fuerte como un roble.
[60] M: Tiene a quien parecersele.
GT: Tiene a quien parecerle.

CRIADA

Tuve durante el duelo que taparle varias veces la boca con un costal vacío porque quería llamarte para que le dieras agua de fregar, siquiera para beber, y carne de perro, que es lo que ella dice que le das[61].

MARTIRIO

¡Tiene mala intención![62]

BERNARDA *(A la* CRIADA.)

Déjala que se desahogue en el patio.

CRIADA

Ha sacado del cofre sus anillos y los pendientes de amatistas, se los ha puesto y me ha dicho que se quiere casar[63].

(Las HIJAS *ríen.)*

AH: Tiene a quién parecerse.

MH: Tiene a quien parecérsele.

[61] M: Tuve durante el duelo que taparle varias veces la boca con un costal vacio porque queria llamarte para que le dieras agua de fregar siquiera para beber y carne de perro que es lo que ella dice que le dás.

GT: Tuve durante el duelo que taparle varias veces la boca con un costal vacío porque quería llamarte para que le dieras agua de fregar siquiera, para beber y carne de perro, que es lo que ella dice que tú le das.

AH: Tuve durante el duelo que taparle varias veces la boca con un costal vacío porque quería llamarte para que le dieras agua de fregar siquiera para beber, y carne de perro, que es lo que ella dice que tú le das.

MH: Tuve durante el duelo que taparle varias veces la boca con un costal vacío porque quería llamarte para que le dieras agua de fregar siquiera, para beber, y carne de perro, que es lo que ella dice que le das.

[62] M: ¡Tiene mala intencion!

GT, AH: ¡Tiene mala intención!

MH: Tiene mala intención.

[63] M: y los pendientes de amatistas, se los ha puesto y me ha dicho que se quiere casar

GT, AH: y los pendientes de amatista; se los ha puesto, y me ha dicho que se quiere casar.

MH: y los pendientes de amatistas, se los ha puesto y me ha dicho que se quiere casar.

BERNARDA

Ve con ella y ten cuidado de que no se acerque al pozo[64].

CRIADA

No tengas miedo que se tire.

BERNARDA

No es por eso[65]. Pero desde aquel sitio las vecinas pueden verla desde su ventana.

(Sale la CRIADA.*)*

MARTIRIO

Nos vamos a cambiar la ropa.

BERNARDA

Sí, pero no el pañuelo de la cabeza. *(Entra* ADELA.*)* ¿Y Angustias?

ADELA *(Con retintín.)*[66]

La he visto asomada a la rendija del portón. Los hombres se acababan de ir.

BERNARDA

Y, ¿tú a qué fuiste también al portón?[67]

ADELA

Me llegué a ver si habían puesto las gallinas.

---

[64] M, GT, AH, MH: Ve con ella y ten cuidado que no acerque al pozo
[65] M, MH: No es por eso.
GT, AH: No es por eso...
[66] M: (con retintin)
GT, AH: *(con intención.)*
MH: *(Con retintín.)*
[67] M: Y ¿tu a qué fuiste tambien al porton?
GT: ¿Y tú a que fuiste también al portón?
AH, MH: ¿Y tú a qué fuiste también al portón?

BERNARDA

¡Pero el duelo de los hombres habría salido ya![68]

ADELA *(Con intención.)*

Todavía estaba un grupo parado por fuera.

BERNARDA *(Furiosa.)*

¡Angustias! ¡ Angustias!

ANGUSTIAS *(Entrando.)*

¿Qué manda usted?

BERNARDA

¿Qué mirabas y a quién?

ANGUSTIAS

A nadie.

BERNARDA

¿Es decente que una mujer de tu clase vaya con el anzuelo detrás de un hombre el día de la misa de su padre? ¡Contesta! ¿A quién mirabas?

(Pausa.)

ANGUSTIAS

Yo...

BERNARDA

¡Tú!

ANGUSTIAS

¡A nadie!

---

[68] M: ¡Pero el duelo de hombres habría salido ya.
GT, AH, MH: ¡Pero el duelo de los hombres habría salido ya!

BERNARDA *(Avanzando con el bastón.)*

¡Suave! ¡Dulzarrona! *(Le da.)*[69]

PONCIA *(Corriendo.)*

¡Bernarda, cálmate! *(La sujeta.* ANGUSTIAS *llora.)*

BERNARDA

¡Fuera de aquí todas!

(Salen.)

PONCIA

Ella lo ha hecho sin dar alcance a lo que hacía, que está francamente mal. ¡Ya me chocó a mí verla escabullirse hacia el patio! Luego estuvo detrás de una ventana oyendo la conversación que traían los hombres, que, como siempre, no se puede oír[70].

BERNARDA

¡A eso vienen a los duelos![71] *(Con curiosidad.)* ¿De qué hablaban?

---

[69] M: (avanzando con el baston) ¡Suave! dulzarrona! (le dá).

GT: *(avanzando y golpeándola.)* ¡Suave! ¡Dulzarrona! *(Le da.)*

AH: *(Avanzando y golpeándola.)*

MH: *(Avanzando con el bastón.)* ¡Suave!, ¡dulzarrona! *(Le da.)*

[70] M: ¡Ya me chocó a mi verla escabullirse hacia el patio! Luego estuvo detras de una ventana oyendo la conversacion que traian los hombres que como siempre no se puede oir.

GT: Ya me chocó a mí verla escabullirse hacia el patio. Luego estuvo detrás de una ventana oyendo la conversación que traían los hombres, que como siempre no se puede oír.

AH: Ya me chocó a mí verla escabullirse hacia el patio. Luego estuvo detrás de una ventana oyendo la conversación que traían los hombres, que, como siempre, no se puede oír.

MH: ¡Ya me chocó a mí verla escabullirse hacia el patio! Luego estuvo detrás de una ventana oyendo la conversación que traían los hombres, que como siempre no se puede oír.

[71] M, MH: ¡A eso vienen los duelos!

GT, AH: A eso vienen los duelos.

PONCIA

Hablaban de Paca la Roseta. Anoche ataron a su marido a un pesebre y a ella se la llevaron a la grupa del caballo hasta lo alto del olivar.

BERNARDA

¿Y ella?

PONCIA

Ella, tan conforme[72]. Dicen que iba con los pechos fuera y Maximiliano la llevaba cogida como si tocara la guitarra. ¡Un horror!

BERNARDA

¿Y qué pasó?

PONCIA

Lo que tenía que pasar. Volvieron casi de día. Paca la Roseta traía el pelo suelto y una corona de flores en la cabeza.

BERNARDA

Es la única mujer mala que tenemos en el pueblo.

PONCIA

Porque no es de aquí. Es de muy lejos. Y los que fueron con ella son también hijos de forastero. Los hombres de aquí no son capaces de eso.

BERNARDA

No; pero les gusta verlo y comentarlo, y se chupan los dedos de que esto ocurra[73].

---

[72] M, MH: Ella tan conforme.
GT, AH: Ella, tan conforme.
[73] M: No; pero les gusta verlo y comentarlo y se chupan los dedos de que esto ocurra.

PONCIA

Contaban muchas cosas más.

BERNARDA *(Mirando a un lado y otro con cierto temor.)*
¿Cuáles?

PONCIA

Me da vergüenza referirlas.

BERNARDA

¿Y mi hija las oyó?[74]

PONCIA

¡Claro!

BERNARDA

Ésa sale a sus tías, blancas y untosas, que ponían ojos de carnero al piropo de cualquier barberillo[75]. ¡Cuánto hay que sufrir y luchar para hacer que las personas sean decentes y no tiren al monte demasiado!

GT, AH: No; pero les gusta verlo y comentarlo y se chupan los dedos de que esto ocurra.

MH: No, pero les gusta verlo y comentarlo, y se chupan los dedos de que esto ocurra.

[74] M: Y mi hija las oyó

GT, AH: ¿Y mi hija las oyó?

MH: Y mi hija las oyó.

[75] M: Esa sale a sus tias; blancas y untosas que ponian ojos de carnero al piropo de cualquier barberillo.

GT: Ésa sale a sus tías; blancas y untosas y que ponían ojos de carnero al piropo de cualquier barberillo.

AH: Esa sale a sus tías; blancas y untosas y que ponían ojos de carnero al piropo de cualquier barberillo.

MH: Ésa sale a sus tías; blancas y untosas que ponían ojos de carnero al piropo de cualquier barberillo.

PONCIA

¡Es que tus hijas están ya en edad de merecer! Demasiada poca guerra te dan. Angustias ya debe tener mucho más de los treinta.

BERNARDA

Treinta y nueve justos[76].

PONCIA

Figúrate. Y no ha tenido nunca novio...

BERNARDA *(Furiosa.)*

¡No, no ha tenido novio ninguna, ni les hace falta![77] Pueden pasarse muy bien.

PONCIA

No he querido ofenderte.

BERNARDA

No hay en cien leguas a la redonda quien se pueda acercar a ellas. Los hombres de aquí no son de su clase. ¿Es que quieres que las entregue a cualquier gañán?

PONCIA

Debías haberte ido a otro pueblo.

BERNARDA

Eso, ¡a venderlas![78]

---

[76] Recuérdese que en la relación de personas de la primera página aparece con 36.

[77] M: ¡No no ha tenido novio ninguna ni les hace falta!
GT, AH: ¡No ha tenido novio ninguna ni les hace falta!
MH: ¡No, no ha tenido novio ninguna, ni les hace falta!

[78] M: Eso ¡a venderlas!
GT, AH: Eso. ¡A venderlas!
MH: Eso, ¡a venderlas!

PONCIA

No, Bernarda, a cambiar... ¡Claro que en otros sitios ellas resultan las pobres![79]

BERNARDA

¡Calla esa lengua atormentadora!

PONCIA

Contigo no se puede hablar. ¿Tenemos o no tenemos confianza?

BERNARDA

No tenemos. Me sirves y te pago. ¡Nada más!

CRIADA *(Entrando.)*

Ahí está don Arturo, que viene a arreglar las particiones[80].

BERNARDA

Vamos. *(A la* CRIADA.*)* Tú, empieza a blanquear el patio. *(A* PONCIA.*)* Y tú, ve guardando en el arca grande toda la ropa del muerto[81].

---

[79] M: No Bernarda; a cambiar..... claro que en otros sitios ellas resultan las pobres!

GT, AH: No, Bernarda, a cambiar... Claro que en otros sitios ellas resultan las pobres.

MH: No, Bernarda, a cambiar... ¡Claro que en otros sitios ellas resultan las pobres!

[80] M: Ahí está Don Arturo que viene a arreglar las particiones.

GT: Ahí están Don Arturo que viene a arreglar las particiones.

AH, MH: Ahí está don Arturo, que viene a arreglar las particiones.

[81] M: Vamos. (a la cria) Tu empieza a blanquear el patio (a la Poncia) Y tu ve guardando en el arca grande toda la ropa del muerto

GT: Vamos. *(A la Criada.)* Tú empieza a blanquear el patio. *(A* Poncia.*)* Y tú ve guardando en el arca grande toda la ropa del muerto.

AH: Vamos. *(A la* CRIADA.*)* Tú empieza a blanquear el patio. *(A* la PONCIA.*)* Y tú ve guardando en el arca grande toda la ropa del muerto.

MH: Vamos. *(A la Criada.)* Tú empieza a blanquear el patio. *(A la* PONCIA.*)* Y tú ve guardando en el arca grande toda la ropa del muerto.

PONCIA

Algunas cosas las podríamos dar...

BERNARDA

Nada. ¡Ni un botón! ¡Ni el pañuelo con que le hemos tapado la cara! *(Sale lentamente, apoyada en el bastón, y al salir vuelve
la cabeza y mira a sus* CRIADAS. *Las* CRIADAS *salen después.)*[82]

(Entran AMELIA *y* MARTIRIO.)

AMELIA

¿Has tomado la medicina?

MARTIRIO

¡Para lo que me va a servir!

AMELIA

Pero la has tomado.

MARTIRIO

Ya hago las cosas sin fe, pero como un reloj[83].

---

[82] M: Nada. ¡ni un boton! Ni el pañuelo con que le hemos tapado la cara!
(sale lentamente apoyada en el baston y al salir vuelve la cabeza y mira a sus
criadas Las criadas salen después.
GT: Nada, ¡ni un botón! Ni el pañuelo con que le hemos tapado la cara.
*(Sale lentamente y al salir vuelve la cabeza y mira a sus criadas. Las criadas salen
después.)*
AH: Nada, ¡ni un botón! Ni el pañuelo con que le hemos tapado la cara.
(Sale lentamente y al salir vuelve la cabeza y mira a sus CRIADAS. *Las* CRIADAS *salen
después.)*
MH: Nada. ¡Ni un botón! ¡Ni el pañuelo con que le hemos tapado la cara.
(Sale lentamente apoyada en el bastón y al salir vuelve la cabeza y mira a sus CRIA-
DAS. *Las* CRIADAS *salen después.)*
[83] M: Ya hago las cosas sin fé pero como un reloj.
GT, AH: Yo hago las cosas sin fe, pero como un reloj.
MH: Ya hago las cosas sin fe, pero como un reloj.

167

AMELIA

Desde que vino el médico nuevo estás más animada.

MARTIRIO

Yo me siento lo mismo.

AMELIA

¿Te fijaste? Adelaida no estuvo en el duelo.

MARTIRIO

Ya lo sabía. Su novio no la deja salir ni al tranco de la calle.
Antes era alegre. Ahora ni polvos se echa en la cara[84].

AMELIA

Ya no sabe una si es mejor tener novio o no.

MARTIRIO

Es lo mismo.

AMELIA

De todo tiene la culpa esta crítica que no nos deja vivir. Adelaida habrá pasado un mal rato[85].

MARTIRIO

Le tienen miedo a nuestra madre. Es la única que conoce la
historia de su padre y el origen de sus tierras. Siempre que
viene, le tira puñaladas con el asunto[86]. Su padre mató en

---

[84] M: Antes era alegre. Ahora ni polvos se echa en la cara.
GT, AH, MH: Antes era alegre; ahora ni polvos se echa en la cara.
[85] M: Adelaida habra pasado mal rato
GT, AH, MH: Adelaida habrá pasado mal rato
[86] M: Le tienen miedo a nuestra madre Es la unica que conoce la historia
de su padre y el origen de sus tierras. Siempre que viene le tira puñaladas con
el asunto.

Cuba al marido de su primera mujer para casarse con ella. Luego, aquí, la abandonó y se fue con otra que tenía una hija, y luego tuvo relaciones con esta muchacha, la madre de Adelaida, y casó con ella después de haber muerto loca la segunda mujer[87].

AMELIA

Y ese infame, ¿por qué no está en la cárcel?[88]

MARTIRIO

Porque los hombres se tapan unos a otros las cosas de esta índole y nadie es capaz de delatar.

AMELIA

Pero Adelaida no tiene culpa de esto.

GT, AH: Le tiene miedo a nuestra madre. Es la única que conoce la historia de su padre y el origen de sus tierras. Siempre que viene le tira puñaladas en el asunto.

MH: Le tienen miedo a nuestra madre. Es la única que conoce la historia de su padre y el origen de sus tierras. Siempre que viene le tira puñaladas con el asunto.

[87] M: Su padre mató en Cuba al marido de su primera mujer para casarse con ella, luego aqui la abandonó y se fué con otra que tenia una hija y luego tuvo relaciones con esta muchacha, la madre de Adelaida, y casó con ella despues de haber muerto loca la segunda mujer.

GT: Su padre mató en Cuba al marido de su primera mujer para casarse con ella. Luego aquí la abandonó y se fue con otra que tenía una hija y luego tuvo relaciones con esta muchacha, la madre de Adelaida, y se casó con ella después de haber muerto loca la segunda mujer.

AH: Su padre mató en Cuba al marido de su primera mujer para casarse con ella. Luego aquí la abandonó y se fue con otra que tenía una hija y luego tuvo relaciones con esta muchacha, la madre de Adelaida, y se casó con ella después de haber muerto loca la segunda mujer.

MH: Su padre mató en Cuba al marido de su primera mujer para casarse con ella, luego aquí la abandonó y se fue con otra que tenía una hija, y luego tuvo relaciones con esta muchacha, la madre de Adelaida, y casó con ella después de haber muerto loca la segunda mujer.

[88] M: Y ese infame por que no está en la carcel?

GT: Y ese infame ¿por qué no está en la cárcel?

AH, MH: Y ese infame, ¿por qué no está en la cárcel?

169

MARTIRIO

No, pero las cosas se repiten. Yo veo que todo es una terrible repetición[89]. Y ella tiene el mismo sino de su madre y de su abuela, mujeres las dos del que la engendró.

AMELIA

¡Qué cosa más grande!

MARTIRIO

Es preferible no ver a un hombre nunca. Desde niña les tuve miedo. Los veía en el corral uncir los bueyes y levantar los costales de trigo entre voces y zapatazos, y siempre tuve miedo de crecer por temor de encontrarme de pronto abrazada por ellos. Dios me ha hecho débil y fea, y los ha apartado definitivamente de mí[90].

AMELIA

¡Eso no digas! Enrique Humanes estuvo detrás de ti y le gustabas[91].

---

[89] M: Yo veo que todo es una terrible repetición
GT, AH: Y veo que todo es una terrible repetición.
MH: Yo veo que todo es una terrible repetición.

[90] M: Los veia en el corral uncir los bueyes y levantar los costales de trigo entre voces y zapatazos y siempre tuve miedo de crecer por temor de encontrarme de pronto abrazada por ellos. Dios me ha hecho debil y fea y los ha apartado definitivamente de mi.
GT, AH: Los veía en el corral uncir los bueyes y levantar los costales de trigo entre voces y zapatazos y siempre tuve miedo de crecer por temor de encontrarme de pronto abrazada por ellos. Dios me ha hecho débil y fea y los ha apartado definitivamente de mí.
MH: Los veía en el corral uncir los bueyes y levantar los costales de trigo entre voces y zapatazos, y siempre tuve miedo de crecer por temor de encontrarme de pronto abrazada por ellos. Dios me ha hecho débil y fea y los ha apartado definitivamente de mí.

[91] M: ¡Eso no digas! Enrique Humanes estuvo detras de ti y le gustabas.
GT, AH: ¡Eso no digas! Enrique Humanas estuvo detrás de ti y le gustabas.
MH: ¡Eso no digas! Enrique Humanes estuvo detrás de ti y le gustabas.

MARTIRIO

¡Invenciones de la gente! Una noche estuve en camisa detrás de la ventana hasta que fue de día porque me avisó con la hija de su gañán que iba a venir, y no vino[92]. Fue todo cosa de lenguas. Luego se casó con otra que tenía más que yo.

AMELIA

Y fea como un demonio[93].

MARTIRIO

¡Qué les importa a ellos la fealdad! A ellos les importa la tierra, las yuntas y una perra sumisa que les dé de comer[94].

AMELIA

¡Ay!

(Entra MAGDALENA.)

MAGDALENA

¿Qué hacéis?

MARTIRIO

Aquí.

---

[92] M: Una noche estuve en camisa detras de la ventana hasta que fué de dia porque me avisó con la hija de su gañan que iba a venir y no vino.

GT: Una vez estuve en camisa detrás de la ventana hasta que fué de día porque me avisó con la hija de su gañán que iba a venir y no vino.

AH: Una vez estuve en camisa detrás de la ventana hasta que fue de día porque me avisó con la hija de su gañán que iba a venir y no vino.

MH: Una vez estuve en camisa detrás de la ventana hasta que fue de día, porque me avisó con la hija de su gañán que iba a venir, y no vino.

[93] M: Y fea como un demonio

GT, AH, MH: ¡Y fea como un demonio!

[94] M, MH: A ellos les importa la tierra, las yuntas y una perra sumisa que les dé de comer.

GT, AH: A ellos les importa la tierra, las yuntas, y una perra sumisa que les dé de comer.

¿Y tú?

MAGDALENA

Vengo de correr las cámaras. Por andar un poco. De ver los cuadros bordados en cañamazo de nuestra abuela, el perrito de lanas y el negro luchando con el león, que tanto nos gustaba de niñas. Aquélla era una época más alegre. Una boda duraba diez días y no se usaban las malas lenguas. Hoy hay más finura. Las novias se ponen velo blanco, como en las poblaciones, y se bebe vino de botella, pero nos pudrimos por el qué dirán[95].

MARTIRIO

¡Sabe Dios lo que entonces pasaría!

AMELIA *(A* MAGDALENA.*)*

Llevas desabrochados los cordones de un zapato.

MAGDALENA

¡Qué más da!

AMELIA

Te los vas a pisar y te vas a caer[96].

---

[95] M: Hoy hay mas finura. Las novias se ponen velo blanco como en las poblaciones y se bebe vino de botella pero nos pudrimos por el que diran.

GT, AH: Hoy hay más finura, las novias se ponen de velo blanco como en las poblaciones y se bebe vino de botella, pero nos pudrimos por el qué dirán.

MH: Hoy hay más finura. Las novias se ponen velo blanco como en las poblaciones, y se bebe vino de botella, pero nos pudrimos por el qué dirán.

[96] M: Te los vas a pisar y te vas a caer

GT, AH, MH: ¡Te los vas a pisar y te vas a caer!

MAGDALENA

¡Una menos!

MARTIRIO

¿Y Adela?

MAGDALENA

¡Ah! Se ha puesto el traje verde que se hizo para estrenar el día de su cumpleaños, se ha ido al corral y ha comenzado a voces: «¡Gallinas, gallinas, miradme!» ¡Me he tenido que reír![97]

AMELIA

¡Si la hubiera visto madre!

MAGDALENA

¡Pobrecilla! Es la más joven de nosotras y tiene ilusión. ¡Daría algo por verla feliz![98]

(Pausa. ANGUSTIAS cruza la escena con unas toallas en la mano.)

ANGUSTIAS

¿Qué hora es?

---

[97] M: ¡Ah! Se ha puesto el traje verde que se hizo para estrenar el dia de sus cumpleaños, se ha ido al corral y a comenzado a voces ¡Gallinas gallinas miradme! ¡Me he tenido que reir!

GT: ¡Ah! Se ha puesto el traje verde que se hizo para estrenar el día de su cumpleaños, se ha ido al corral, y ha comenzado a voces. ¡Gallinas! ¡Gallinas, miradme! ¡Me he tenido que reír!

AH: ¡Ah! Se ha puesto el traje verde que se hizo para estrenar el día de su cumpleaños, se ha ido al corral, y ha comenzado a voces: "¡Gallinas! ¡Gallinas, miradme!" ¡Me he tenido que reír!

MH: ¡Ah! Se ha puesto el traje verde que se hizo para estrenar el día de su cumpleaños, se ha ido al corral y ha comenzado a voces: "¡Gallinas, gallinas, miradme!" ¡Me he tenido que reír!

[98] M: ¡Daria algo por verla feliz!

GT, AH: Daría algo por verla feliz.

MH: ¡Daría algo por verla feliz!

173

MARTIRIO

Ya deben de ser las doce[99].

ANGUSTIAS

¿Tanto?

AMELIA

Estarán al caer.

(Sale ANGUSTIAS.*)*

MAGDALENA. *(Con intención.)*

¿Sabéis ya la cosa?...[100] *(Señalando a* ANGUSTIAS.*)*

AMELIA

No.

MAGDALENA

¡Vamos!

MARTIRIO

¡No sé a qué cosa te refieres!...[101]

MAGDALENA

¡Mejor que yo lo sabéis las dos, siempre cabeza con cabeza
como dos ovejitas, pero sin desahogaros con nadie![102] ¡Lo de
Pepe el Romano!

---

[99] M: Ya deben ser las doce
GT, AH, MH: Ya deben ser las doce.
[100] M: Sabeis ya la cosa?......
GT, AH: ¿Sabeis ya la cosa?
MH: ¿Sabéis ya la cosa?...
[101] M: No se a que cosa te refieres!...
GT: No sé a qué cosa te refieres...
AH: No sé a qué te refieres...
MH: ¡No sé a qué cosa te refieres!...
[102] M: ¡Mejor que yo lo sabeis las dos siempre cabeza con cabeza como dos
ovejitas pero sin desahogaros con nadie.

MARTIRIO

¡Ah!

MAGDALENA *(Remedándola.)*

¡Ah! Ya se comenta por el pueblo. Pepe el Romano viene a casarse con Angustias. Anoche estuvo rondando la casa y creo que pronto va a mandar un emisario.

MARTIRIO

¡Yo me alegro! Es buen hombre[103].

AMELIA

Yo también. Angustias tiene buenas condiciones.

MAGDALENA

Ninguna de las dos os alegráis.

MARTIRIO

¡Magdalena! ¡ Mujer!

MAGDALENA

Si viniera por el tipo de Angustias, por Angustias como mujer, yo me alegraría, pero viene por el dinero. Aunque Angustias es nuestra hermana, aquí estamos en familia y reconocemos que está vieja, enfermiza y que siempre ha sido la que ha tenido menos mérito de todas nosotras, porque, si con vein-

---

GT, AH: Mejor que yo lo sabéis las dos. Siempre cabeza con cabeza como dos ovejitas, pero sin desahogarse con nadie.

MH: Mejor que yo lo sabéis las dos, siempre cabeza con cabeza como dos ovejitas, pero sin desahogaros con nadie.

[103] M: ¡Yo me alegro! Es buen hombre

GT: Yo me alegro. Es buen hombre.

AH: Yo me alegro. Es buen mozo.

MH: ¡Yo me alegro! Es buen hombre.

te años parecía un palo vestido, ¡qué será ahora que tiene cuarenta![104]

MARTIRIO
No hables así. La suerte viene a quien menos la aguarda.

AMELIA
¡Después de todo dice la verdad! Angustias tiene el dinero de su padre, es la única rica de la casa y por eso, ahora que nuestro padre ha muerto y ya se harán particiones, vienen por ella[105].

MAGDALENA
Pepe el Romano tiene veinticinco años y es el mejor tipo de todos estos contornos. Lo natural sería que te pretendiera a

---

[104] M: Si viniera por el tipo de Angustias, por Angustias como mujer, yo me alegraria pero viene por el dinero Aunque Angustias es nuestra hermana aqui estamos en familia y reconocemos que está vieja, enferrmiza y que siempre ha sido la que ha tenido menos merito de todas nosotras, porque si con veinte años parecia un palo vestido, ¡que será ahora que tiene cuarenta!

GT: Si viniera por el tipo de Angustias, por Angustias como mujer, yo me alegraría, pero viene por el dinero. Aunque Angustias es nuestra hermana, aquí estamos en familia y reconocemos que está vieja, enferrmiza, y que siempre ha sido la que ha tenido menos méritos de todas nosotras. Porque si con veinte años parecía un palo vestido, ¡qué será ahora que tiene cuarenta!

AH: Si viniera por el tipo de Angustias, por Angustias como mujer, yo me alegraría; pero viene por el dinero. Aunque Angustias es nuestra hermana, aquí estamos en familia y reconocemos que está vieja, enferrmiza, y que siempre ha sido la que ha tenido menos méritos de todas nosotras. Porque si con veinte años parecía un palo vestido, ¡qué será ahora que tiene cuarenta!

MH: Si viniera por el tipo de Angustias, por Angustias como mujer, yo me alegraría, pero viene por el dinero. Aunque Angustias es nuestra hermana aquí estamos en familia y reconocemos que está vieja, enferrmiza, y que siempre ha sido la que ha tenido menos mérito de todas nosotras, porque si con veinte años parecía un palo vestido, ¡qué será ahora que tiene cuarenta!

[105] M: Angustias tiene el dinero de su padre, es la unica rica de la casa y por eso ahora que nuestro padre ha muerto y ya se harán particiones vienen por ella.

GT: Angustias tiene todo el dinero de su padre, es la única rica de la casa y por eso ahora que nuestro padre ha muerto y ya se harán particiones vienen por ella!

AH: ¡Angustias tiene el dinero de su padre, es la única rica de la casa y por eso ahora que nuestro padre ha muerto y ya se harán particiones viene por ella!

MH: Angustias tiene el dinero de su padre, es la única rica de la casa y por eso ahora, que nuestro padre ha muerto y ya se harán particiones, vienen por ella.

176

ti, Amelia, o a nuestra Adela, que tiene veinte años, pero no que venga a buscar lo más oscuro de esta casa, a una mujer que, como su padre, habla con la nariz[106].

MARTIRIO

¡Puede que a él le guste!

MAGDALENA

¡Nunca he podido resistir tu hipocresía!

MARTIRIO

¡Dios nos valga![107]

(Entra ADELA.)

MAGDALENA

¿Te han visto ya las gallinas?

ADELA

¿Y qué querías que hiciera?[108]

---

[106] M: Pepe el Romano tiene veinte y cinco años y es el mejor tipo de todos estos contornos, lo natural sería que te pretendiera a ti Amelia, o nuestra Adela que tiene veinte años, pero no que venga a buscar lo mas oscuro de esta casa, a una mujer que como su padre, habla con la nariz.

GT: Pepe el Romano tiene veinte y cinco años y es el mejor tipo de todos estos contornos. Lo natural sería que te pretendiera a ti, Amelia, o a nuestra Adela, que tiene veinte años, pero no que venga a buscar lo más oscuro de esta casa, a una mujer que, como su padre, habla con las narices.

AH: Pepe el Romano tiene veinticinco años y es el mejor tipo de todos estos contornos. Lo natural sería que te pretendiera a ti, Amelia, o a nuestra Adela, que tiene veinte años, pero no que venga a buscar lo más oscuro de esta casa, a una mujer que, como su padre, habla con las narices.

MH: Pepe el Romano tiene veinticinco años y es el mejor tipo de todos estos contornos. Lo natural sería que te pretendiera a ti, Amelia, o [a] nuestra Adela, que tiene veinte años, pero no que venga a buscar lo más oscuro de esta casa, a una mujer que como su padre habla con la nariz.

[107] M, MH: ¡Dios nos valga!

GT, AH: ¡Dios me valga!

[108] M: ¿Y que querias que hiciera?

AMELIA

¡Si te ve nuestra madre te arrastra del pelo!

ADELA

Tenía mucha ilusión con el vestido. Pensaba ponérmelo el día que fuéramos[109] a comer sandías a la noria. No hubiera habido otro igual.

MARTIRIO

¡Es un vestido precioso![110]

ADELA

Y me está muy bien. Es lo que mejor ha cortado Magdalena.[111]

MAGDALENA

¿Y las gallinas qué te han dicho?

ADELA

Regalarme unas cuantas pulgas que me han acribillado las piernas.

(Ríen.)

MARTIRIO

Lo que puedes hacer es teñirlo de negro.

GT, AH: ¿Y qué queríais que hiciera?
MH: ¿Y qué querías que hiciera?
[109] M, GT, AH, MH: vamos
[110] M: ¡Es un vestido precioso!
GT, AH, MH: Es un vestido precioso.
[111] M: Y me está muy bien Es lo que mejor ha cortado Magdalena
GT, AH: Y que me está muy bien. Es lo mejor que ha cortado Magdalena.
MH: Y me está muy bien. Es lo mejor que ha cortado Magdalena.

178

¡Lo mejor que puede hacer es regalárselo a Angustias para su boda con Pepe el Romano![112]

ADELA. (*Con emoción contenida.*)

¡Pero Pepe el Romano...![113]

AMELIA

¿No lo has oído decir?

ADELA

No.

MAGDALENA

¡Pues ya lo sabes!

ADELA

¡Pero si no puede ser!

MAGDALENA

¡El dinero lo puede todo!

ADELA

¿Por eso ha salido detrás del duelo y estuvo mirando por el portón...? *(Pausa.)* Y ese hombre es capaz de...[114]

---

[112] M: Lo mejor que puede hacer es regalárselo a Angustias para la su boda con Pepe el Romano!

GT, AH: Lo mejor que puedes hacer es regalárselo a Angustias para la boda con Pepe el Romano.

MH: ¡Lo mejor que puede hacer es regalárselo a Angustias para su boda con Pepe el Romano!

[113] M: ¡Pero Pepe el Romano......

GT, AH: Pero Pepe el Romano...

MH: ¡Pero Pepe el Romano...!

[114] M: Por eso ha salido detras del duelo y estuvo mirando por el porton?... (pausa) y ese hombre es capaz de...

MAGDALENA

Es capaz de todo.

(Pausa.)

MARTIRIO

¿Qué piensas, Adela?

ADELA

Pienso que este luto me ha cogido en la peor época de mi vida para pasarlo.

MAGDALENA

Ya te acostumbrarás.

ADELA. *(Rompiendo a llorar con ira.)*

No, no me acostumbraré. Yo no quiero estar encerrada. ¡No quiero que se me pongan las carnes como a vosotras! ¡No quiero perder mi blancura en estas habitaciones! ¡Mañana me pondré mi vestido verde y me echaré a pasear por la calle! ¡Yo quiero salir![115]

(Entra la CRIADA.)[116]

GT, AH, MH: ¿Por eso ha salido detrás del duelo y estuvo mirando por el portón? *(Pausa.)* Y ese hombre es capaz de...

[115] M: No no me acostumbraré. Yo no quiero estar encerrada. No quiero que se me pongan las carnes como a vosotras! no quiero perder mi blancura en estas habitaciones! Mañana me pondré mi vestido verde y me echaré a pasear por la calle! ¡Yo quiero salir!

GT, AH: No me acostumbraré. Yo no puedo estar encerrada. No quiero que se me pongan las carnes como a vosotras; no quiero perder mi blancura en estas habitaciones; mañana me pondré mi vestido verde y me echaré a pasear por la calle. ¡Yo quiero salir!

MH: ¡No, no me acostumbraré! Yo no quiero estar encerrada. No quiero que se me pongan las carnes como a vosotras. ¡No quiero perder mi blancura en estas habitaciones! ¡Mañana me pondré mi vestido verde y me echaré a pasear por la calle! ¡Yo quiero salir!

[116] M: (entra la criada 1.ª)

GT: *(Entra la Criada.)*

MAGDALENA. *(Autoritaria.)*

¡Adela!

CRIADA[117]

¡La pobre! ¡Cuánto ha sentido a su padre! *(Sale.)*[118]

MARTIRIO

¡Calla!

AMELIA

Lo que sea de una será de todas[119].

(ADELA *se calma.*)

MAGDALENA

Ha estado a punto de oírte la criada.

CRIADA *(Apareciendo.)*

Pepe el Romano viene por lo alto de la calle[120].

(AMELIA, MARTIRIO *y* MAGDALENA *corren presurosas.*)

AH: *(Entra la* CRIADA.)
MH: *(Entra la* CRIADA 1.ª)
[117] M: Cria 1.ª
GT, AH: CRIADA.
MH: CRIADA 1.ª
[118] M: Cuanto ha sentido a su padre! (sale)
GT, AH, MH: Cuánto ha sentido a su padre... *(Sale.)*
[119] M: Lo sea de una será de todas.
GT, AH: Lo que sea de una será de todas.
MH: Lo [que] sea de una será de todas.
[120] M: Cria (apareciendo) Pepe el Romano viene por lo alto de la calle.
GT: *(Aparece la* CRIADA.)
CRIADA. Pepe el Romano viene por lo alto de la calle.
AH: *(Aparece la* CRIADA.)
Pepe el Romano viene por lo alto de la calle.
MH: CRIADA *(Apareciendo.)*
Pepe el Romano viene por lo alto de la calle.

MAGDALENA

¡Vamos a verlo!

(Salen rápidas.)

CRIADA. *(A* ADELA.)

¿Tú no vas?

ADELA

No me importa.

CRIADA

Como dará la vuelta a la esquina, desde la ventana de tu cuarto se verá mejor. *(Sale la* CRIADA.)

(ADELA *queda en escena dudando; después de un instante se va también rápida hacia su habitación. Salen* BERNARDA y PONCIA.)[121]

BERNARDA

¡Malditas particiones!

PONCIA

¡Cuánto dinero le queda a Angustias![122]

---

[121] M: (sale la criada) (Adela queda en escena dudando; despues de un instante se va tambien rapida hacia su habitacion) (Sale BERNARDA y la PONCIA)
  GT: *(Sale la* CRIADA.)
  (Adela *queda en escena dudando; después de un instante se va también rápida a su habitación.) (Salen* BERNARDA *y* La PONCIA.)
  AH: *(Sale.)*
  (ADELA *queda en escena dudando; después de un instante se va también rápida a su habitación. Salen* BERNARDA *y* la PONCIA.)
  MH: *(Sale la* CRIADA.)
  (ADELA *queda en escena dudando. Después de un instante se va también rápida hacia su habitación. Salen* BERNARDA *y la* PONCIA.)
[122] M: ¡¡Cuanto dinero le queda a Angustias!!
  GT, AH: ¡Cuánto dinero le queda a Angustias!
  MH: ¡¡Cuánto dinero le queda a Angustias!!

BERNARDA

Sí.

PONCIA

Y a las otras bastante menos[123].

BERNARDA

Ya me lo has dicho tres veces y no te he querido replicar. Bastante menos, mucho menos. No me lo recuerdes más.

(Sale ANGUSTIAS, muy compuesta de cara.)[124]

BERNARDA

¡Angustias!

ANGUSTIAS

Madre.

BERNARDA

¿Pero has tenido valor de echarte polvos en la cara? ¿Has tenido valor de lavarte la cara el día de la misa de tu padre?

ANGUSTIAS

No era mi padre. El mío murió hace tiempo. ¿Es que ya no lo recuerda usted?

BERNARDA

¡Más debes a este hombre, padre de tus hermanas, que al tuyo![125] Gracias a este hombre tienes colmada tu fortuna.

---

[123] M: Y a las otras bastante menos
GT, MH: Y a las otras bastante menos.
AH: Y a las otras, bastante menos.
[124] M: (Sale Angustias muy compuesta de cara)
GT: *(Sale* Angustias *muy compuesta de cara.)*
AH, MH: *(Sale* ANGUSTIAS *muy compuesta de cara.)*
[125] M: ¡Mas debes a este hombre padre de tus hermanas que al tuyo!

¡Eso lo tendríamos que ver![126]

¡Aunque fuera por decencia! ¡Por respeto![127]

Madre, déjeme usted salir.

¿Salir? Después de que te haya quitado esos polvos de la cara. ¡Suavona! ¡Yeyo! ¡Espejo de tus tías! *(Le quita violentamente con su pañuelo los polvos.)* ¡Ahora, vete![128]

¡Bernarda, no seas tan inquisitiva!

GT, AH: Más debes a este hombre, padre de tus hermanas, que al tuyo.
MH: ¡Más debes a este hombre, padre de tus hermanas, que al tuyo!
[126] M: ¡Eso lo teníamos que ver!
GT, AH, MH: ¡Eso lo teníamos que ver!
[127] M: Aunque fuera por decencia! por respeto
GT, AH: Aunque fuera por decencia. ¡Por respeto!
MH: ¡Aunque fuera por decencia! Por respeto.
[128] M: ¿Salir? Despues que te haya quitado esos polvos de la cara. ¡suavo-na! ¡yeyo! ¡espejo de tus tias! (Le quita violentamente con su pañuelo los polvos) ¡Ahora vete!
GT: ¿Salir? Después de que te haya quitado esos polvos de la cara. ¡Suavona! ¡Yeyo! ¡Espejo de tus tías! *(Le quita violentamente con un pañuelo los polvos.)* ¡Ahora, vete!
AH: ¿Salir? Después de que te hayas quitado esos polvos de la cara. ¡Suavona! ¡Yeyo! ¡Espejo de tus tías! *(Le quita violentamente con un pañuelo los polvos.)* ¡Ahora, vete!
MH: ¿Salir? Después de que te hayas quitado esos polvos de la cara. ¡Suavona!, ¡yeyo!, ¡espejo de tus tías! *(Le quita violentamente con su pañuelo los polvos.)* ¡Ahora vete!

BERNARDA

Aunque mi madre esté loca, yo estoy con mis cinco senti-dos[129] y sé perfectamente lo que hago.

(Entran todas.)

MAGDALENA

¿Qué pasa?

BERNARDA

No pasa nada.

MAGDALENA *(A ANGUSTIAS.)*

Si es que discutís por las particiones, tú, que eres la más rica, te puedes quedar con todo[130].

ANGUSTIAS

¡Guárdate la lengua en la madriguera![131]

BERNARDA *(Golpeando con el bastón en el suelo.)*[132]

¡No os hagáis ilusiones de que vais a poder conmigo! ¡Hasta que salga de esta casa con los pies adelante, mandaré en lo mío y en lo vuestro![133]

---

[129] M, MH: yo estoy con mis cinco sentidos

GT, AH: yo estoy en mis cinco sentidos

[130] M: Si es que discutis por las particiones tu que eres la mas rica te puedes quedar con todo

GT, AH: Si es que discuten por las particiones, tú que eres la más rica te puedes quedar con todo.

MH: Si es que discutís por las particiones, tú, que eres la más rica, te puedes quedar con todo.

[131] M: ¡Guardate la lengua en la madriguera!

GT, AH: Guárdate la lengua en la madriguera.

MH: ¡Guárdate la lengua en la madriguera!

[132] M: (golpeando con el bastón en el suelo)

GT: *(golpeando en el suelo.)*

AH: *(Golpeando en el suelo.)*

MH: *(Golpeando con el bastón en el suelo.)*

[133] M: ¡No os hagais ilusiones de que vais a poder conmigo! Hasta que salga de esta casa con los pies adelante mandare en lo mio y en lo vuestro!

(Se oyen unas voces y entra en escena MARÍA JOSEFA, *la madre de* BER-
NARDA, *viejísima, ataviada con flores en la cabeza y en el pecho.)*

MARÍA JOSEFA

Bernarda, ¿dónde está mi mantilla? Nada de lo que tengo
quiero que sea para vosotras; ni mis anillos, ni mi traje negro
de moaré, porque ninguna de vosotras se va a casar. ¡Ninguna! ¡Bernarda, dame mi gargantilla de perlas![134]

BERNARDA *(A la* CRIADA.)

¿Por qué la habéis dejado entrar?

CRIADA *(Temblando.)*

¡Se me escapó!

MARÍA JOSEFA

Me escapé, porque me quiero casar, porque quiero casarme
con un varón hermoso de la orilla del mar, ya que aquí los
hombres huyen de las mujeres.

BERNARDA

¡Calle usted, madre!

GT, AH: No os hagáis ilusiones de que vais a poder conmigo. ¡Hasta que
salga de esta casa con los pies adelante mandaré en lo mío y en lo vuestro!
MH: ¡No os hagáis ilusiones de que vais a poder conmigo! ¡Hasta que
salga de esta casa con los pies adelante mandaré en lo mío y en lo vuestro!
[134] M: nada de lo que tengo quiero que sea para vosotras ni mis anillos ni
mi traje negro de moaré Porque ninguna de vosotras se va a casar ¡Ninguna!
Bernarda: dame mi gargantilla de perlas!
GT: Nada de lo que tengo quiero que sea para vosotras. Ni mis anillos ni
mi traje negro de moaré. Porque ninguna de vosotras se va a casar. ¡Ninguna!
Bernarda, dáme mi gargantilla de perlas.
AH: Nada de lo que tengo quiero que sea para vosotras. Ni mis anillos ni
mi traje negro de «moaré». Porque ninguna de vosotras se va a casar. ¡Ninguna! Bernarda, dame mi gargantilla de perlas.
MH: Nada de lo que tengo quiero que sea para vosotras, ni mis anillos, ni
mi traje de moaré, porque ninguna de vosotras se va a casar. ¡Ninguna! ¡Bernarda, dame mi gargantilla de perlas!

186

María Josefa

No, no callo[135]. No quiero ver a estas mujeres solteras rabiando por la boda, haciéndose polvo el corazón, y yo me quiero ir a mi pueblo. ¡Bernarda, yo quiero un varón para casarme y tener alegría![136]

Bernarda

¡Encerradla!

María Josefa

¡Déjame salir, Bernarda![137]

(La Criada coge a María Josefa.)

Bernarda

¡Ayudarla vosotras![138]

(Todas arrastran a la vieja.)

---

[135] M: No, no callo.
GT, AH: No, no me callo.
MH: No, no callo.
[136] M: No quiero ver a estas mujeres solteras, rabiando por la boda haciéndose polvo el corazon y yo me quiero ir a mi pueblo. Bernarda yo quiero un varon para casarme y para tener alegria!
GT: No quiero ver a estas mujeres solteras, rabiando por la boda, haciéndose polvo el corazón, y yo me quiero ir a mi pueblo. Bernarda, yo quiero un varón para casarme y para tener alegría.
AH: No quiero ver a estas mujeres solteras rabiando por la boda, haciéndose polvo el corazón, y yo me quiero ir a mi pueblo. Bernarda, yo quiero un varón para casarme y para tener alegría.
MH: No quiero ver a estas mujeres solteras, rabiando por la boda, haciéndose polvo el corazón, y yo me quiero ir a mi pueblo. ¡Bernarda, yo quiero un varón para casarme y tener alegría!
[137] M: Dejame salir Bernarda.
GT, AH: ¡Déjame salir, Bernarda!
MH: Déjame salir, Bernarda.
[138] M, GT, AH, MH: ¡Ayudarla vosotras!

¡Quiero irme de aquí!, ¡Bernarda! A casarme a la orilla del mar, a la orilla del mar[139].

(Telón rápido.)[140]

---

[139] M: Quiero irme de aqui! Bernarda A casarme a la orilla del mar a la orilla del mar

GT, AH: ¡Quiero irme de aquí! ¡Bernarda! ¡A casarme a la orilla del mar, a la orilla del mar!

MH: ¡Quiero irme de aquí!, ¡Bernarda! A casarme a la orilla del mar, a la orilla del mar.

[140] M: —Telon rapido—

GT: TELÓN RÁPIDO.

AH: *Telón rápido*

MH: TELÓN RÁPIDO

Acto segundo

Habitación blanca del interior de la casa de BERNARDA. *Las puertas de la izquierda dan a los dormitorios. Las hijas de* BERNARDA *están sentadas en sillas bajas, cosiendo.* MAGDALENA *borda. Con ellas está* PONCIA[1].

ANGUSTIAS

Ya he cortado la tercera sábana.

MARTIRIO

Le corresponde a Amelia.

MAGDALENA

Angustias, ¿pongo también las iniciales de Pepe?[2]

---

[1] M: Habitacion blanca del interior de la casa de Bernarda. Las puertas de la izquierda dan a los dormitorios. Las hijas de Bernarda estan sentadas en sillas bajas cosiendo. Magdalena borda. Con ellas está la Poncia

GT: (Habitacion blanca del interior de la casa de *Bernarda. Las puertas de la izquierda dan a los dormitorios. Las hijas de Bernarda* están sentadas en sillas bajas cosiendo. *Magdalena* borda. Con ellas está *La Poncia.)*

AH: Habitacion blanca del interior de la casa de Bernarda. Las puertas de la izquierda dan a los dormitorios. Las HIJAS de Bernarda están sentadas en sillas bajas cosiendo. MAGDALENA bòrda. Con ellas está LA PONCIA.

MH: *Habitación blanca del interior de la casa de* BERNARDA. *Las puertas de la izquierda dan a los dormitorios.* LAS HIJAS DE BERNARDA *están sentadas en sillas bajas, cosiendo.* MAGDALENA *borda. Con ellas está la* PONCIA.

[2] M: Angustias ¿pongo tambien las iniciales de Pepe?

189

ANGUSTIAS *(Seca.)*

No.

MAGDALENA *(A voces.)*

Adela, ¿no vienes?

AMELIA

Estará echada en la cama.

PONCIA

Ésa tiene algo. La encuentro sin sosiego, temblona, asustada, como si tuviera una lagartija entre los pechos[3].

MARTIRIO

No tiene ni más ni menos que lo que tenemos todas.

MAGDALENA

Todas, menos Angustias[4].

ANGUSTIAS

Yo me encuentro bien, y al que le duela que reviente[5].

GT, AH: Angustias. ¿Pongo también las iniciales de Pepe?

MH: Angustias, ¿pongo también las iniciales de Pepe?

[3] M: Esa tiene algo. La encuentro sin sosiego temblona, asustada como si tuviera una lagartija entre los pechos

GT: Ésta tiene algo. La encuentro sin sosiego, temblona, asustada como si tuviese una lagartija entre los pechos.

AH: Esta tiene algo. La encuentro sin sosiego, temblona, asustada, como si tuviese una lagartija entre los pechos.

MH: Ésa tiene algo. La encuentro sin sosiego, temblona, asustada como si tuviera una largatija entre los pechos.

[4] M: Todas menos Angustias

GT, AH: Todas, menos Angustias.

MH: Todas menos Angustias.

[5] M: Yo me encuentro bien y al que le duela que reviente

GT, AH: Yo me encuentro bien, y al que le duela, que reviente.

MH: Yo me encuentro bien, y al que le duela que reviente.

MAGDALENA

Desde luego hay que reconocer que lo mejor que has tenido siempre ha sido el talle y la delicadeza[6].

ANGUSTIAS

Afortunadamente pronto voy a salir de este infierno[7].

MAGDALENA

¡A lo mejor no sales!

MARTIRIO

¡Dejar esa conversación![8]

ANGUSTIAS

Y, además, ¡más vale onza en el arca que ojos negros en la cara![9]

MAGDALENA

Por un oído me entra y por otro me sale.

AMELIA *(A* PONCIA.*)*

Abre la puerta del patio a ver si nos entra un poco el fresco. *(La criada lo hace.)*[10]

---

[6] M, GT, MH: Desde luego hay que reconocer que lo mejor que has tenido siempre ha sido el talle y la delicadeza.

AH: Desde luego que hay que reconocer que lo mejor que has tenido siempre es el talle y la delicadeza.

[7] M: Afortunadamente pronto voy a salir de este infierno

GT, AH: Afortunadamente, pronto voy a salir de este infierno.

MH: Afortunadamente pronto voy a salir de este infierno.

[8] M: ¡Dejar esa conversacion!

GT, AH: Dejar esa conversación.

MH: ¡Dejar esa conversación!

[9] M: Y ademas ¡mas vale onza en el arca que ojos negros en la cara!

GT: Y además, ¡más vale onza en el arca que ojos negros en la cara!

AH, MH: Y, además, ¡más vale onza en el arca que ojos negros en la cara!

[10] M: Abre la puerta del patio a ver si nos entra un poco el fresco (la Criada lo hace).

MARTIRIO

Esta noche pasada no me podía quedar dormida del calor.

AMELIA

¡Yo tampoco![11]

MAGDALENA

Yo me levanté a refrescarme. Había un nublo negro de tormenta y hasta cayeron algunas gotas.

PONCIA

Era la una de la madrugada y salía[12] fuego de la tierra. También me levanté yo. Todavía estaba Angustias con Pepe en la ventana.

MAGDALENA *(Con ironía.)*

¿Tan tarde? ¿A qué hora se fue?

ANGUSTIAS

Magdalena, ¿a qué preguntas si lo viste?

AMELIA

Se iría a eso de la una y media.

GT: Abre la puerta del patio a ver si nos entra un poco de fresco. *(La* Criada *lo hace.)*

AH: Abre la puerta del patio a ver si nos entra un poco de fresco. *(La* CRIADA *lo hace.)*

MH: Abre la puerta del patio a ver si nos entra un poco el fresco. *(La* PONCIA *lo hace.)*

[11] M: Yo tampoco!
GT, AH: Yo tampoco.
MH: ¡Yo tampoco!
[12] M: salia
GT, AH: subía
MH: salía

ANGUSTIAS

Sí. ¿Tú por qué lo sabes?[13]

AMELIA

Lo sentí toser y oí los pasos de su jaca.

PONCIA

¡Pero si yo lo sentí marchar a eso de las cuatro![14]

ANGUSTIAS

¡No sería él![15]

PONCIA

¡Estoy segura![16]

AMELIA

¡A mí también me pareció![17]

MAGDALENA

¡Qué cosa más rara!

(Pausa.)

[13] M: Si ¿Tu porque lo sabes?
GT, AH: ¿Sí? ¿Tú por qué lo sabes?
MH: Sí. ¿Tú por qué lo sabes?
[14] M: Pero si yo lo senti marchar a eso de las cuatro!
GT, AH: Pero si yo lo sentí marchar a eso de las cuatro.
M: ¡Pero si yo lo sentí marchar a eso de las cuatro!
[15] M: ¡No seria el!
GT, AH: No sería él.
MH: ¡No sería él!
[16] M, MH: ¡Estoy segura!
GT, AH: Estoy segura.
[17] M: ¡A mi tambien me parecio!
GT, AH, MH: A mí también me pareció.

PONCIA

Oye, Angustias, ¿qué fue lo que te dijo la primera vez que se acercó a tu ventana?[18]

ANGUSTIAS

Nada. ¡Qué me iba a decir! Cosas de conversación.

MARTIRIO

Verdaderamente es raro que dos personas que no se conocen se vean de pronto en una reja y ya novios.

ANGUSTIAS

Pues a mí no me chocó.

AMELIA

A mí me daría no sé qué.

ANGUSTIAS

No, porque cuando un hombre se acerca a una reja ya sabe por los que van y vienen, llevan y traen, que se le va a decir que sí.

MARTIRIO

Bueno, pero él te lo tendría que decir[19].

---

[18] M: Oye Angustias ¿Que fue lo que te dijo la primera vez que se acercó a tu ventana?

GT, AH: Oye, Angustias. ¿Qué fue lo que te dijo la primera vez que se acercó a tu ventana?

MH: Oye, Angustias, ¿qué fue lo que te dijo la primera vez que se acercó a tu ventana?

[19] M: Bueno; pero el te lo tendria que decir

GT: Bueno: pero él te lo tendría que decir.

AH: Bueno; pero él te lo tendría que decir.

MH: Bueno, pero él te lo tendría que decir.

ANGUSTIAS

¡Claro!

AMELIA *(Curiosa.)*

¿Y cómo te lo dijo?

ANGUSTIAS

Pues nada: «Ya sabes que ando detrás de ti; necesito una mujer buena, modosa, y ésa eres tú, si me das la conformidad»[20].

AMELIA

¡A mí me da vergüenza de estas cosas!

ANGUSTIAS

¡Y a mí, pero hay que pasarlas![21]

PONCIA

¿Y habló más?

ANGUSTIAS

Sí, siempre habló él[22].

---

[20] M: Pues nada: Ya sabes que ando detras de ti necesito una mujer buena modosa y esa eres tu si me das la conformidad!

GT: Pues nada: ya sabes que ando detrás de ti, necesito una mujer buena, modosa y esa eres tú si me das la conformidad.

AH: Pues nada: "Ya sabes que ando detrás de ti, necesito una mujer buena, modosa, y esa eres tú si me das la conformidad."

MH: Pues, nada: «Ya sabes que ando detrás de ti, necesito una mujer buena, modosa, y ésa eres tú, si me das la conformidad.»

[21] M: ¡Y a mi pero hay que pasarlas!

GT, AH: Y a mí, pero hay que pasarlas.

MH: ¡Y a mí, pero hay que pasarlas!

[22] M: Si; siempre habló el

GT, AH, MH: Sí, siempre habló él.

MARTIRIO

¿Y tú?

ANGUSTIAS

Yo no hubiera podido. Casi se me salía el corazón por la boca. Era la primera vez que estaba sola de noche con un hombre.

MAGDALENA

Y un hombre tan guapo.

ANGUSTIAS

¡No tiene mal tipo!²³

PONCIA

Esas cosas pasan entre personas ya un poco instruidas que hablan y dicen y mueven la mano... La primera vez que mi marido, Evaristo el Colorín, vino a mi ventana... ¡Ja, ja, ja!²⁴

AMELIA

¿Qué pasó?

PONCIA

Era muy oscuro. Lo vi acercarse y, al llegar, me dijo: «Buenas noches». «Buenas noches», le dije yo²⁵, y nos quedamos calla-

_____

²³ M, MH: ¡No tiene mal tipo!
GT, AH: No tiene mal tipo.
²⁴ M: La primera vez que mi marido Evaristo el colorin vino a mi ventana... ja ja ja
GT, AH: La primera vez que mi marido Evaristo el Colín vino a mi ventana... Ja, ja, ja.
MH: La primera vez que mi marido Evaristo el Colorín vino a mi ventana... ¡Ja, ja, ja!
²⁵ M: Lo vi acercarse y al llegar me dijo Buenas noches. Buenas noches le dije yo
GT: Lo vi acercarse y al llegar me dijo, buenas noches. Buenas noches, le dije yo,

196

dos más de media hora. Me corría el sudor por todo el cuerpo. Entonces Evaristo se acercó, se acercó que se quería meter por los hierros, y dijo con voz muy baja: «¡Ven, que te tiente!»[26] *(Ríen todas.)*

(AMELIA *se levanta corriendo* y *espía por una puerta.*)

AMELIA

¡Ay! ¡Creí que llegaba nuestra madre![27]

MAGDALENA

¡Buenas nos hubiera puesto!

(Siguen riendo.)

AMELIA

Chissss...[28] ¡Que nos va a oír!

PONCIA

Luego se portó bien. En vez de darle por otra cosa, le dio por criar colorines hasta que se murió[29]. A vosotras, que sois sol-

---

AH: Lo vi acercarse y al llegar me dijo: "Buenas noches." "Buenas noches", le dije yo,

MH: Lo vi acercarse y, al llegar, me dijo: «Buenas noches.» «Buenas noches», le dije yo,

[26] M, GT: y dijo con voz muy baja ¡ven que te tiente!

AH: y dijo con voz muy baja: "¡Ven que te tiente!"

MH: y dijo con voz muy baja: «¡Ven, que te tiente!»

[27] M: ¡Ay! Crei que llegaba nuestra madre!

GT, MH: ¡Ay! Creí que llegaba nuestra madre.

AH: ¡Ay!, creí que llegaba nuestra madre.

[28] M: Chissss

GT, AH: Chissss...

MH: Chiss...

[29] M, GT, AH: hasta que se murió.

MH: hasta que murió.

teras, os conviene saber de todos modos que el hombre, a los quince días de boda, deja la cama por la mesa, y luego la mesa por la tabernilla. Y la que no se conforma, se pudre llorando en un rincón[30].

AMELIA

Tú te conformaste.

PONCIA

¡Yo pude con él!

MARTIRIO

¿Es verdad que le pegaste algunas veces?

PONCIA

Sí, y por poco lo dejo tuerto[31].

MAGDALENA

¡Así debían ser todas las mujeres!

---

[30] M: A vosotras que sois solteras os conviene saber de todos modos que el hombre a los quince dias de boda deja la cama por la mesa y luego la mesa por la tabernilla. Y la que no se conforma se pudre llorando en un rincon.

GT: A vosotras que sois solteras os conviene saber de todos modos que el hombre a los quince días de boda deja la cama por la mesa y luego la mesa por la tabernilla y la que no se conforma se pudre en un rincón.

AH: A vosotras que sois solteras, os conviene saber de todos modos que el hombre, a los quince días de boda, deja la cama por la mesa y luego la mesa por la tabernilla, y la que no se conforma se pudre en un rincón.

MH: A vosotras, que sois solteras, os conviene saber de todos modos que el hombre, a los quince días de boda deja la cama por la mesa, y luego la mesa por la tabernilla. Y la que no se conforma se pudre llorando en un rincón.

[31] M: Si y por poco lo dejo tuerto

GT, AH: Sí, y por poco si le dejo tuerto.

MH: Sí, y por poco lo dejo tuerto.

PONCIA

Yo tengo la escuela de tu madre. Un día me dijo no sé qué cosa y le maté todos los colorines con la mano del almirez.

(Ríen.)

MAGDALENA

Adela, niña, no te pierdas esto[32].

AMELIA

Adela.

(Pausa.)

MAGDALENA

Voy a ver. *(Entra.)*

PONCIA

¡Esa niña está mala![33]

MARTIRIO

Claro, ¡no duerme apenas![34]

PONCIA

Pues, ¿qué hace?[35]

---

[32] M: Adela ¡niña! No te pierdas esto
GT, AH, MH: Adela, niña, no te pierdas esto.
[33] M, MH: ¡Esa niña está mala!
GT, AH: Esa niña está mala.
[34] M: Claro ¡no duerme apenas!
GT, AH: Claro, no duerme apenas.
MH: Claro, ¡no duerme apenas!
[35] M: ¿Pues que hace?
GT, AH: ¿Pues qué hace?
MH: Pues, ¿qué hace?

MARTIRIO

¡Yo qué sé lo que hace!

PONCIA

Mejor lo sabrás tú que yo, que duermes pared por medio.

ANGUSTIAS

La envidia la come.

AMELIA

No exageres.

ANGUSTIAS

Se lo noto en los ojos. Se le está poniendo mirar de loca.

MARTIRIO

No habléis de locos. Aquí es el único sitio donde no se puede pronunciar esta palabra.

(Sale MAGDALENA con ADELA.)

MAGDALENA

Pues, ¿no estabas dormida?[36]

ADELA

Tengo mal cuerpo.

MARTIRIO (Con intención.)

¿Es que no has dormido bien esta noche?

---

[36] M: Pues ¿no estaba dormida?
GT, AH: ¿Pues no estaba dormida?
MH: Pues, ¿no estaba dormida?

ADELA

Sí.

MARTIRIO

¿Entonces?

ADELA *(Fuerte.)*

¡Déjame ya! ¡Durmiendo o velando, no tienes por qué meterte en lo mío![37] ¡Yo hago con mi cuerpo lo que me parece!

MARTIRIO

¡Sólo es interés por ti!

ADELA

Interés o inquisición. ¿No estabais cosiendo? ¡Pues seguir! ¡Quisiera ser invisible, pasar por las habitaciones sin que me preguntarais dónde voy![38]

CRIADA *(Entra.)*

Bernarda os llama. Está el hombre de los encajes.

(Salen. Al salir, MARTIRIO *mira fijamente a* ADELA.*)*[39]

---

[37] M: ¡Durmiendo o velando no tienes porque meterte en lo mio!
GT: ¡Durmiendo o velando no tienes por qué meterte en lo mío!
AH, MH: ¡Durmiendo o velando, no tienes por qué meterte en lo mío!
[38] M: No estabais cosiendo? pues seguir! Quisiera ser invisible pasar por las habitaciones sin que me preguntarais donde voy!
GT: ¿No estabais cosiendo? Pues seguir. ¡Quisiera ser invisible, pasar por las habitaciones sin que me preguntárais dónde voy
AH, MH: ¿No estabais cosiendo? Pues seguir. ¡Quisiera ser invisible, pasar por las habitaciones sin que me preguntarais dónde voy!
[39] M: (salen) (al salir Martirio mira fijamente a Adela)
GT: *(Salen.) (Al salir* Martirio *mira fijamente a Adela.)*
AH: *(Salen.) (Al salir,* MARTIRIO *mira fijamente a* ADELA.*)*
MH: *(Salen. Al salir,* MARTIRIO *mira fijamente a* ADELA.*)*

ADELA

¡No me mires más! Si quieres te daré mis ojos, que son frescos, y mis espaldas, para que te compongas la joroba que tienes, pero vuelve la cabeza cuando yo pase[40].

(Se va MARTIRIO.)[41]

PONCIA

¡Adela, que es tu hermana, y además la que más te quiere![42]

ADELA

Me sigue a todos lados. A veces se asoma a mi cuarto para
ver si duermo. No me deja respirar. Y siempre: «¡Qué lástima de cara! ¡Qué lástima de cuerpo, que no va a ser para
nadie!» ¡Y eso no! ¡Mi cuerpo será de quien yo quiera![43]

---

[40] M: Si quieres te daré mis ojos que son frescos y mis espaldas para que te
compongas la joroba que tienes pero vuelve la cabeza cuando yo paso.
  GT: Si quieres te daré mis ojos que son frescos y mis espaldas para que te
compongas la joroba que tienes, pero vuelve la cabeza cuando yo paso.
  AH: Si quieres te daré mis ojos, que son frescos, y mis espaldas para que te
compongas la joroba que tienes, pero vuelve la cabeza cuando yo paso.
  MH: Si quieres te daré mis ojos, que son frescos, y mis espaldas, para que
te compongas la joroba que tienes, pero vuelve la cabeza cuando yo pase.
  [41] M: No existe.
  GT: *(Se va* Martirio.)
  AH: *(Se va* MARTIRIO.)
  MH: *[(Se va* MARTIRIO.)]*
  [42] M: Adela! que es tu hermana y ademas la que mas te quiere!
  GT, AH: ¡Que es tu hermana y además la que más te quiere!
  MH: ¡Adela, que es tu hermana, y además la que más te quiere!
  [43] M: Y siempre ¡que lastima de cara! ¡que lastima de cuerpo! que no va a
ser para nadie! ¡Y eso no! ¡Mi cuerpo será de quien yo quiera!
  GT : Y siempre, "¡qué lástima de cara!, ¡qué lástima de cuerpo, que no
vaya a ser para nadie!" ¡Y eso no! Mi cuerpo será de quien yo quiera.
  AH: Y siempre: "¡Qué lástima de cara!", "¡Qué lástima de cuerpo que no
vaya a ser para nadie!" ¡Y eso no! Mi cuerpo será de quien yo quiera.
  MH: Y siempre: «¡Qué lástima de cara! ¡Qué lástima de cuerpo, que no va
a ser para nadie!» ¡Y eso no! ¡Mi cuerpo será de quien yo quiera!

PONCIA *(Con intención* y *en voz baja.)*

De Pepe el Romano, ¿no es eso?[44]

ADELA *(Sobrecogida.)*

¿Qué dices?

PONCIA

¡Lo que digo, Adela![45]

ADELA

¡Calla!

PONCIA *(Alto.)*

¿Crees que no me he fijado?

ADELA

¡Baja la voz!

PONCIA

¡Mata esos pensamientos!

ADELA

¿Qué sabes tú?

PONCIA

Las viejas vemos a través de las paredes. ¿Dónde vas de noche cuando te levantas?

---

[44] M: De Pepe el romano ¿no es eso?
GT, AH: De Pepe el Romano. ¿No es eso?
MH: De Pepe el Romano, ¿no es eso?
[45] M: ¡Lo que digo Adela!
GT, AH: Lo que digo, Adela.
MH: ¡Lo que digo, Adela!

¡Ciega debías estar!

Con la cabeza y las manos llenas de ojos cuando se trata de lo que se trata. Por mucho que pienso no sé lo que te propones. ¿Por qué te pusiste casi desnuda con la luz encendida y la ventana abierta al pasar Pepe el segundo día que vino a hablar con tu hermana?

¡Eso no es verdad!

¡No seas como los niños chicos! Deja en paz a tu hermana. Y, si Pepe el Romano te gusta, te aguantas. (ADELA *llora*.) Además, ¿quién dice que no te puedas casar con él? Tu hermana Angustias es una enferma. Ésa no resiste el primer parto. Es estrecha de cintura, vieja, y con mi conocimiento te digo que se morirá. Entonces Pepe hará lo que hacen todos los viudos de esta tierra: se casará con la más joven, la más hermosa, y ésa eres tú. Alimenta esa esperanza, olvídalo, lo que quieras, pero no vayas contra la ley de Dios[46].

---

[46] M: ¡No seas como los niños chicos! Deja en paz a tu hermana Y si Pepe el Romano te gusta te aguantas (Adela llora) Ademas ¿quien dice que no te puedes casar con el? Tu hermana Angustias es una enferma. Esa no resiste el primer parto. Es estrecha de cintura, vieja y con mi conocimiento te digo que se morirá. Entonces Pepe hará lo que hacen todos los viudos de esta tierra se casará con la mas joven la mas hermosa y esa eres tu. Alimenta esa esperanza olvídalo, lo que quieras pero no vayas contra la ley de Dios.

GT: No seas como los niños chicos. ¡Deja en paz a tu hermana y si Pepe el Romano te gusta, te aguantas! (Adela *llora*.) Además, ¿quién dice que no te puedas casar con él? Tu hermana Angustias es una enferma. Ésa no resiste el primer parto. Es estrecha de cintura, vieja, y con mi conocimiento te digo que se morirá. Entonces Pepe hará lo que hacen todos los viudos de esta tierra, se casará con la más joven, la más hermosa y ésa eres tú. Alimenta esa esperanza, olvídalo, lo que quieras, pero no vayas contra la ley de Dios.

ADELA

¡Calla!

PONCIA

¡No callo!

ADELA

Métete en tus cosas, ¡oledora!, ¡pérfida![47]

PONCIA

¡Sombra tuya he de ser![48]

ADELA

En vez de limpiar la casa y acostarte para rezar a tus muertos, buscas como una vieja marrana asuntos de hombres y mujeres para babosear en ellos[49].

AH: No seas como los niños chicos. ¡Deja en paz a tu hermana, y si Pepe el Romano te gusta, te aguantas! (ADELA *llora.*) Además, ¿quién dice que no te puedas casar con él? Tu hermana Angustias es una enferma. Esa no resiste el primer parto. Es estrecha de cintura, vieja, y con mi conocimiento te digo que se morirá. Entonces Pepe hará lo que hacen todos los viudos de esta tierra: se casará con la más joven, la más hermosa, y esa serás tú. Alimenta esa esperanza, olvídalo, lo que quieras, pero no vayas contra la ley de Dios.

MH: ¡No seas como los niños chicos! Deja en paz a tu hermana y, si Pepe el Romano te gusta, te aguantas! *(Adela llora.)* Además ¿quién dice que no te puedas casar con él? Tu hermana Angustias es una enferma. Ésa no resiste el primer parto. Es estrecha de cintura, vieja, y con mi conocimiento te digo que se morirá. Entonces Pepe hará lo que hacen todos los viudos de esta tierra: se casará con la más joven, la más hermosa, y ésa eres tú. Alimenta esa esperanza, olvídalo. Lo que quieras, pero no vayas contra la ley de Dios.

[47] M: Metete en tus cosas ¡oledora! perfida

GT, AH, MH: Métete en tus cosas, ¡oledora!, ¡pérfida!

[48] M, MH: ¡Sombra tuya he de ser!

GT, AH: Sombra tuya he de ser.

[49] M, GT: En vez de limpiar la casa y acostarte para rezar a tus muertos buscas como una vieja marrana asuntos de hombres y mujeres para babosear en ellos.

PONCIA

¡Velo!, para que las gentes no escupan al pasar por esta puerta[50].

ADELA

¡Qué cariño tan grande te ha entrado de pronto por mi hermana!

PONCIA

No os tengo ley a ninguna, pero quiero vivir en casa decente. ¡No quiero mancharme de vieja!

ADELA

Es inútil tu consejo. Ya es tarde. No por encima de ti, que eres una criada; por encima de mi madre saltaría para apagarme este fuego que tengo levantado por piernas y boca[51]. ¿Qué puedes decir de mí? ¿Que me encierro en mi cuarto y no abro la puerta? ¿Que no duermo? ¡Soy más lista que tú! Mira a ver si puedes agarrar la liebre con tus manos.

PONCIA

¡No me desafíes! ¡Adela, no me desafíes![52] Porque yo puedo dar voces, encender luces y hacer que toquen las campanas.

AH, MH: En vez de limpiar la casa y acostarte para rezar a tus muertos buscas, como una vieja marrana asuntos de hombres y mujeres para babosear en ellos.

[50] M: Velo! para que las gentes no escupan al pasar por estar puerta

GT, AH: ¡Velo! Para que las gentes no escupan al pasar por estar puerta.

MH: ¡Velo!, para que las gentes no escupan al pasar por estar puerta.

[51] M: No por encima de ti que eres una criada, por encima de mi madre saltaria para apagarme este fuego que tengo levantado por piernas y boca

GT: No por encima de ti que eres una criada, por encima de mi madre saltaría para apagarme este fuego que tengo levantado por piernas y boca.

AH, MH: No por encima de ti, que eres una criada; por encima de mi madre saltaría para apagarme este fuego que tengo levantado por piernas y boca.

[52] M: No me desafies! Adela, no me desafies!

GT, AH: No me desafíes, Adela, no me desafíes.

MH: No me desafíes. ¡Adela, no me desafíes!

ADELA

Trae cuatro mil bengalas amarillas y ponlas en las bardas del corral. Nadie podrá evitar que suceda lo que tiene que suceder.

PONCIA

¡Tanto te gusta ese hombre!

ADELA

¡Tanto! Mirando sus ojos me parece que bebo su sangre lentamente.

PONCIA

Yo no te puedo oír.

ADELA

¡Pues me oirás! ¡Te he tenido miedo! ¡Pero ya soy más fuerte que tú!⁵³

(*Entra* ANGUSTIAS.)

ANGUSTIAS

¡Siempre discutiendo!

PONCIA

Claro. Se empeña en que, con el calor que hace, vaya a traerle no sé qué cosa de la tienda⁵⁴.

---

⁵³ M: ¡Pues me oiras: Te he tenido miedo. Pero ya soy mas fuerte que tu!

GT, AH, MH: ¡Pues me oirás! Te he tenido miedo. ¡Pero ya soy más fuerte que tú!

⁵⁴ M: Claro Se empeña que con el calor que hace vaya a traerle no se que cosa de la tienda.

GT, AH: Claro. Se empeña que con el calor que hace vaya a traerle no sé qué cosa de la tienda.

ANGUSTIAS

¿Me compraste el bote de esencia?

PONCIA

El más caro. Y los polvos. En la mesa de tu cuarto los he puesto.

(Sale ANGUSTIAS.*)*

ADELA

¡Y chitón!

PONCIA

¡Lo veremos!

(Entran MARTIRIO, AMELIA *y* MAGDALENA.*)*

MAGDALENA *(A* ADELA.*)*

¿Has visto los encajes?

AMELIA

Los de Angustias para sus sábanas de novia son preciosos.

ADELA *(A* MARTIRIO, *que trae unos encajes.)*[55]

¿Y éstos?

MARTIRIO

Son para mí. Para una camisa.

MH: Claro, se empeña [en] que, con el calor que hace, vaya a traerle no sé qué cosa de la tienda.

[55] M: (a Martirio que trae unos encajes)

GT: *(a* Martirio *que trae unos encajes.)*

AH, MH: *(A* MARTIRIO, *que trae unos encajes.)*

ADELA *(Con sarcasmo.)*

¡Se necesita buen humor![56]

MARTIRIO *(Con intención.)*

Para verlos yo. No necesito lucirme ante nadie.

PONCIA

Nadie la ve a una en camisa[57].

MARTIRIO *(Con intención y mirando a* ADELA.*)*

¡A veces! Pero me encanta la ropa interior. Si fuera rica, la tendría de holanda.[58] Es uno de los pocos gustos que me quedan.

PONCIA

Estos encajes son preciosos para las gorras de niños, para manteruelos de cristianar[59]. Yo nunca pude usarlos en los míos. A ver si ahora Angustias los usa en los suyos. Como le dé por tener crías, vais a estar cosiendo mañana y tarde[60].

---

[56] M, MH: ¡Se necesita buen humor!
GT, AH: Se necesita buen humor.
[57] M: Nadie la ve a una en camisa
GT, AH: Nadie le ve a una en camisa.
MH: Nadie la ve a una en camisa.
[58] M: Si fuera rica la tendria de holanda
GT, AH, MH: Si fuera rica la tendría de holanda.
[59] M: Estos encajes son preciosos para las gorras de niños para manteruelos de cristianar.
GT: Estos encajes son preciosos para las gorras de niño, para mantehuelos de cristianar.
AH: Estos encajes son preciosos para las gorras de niños, para mantehuelos de cristianar.
MH: Estos encajes son preciosos para las gorras de niños, para manteruelos de cristianar.
[60] M: Como le dé por tener crias vais a estar cosiendo mañana y tarde.
GT, MH: Como le dé por tener crías vais a estar cosiendo mañana y tarde.
AH: Como le dé por tener crías, vais a estar cosiendo mañana y tarde.

MAGDALENA

Yo no pienso dar una puntada.

AMELIA

Y mucho menos cuidar niños ajenos. Mira tú cómo están las vecinas del callejón, sacrificadas por cuatro monigotes.

PONCIA

Ésas están mejor que vosotras. ¡Siquiera allí se ríe y se oyen porrazos!

MARTIRIO

Pues vete a servir con ellas.

PONCIA

No. ¡Ya me ha tocado en suerte este convento![61]

(Se oyen unos campanillos lejanos, como a través de varios muros.)[62]

MAGDALENA

Son los hombres, que vuelven al trabajo[63].

PONCIA

Hace un minuto dieron las tres.

---

[61] M: ¡Ya me ha tocado en suerte este convento
GT, AH: Ya me ha tocado en suerte este convento.
MH: ¡Ya me ha tocado en suerte este convento!
[62] M: (se oyen unos campanillos lejanos como a traves de varios muros)
GT, AH: *(Se oyen unos campanillos lejanos como a través de varios muros.)*
MH: *(Se oyen unos campanillos lejanos, como a través de varios muros.)*
[63] M: Son los hombres que vuelven al trabajo
GT, AH: Son los hombres que vuelven del trabajo.
MH: Son los hombres que vuelven al trabajo.

MARTIRIO

¡Con este sol!

ADELA *(Sentándose.)*

¡Ay, quién pudiera salir también a los campos!

MAGDALENA *(Sentándose.)*

¡Cada clase tiene que hacer lo suyo!

MARTIRIO *(Sentándose.)*

¡Así es!

AMELIA *(Sentándose.)*

¡Ay!

PONCIA

No hay alegría como la de los campos en esta época. Ayer de mañana llegaron los segadores. Cuarenta o cincuenta buenos mozos.

MAGDALENA

¿De dónde son este año?

PONCIA

De muy lejos. Vinieron de los montes. ¡Alegres! ¡Como árboles quemados! ¡Dando voces y arrojando piedras! Anoche llegó al pueblo una mujer vestida de lentejuelas y que bailaba con un acordeón, y quince de ellos la contrataron para llevársela al olivar[64]. Yo los vi de lejos. El que la contrataba era un muchacho de ojos verdes, apretado como una gavilla de trigo.

---

[64] M: Anoche llegó al pueblo una mujer vestida de lentejuelas y que bailaba con un acordeón y quince de ellos la contrataron para llevarsela al olivar.

AMELIA

¿Es eso cierto?

ADELA

¡Pero es posible!

PONCIA

Hace años vino otra de éstas y yo misma di dinero a mi hijo mayor para que fuera. Los hombres necesitan estas cosas.

ADELA

Se les perdona todo.

AMELIA

Nacer mujer es el mayor castigo.

MAGDALENA

Y ni nuestros ojos siquiera nos pertenecen.

(Se oye un canto lejano que se va acercando.)

PONCIA

Son ellos. Traen unos cantos preciosos.

AMELIA

Ahora salen a segar.

CORO

Ya salen los segadores
en busca de las espigas;

GT: Anoche llegó al pueblo una mujer vestida de lentejuelas y que bailaba con un acordeón y quince de ellos la contrataron para llevársela al olivar.

AH, MH: Anoche llegó al pueblo una mujer vestida de lentejuelas y que bailaba con un acordeón, y quince de ellos la contrataron para llevársela al olivar.

se llevan los corazones
de las muchachas que miran.

(Se oyen panderos y carrañacas. Pausa. Todas oyen en un silencio traspasado por el sol.)

AMELIA

¡Y no les importa el calor!

MARTIRIO

Siegan entre llamaradas.

ADELA

Me gustaría segar para ir y venir. Así se olvida lo que nos muerde.

MARTIRIO

¿Qué tienes tú que olvidar?

ADELA

Cada una sabe sus cosas.

MARTIRIO *(Profunda.)*

¡Cada una!

PONCIA

¡Callar! ¡Callar![65]

CORO *(Muy lejano.)*

Abrir puertas y ventanas[66]
las que vivís en el pueblo[67];

---

[65] M: ¡callar! ¡callar!
GT, AH, MH: ¡Callar! ¡Callar!
[66] M, GT, AH, MH: Abrir puertas y ventanas
[67] M: las que vivís en el pueblo

el segador pide rosas
para adornar su sombrero.

PONCIA

¡Qué canto!

MARTIRIO *(Con nostalgia.)*

Abrir puertas y ventanas[68]
las que vivís en el pueblo...[69]

ADELA *(Con pasión.)*

El segador pide rosas[70]
para adornar su sombrero.

(Se va alejando el cantar.)

PONCIA

Ahora dan la vuelta a la esquina.

ADELA

Vamos a verlos por la ventana de mi cuarto.

PONCIA

Tened cuidado con no entreabrirla mucho, porque son capaces de dar un empujón para ver quién mira[71].

GT, AH: las que vivís en el pueblo,
MH: las que vivís en el pueblo;
[68] M, GT, AH, MH: Abrir puertas y ventanas
[69] M: las que vivis en el pueblo
GT, AH, MH: las que vivís en el pueblo...
[70] M, MH: El segador pide rosas
GT, AH: ... el segador pide rosas
[71] M: Tened cuidado con no entreabrirla mucho por son capaces de dar un empujon para ver quien mira
GT, AH: Tener cuidado con no entreabrirla mucho, porque son capaces de dar un empujón para ver quién mira.
MH: Tened cuidado con no entreabrirla mucho, porque son capaces de dar un empujón para ver quién mira.

(Se van las tres. MARTIRIO *queda sentada en la silla baja, con la cabeza entre las manos.)*[72]

AMELIA *(Acercándose.)*

¿Qué te pasa?

MARTIRIO

Me sienta mal el calor.

AMELIA

¿No es más que eso?

MARTIRIO

Estoy deseando que llegue noviembre, los días de lluvia, la escarcha; todo lo que no sea este verano interminable[73].

AMELIA

Ya pasará y volverá otra vez.

MARTIRIO

¡Claro! *(Pausa.)* ¿A qué hora te dormiste anoche?

AMELIA

No sé. Yo duermo como un tronco. ¿Por qué?

---

[72] M: (se van las tres) (Martirio queda sentada en la silla baja con la cabeza entre las manos)

GT: *(Se van las tres.)* (Martirio *queda sentada en la silla baja con la cabeza entre las manos.)*

AH, MH: *(Se van las tres.* MARTIRIO *queda sentada en la silla baja con la cabeza entre las manos.)*

[73] M: Estoy deseando que llegue Noviembre, los dias de lluvia la escarcha, todo lo que no sea este verano interminable.

GT, AH: Estoy deseando que llegue noviembre, los días de lluvias, la escarcha, todo lo que no sea este verano interminable.

MH: Estoy deseando que llegue noviembre, los días de lluvia, la escarcha; todo lo que no sea este verano interminable.

MARTIRIO

Por nada, pero me pareció oír gente en el corral.

AMELIA

¿Sí?

MARTIRIO

Muy tarde.

AMELIA

¿Y no tuviste miedo?

MARTIRIO

No. Ya lo he oído otras noches.

AMELIA

Debíamos[74] tener cuidado. ¿No serían los gañanes?

MARTIRIO

Los gañanes llegan a las seis.

AMELIA

Quizá una mulilla sin desbravar.

MARTIRIO *(Entre dientes y llena de segunda intención.)*
Eso, ¡eso!, una mulilla sin desbravar[75].

---

[74] M: Debiamos
GT, AH: Debiéramos
MH: Debíamos
[75] M: Eso ¡eso! una mulilla sin desbravar
GT, AH: Eso, ¡eso! una mulilla sin desbravar.
MH: Eso, ¡eso!, una mulilla sin desbravar.

AMELIA

¡Hay que prevenir!

MARTIRIO

¡No, no! No digas nada. Puede ser un volunto mío[76].

AMELIA

Quizá.

(Pausa. AMELIA inicia el mutis.)

MARTIRIO

¡Amelia![77]

AMELIA *(En la puerta.)*

¿Qué?

(Pausa.)

MARTIRIO

Nada.

(Pausa.)

AMELIA

¿Por qué me llamaste?

(Pausa.)

MARTIRIO

Se me escapó. Fue sin darme cuenta.

(Pausa.)

---

[76] M: No! no! No digas nada puede ser un volunto mio
GT, AH: No. No. No digas nada, puede ser un barrunto mío.
MH: ¡No, no! No digas nada. Puede ser un volunto mío.
[77] M: ¡Amelia!
GT, AH, MH: Amelia.

AMELIA

Acuéstate un poco.

ANGUSTIAS *(Entrando furiosa en escena, de modo que haya un gran contraste con los silencios anteriores.)*[78]

¿Dónde está el retrato de Pepe que tenía yo debajo de mi almohada? ¿Quién de vosotras lo tiene?

MARTIRIO

Ninguna.

AMELIA

Ni que Pepe fuera un San[79] Bartolomé de plata.

(Entran PONCIA, MAGDALENA *y* ADELA.*)*[80]

ANGUSTIAS

¿Dónde está el retrato?

ADELA

¿Qué retrato?

ANGUSTIAS

Una de vosotras me lo ha escondido.

---

[78] M: (entrando furiosa en escena de modo que haya un gran contraste con los silencios anteriores)

GT: *(Entrando furiosa en escena de modo que haya un gran contraste con los silencios anteriores.)*

AH, MH: *(Entrando furiosa en escena, de modo que haya un gran contraste con los silencios anteriores.)*

[79] M, GT, AH: San

MH: san

[80] M: (entran Pon Mad y Ade)

GT: *(Entran* Poncia, Magdalena *y* Adela.*)*

AH: *(Entran* LA PONCIA, MAGDALENA *y* ADELA.*)*

MH: *(Entran* PONCIA, MAGDALENA *y* ADELA.*)*

218

MAGDALENA

¿Tienes la desvergüenza de decir esto?

ANGUSTIAS

Estaba en mi cuarto y no está[81].

MARTIRIO

¿Y no se habrá escapado a medianoche al corral? A Pepe le gusta andar con la luna.

ANGUSTIAS

¡No me gastes bromas! Cuando venga se lo contaré.

PONCIA

¡Eso, no, porque aparecerá![82] *(Mirando a* ADELA.)

ANGUSTIAS

¡Me gustaría saber cuál de vosotras lo tiene!

ADELA *(Mirando a* MARTIRIO.)

¡Alguna! ¡Todas menos yo![83]

MARTIRIO *(Con intención.)*

¡Desde luego!

---

[81] M: Estaba en mi cuarto y no está
GT, AH: Estaba en mi cuarto y ya no está.
MH: Estaba en mi cuarto y no está.
[82] M: ¡Eso no! porque aparecerá!
GT: ¡Eso no! ¡porque aparecerá!
AH: ¡Eso no, porque aparecerá!
MH: ¡Eso, no! ¡Porque aparecerá!
[83] M, GT, AH: ¡Alguna! ¡Todas menos yo!
MH: ¡Alguna! ¡Todas, menos yo!

BERNARDA *(Entrando con su bastón.)*[84]

¡Qué escándalo es éste en mi casa y con el silencio del peso del calor![85] Estarán las vecinas con el oído pegado a los tabiques.

ANGUSTIAS

Me han quitado el retrato de mi novio.

BERNARDA *(Fiera.)*

¿Quién? ¿Quién?

ANGUSTIAS

¡Éstas!

BERNARDA

¿Cuál de vosotras? *(Silencio.)* ¡Contestarme! *(Silencio. A* PONCIA.*)* Registra los cuartos, mira por las camas. Esto tiene no ataros más cortas. ¡Pero me vais a soñar! *(A* ANGUSTIAS.*)* ¿Estás segura?

ANGUSTIAS

Sí.

BERNARDA

¿Lo has buscado bien?

---

[84] M: (entrando con su bastón)
GT: *(entrando.)*
AH: *(Entrando.)*
MH: *(Entrando con su bastón.)*
[85] M: Que escandalo es este en mi casa y con el silencio del peso del calor!
GT: ¡Qué escándalo es éste en mi casa y en el silencio del peso del calor!
AH: ¡Qué escándalo es este en mi casa y en el silencio del peso del calor!
MH: ¡Qué escándalo es éste en mi casa y con el silencio del peso del calor!

ANGUSTIAS

Sí, madre.

(Todas están de pie en medio de un embarazoso silencio.)

BERNARDA

Me hacéis al final de mi vida beber el veneno más amargo que una madre puede resistir. *(A* PONCIA.*)* ¿No lo encuentras?

(Sale PONCIA.*)*[86]

PONCIA

Aquí está.

BERNARDA

¿Dónde lo has encontrado?

PONCIA

Estaba...[87]

BERNARDA

Dilo sin temor.

PONCIA *(Extrañada.)*

Entre las sábanas de la cama de Martirio.

BERNARDA *(A* MARTIRIO.*)*

¿Es verdad?

---

[86] M: (Sale Pon)
GT: LA PONCIA. *(saliendo.)*
AH: LA PONCIA. *(Saliendo.)*
MH: *(Sale* PONCIA.*)*
[87] M: Estaba......
GT: Estaba..
MH, AH: Estaba...

MARTIRIO

¡Es verdad!

BERNARDA *(Avanzando y golpeándola con el bastón.)*[88]

¡Mala puñalada te den, mosca muerta! ¡Sembradura de vidrios![89]

MARTIRIO *(Fiera.)*

¡No me pegue usted, madre!

BERNARDA

¡Todo lo que quiera!

MARTIRIO

¡Si yo la dejo! ¿Lo oye? ¡Retírese usted!

PONCIA

No faltes a tu madre.

ANGUSTIAS *(Cogiendo a BERNARDA.)*

¡Déjela! ¡Por favor![90]

BERNARDA

Ni lágrimas te quedan en esos ojos.

---

[88] M: (avanzando y golpeandola con el baston)
GT: *(avanzando y golpeándola.)*
AH: *(Avanzando y golpeándola.)*
MH: *(Avanzando y golpeándola con el bastón.)*
[89] M: Mala puñalada te den mosca muerta! ¡Sembradura de vidrios!
GT: Mala puñalada te den, ¡mosca muerta! ¡Sembradura de vidrios!
AH: Mala puñalada te den, ¡Mosca muerta! ¡Sembradura de vidrios!
MH: ¡Mala puñalada te den, mosca muerta! ¡Sembradura de vidrios!
[90] M: Dejela! ¡por favor!
GT: Déjela, ¡Por favor!
AH: Déjala. ¡Por favor!
MH: Déjela. ¡Por favor!

MARTIRIO

No voy a llorar para darle gusto.

BERNARDA

¿Por qué has cogido el retrato?

MARTIRIO

¿Es que yo no puedo gastar una broma a mi hermana? ¡Para qué otra cosa lo iba a querer![91]

ADELA *(Saltando llena de celos.)*

No ha sido broma, que tú no has gustado jamás de juegos. Ha sido otra cosa que te reventaba en el pecho por querer salir. Dilo ya claramente.

MARTIRIO

¡Calla y no me hagas hablar, que si hablo se van a juntar las paredes unas con otras de vergüenza![92]

ADELA

¡La mala lengua no tiene fin para inventar!

BERNARDA

¡Adela!

MAGDALENA

Estáis locas.

---

[91] M: ¡para que otra cosa lo iba a querer!
GT, AH: ¿Para qué lo iba a querer?
MH: ¡Para qué otra cosa lo iba a querer!
[92] M: ¡Calla y no me hagas hablar que si hablo se van juntar las paredes unas con otras de verguenza!
GT, AH: ¡Calla y no me hagas hablar, que si hablo se van a juntar las paredes unas con otras de vergüenza!
MH: ¡Calla y no me hagas hablar, que si hablo se van [a] juntar las paredes unas con otras de vergüenza!

AMELIA

Y nos apedreáis con malos pensamientos[93].

MARTIRIO

Otras hacen cosas más malas.

ADELA

Hasta que se pongan en cueros de una vez y se las lleve el río.

BERNARDA

¡Perversa!

ANGUSTIAS

Yo no tengo la culpa de que Pepe el Romano se haya fijado en mí.

ADELA

¡Por tus dineros!

ANGUSTIAS

¡Madre!

BERNARDA

¡Silencio!

MARTIRIO

Por tus marjales y tus arboledas.

MAGDALENA

¡Eso es lo justo!

---

[93] GT añade: Ni lágrimas te quedan en esos ojos.

¡Silencio digo! Yo veía la tormenta venir, pero no creía que estallara tan pronto. ¡Ay, qué pedrisco de odio habéis echado sobre mi corazón! Pero todavía no soy anciana y tengo cinco cadenas para vosotras y esta casa levantada por mi padre para que ni las hierbas se enteren de mi desolación. ¡Fuera de aquí! *(Salen.* BERNARDA *se sienta desolada.* PONCIA *está de pie, arrimada a los muros.* BERNARDA *reacciona, da un golpe en el suelo y dice:)* ¡Tendré que sentarles la mano! Bernarda: ¡acuérdate que ésta es tu obligación![94]

PONCIA

¿Puedo hablar?

BERNARDA

Habla. Siento que hayas oído. Nunca está bien una extraña en el centro de la familia.

PONCIA

Lo visto, visto está.

BERNARDA

Angustias tiene que casarse enseguida.

---

[94] M: (Bernarda se sienta desolada. La Poncia esta de pie arrimada a los muros Bernarda reacciona, da un golpe en el suelo y dice) ¡Tendré que sentarles la mano! Bernarda Acuerdate que esta es tu obligacion!

GT: (Bernarda *se sienta desolada.* La Poncia *está de pie arrimada a los muros.* Bernarda *reacciona, da un golpe en el suelo y dice.)* ¡Tendré que sentarles la mano! Bernarda: acuérdate que ésta es tu obligación.

AH: (BERNARDA *se sienta desolada.* LA PONCIA *está de pie arrimada a los muros.* BERNARDA *reacciona, da un golpe en el suelo y dice)* ¡Tendré que sentarles la mano! Bernarda: acuérdate que esta es tu obligación.

MH: (BERNARDA *se sienta desolada.* PONCIA *está de pie arrimada a los muros:)* BERNARDA *reacciona, da un golpe en el suelo y dice:)* ¡Tendré que sentarles la mano! Bernarda; acuérdate que ésta es tu obligación!

PONCIA

Claro; hay que retirarla de aquí[95].

BERNARDA

No a ella. ¡A él!

PONCIA

¡Claro! ¡A él hay que alejarlo de aquí! Piensas bien[96].

BERNARDA

No pienso. Hay cosas que no se pueden ni se deben pensar.
Yo ordeno.

PONCIA

¿Y tú crees que él querrá marcharse?

BERNARDA *(Levantándose.)*

¿Qué imagina tu cabeza?

PONCIA

Él, ¡claro!, ¡se casará con Angustias![97]

BERNARDA

Habla. Te conozco demasiado para saber que ya me tienes
preparada la cuchilla[98].

---

[95] M: Claro; hay que retirarla de aqui
GT, AH: Claro; hay que retirarla de aquí.
MH: Claro, hay que retirarla de aquí.
[96] M: Claro! a el hay que alejarlo de aqui! Piensas bien
GT, AH: Claro. A él hay que alejarlo de aquí. Piensas bien.
MH: Claro, ¡a él hay que alejarlo de aquí! Piensas bien.
[97] M: El, claro! se casará con Angustias!
GT: Él, ¡claro!, se casará con Angustias.
AH: El, ¡claro!, se casará con Angustias.
MH: Él, claro, ¡se casará con Angustias!
[98] M: Habla, te conozco demasiado para saber que ya me tienes preparada
la cuchilla

PONCIA

Nunca pensé que se llamara asesinato al aviso.

BERNARDA

¿Me tienes que prevenir algo?[99]

PONCIA

Yo no acuso, Bernarda. Yo sólo te digo: abre los ojos y verás.

BERNARDA

¿Y verás qué?

PONCIA

Siempre has sido lista. Has visto lo malo de las gentes a cien leguas. Muchas veces creí que adivinabas los pensamientos[100]. Pero los hijos son los hijos. Ahora estás ciega.

BERNARDA

¿Te refieres a Martirio?

PONCIA

Bueno, a Martirio... *(Con curiosidad.)* ¿Por qué habrá escondido el retrato?

GT, AH: Habla, te conozco demasiado para saber que ya me tienes preparada la cuchilla.

MH: Habla. Te conozco demasiado para saber que ya me tienes preparada la cuchilla.

[99] M, GT, MH: ¿Me tienes que prevenir algo?

AH: ¿Me tienes que prevenir de algo?

[100] M: Has visto lo malo de las gentes a cien leguas; muchas veces creí que adivinabas los pensamientos.

GT, AH: Has visto lo malo de las gentes a cien leguas; muchas veces creí que adivinabas los pensamientos.

MH: Has visto lo malo de las gentes a cien leguas. Muchas veces creí que adivinabas los pensamientos.

BERNARDA *(Queriendo ocultar a su hija.)*

Después de todo, ella dice que ha sido una broma. ¿Qué otra cosa pudo ser?[101]

PONCIA *(Con sorna.)*

¿Tú lo crees así?

BERNARDA *(Enérgica.)*

No lo creo. ¡Es así!

PONCIA

Basta. Se trata de lo tuyo. Pero si fuera la vecina de enfrente, ¿qué sería?

BERNARDA

Ya empiezas a sacar la punta del cuchillo.

PONCIA *(Siempre con crueldad.)*

No, Bernarda: aquí pasa una cosa muy grande[102]. Yo no te quiero echar la culpa, pero tú no has dejado a tus hijas libres. Martirio es enamoradiza, digas tú lo que quieras. ¿Por qué no la dejaste casar con Enrique Humanes?[103] ¿Por qué el mismo

---

[101] M: Despues de todo ella dice que ha sido una broma ¿Que otra cosa pudo ser?

GT, AH: Después de todo, ella dice que ha sido una broma. ¿Qué otra cosa puede ser?

MH: Después de todo ella dice que ha sido una broma. ¿Qué otra cosa puede ser?

[102] M: No Bernarda: Aquí pasa una cosa muy grande.

GT, AH: Bernarda: aquí pasa una cosa muy grande.

MH: No, Bernarda: aquí pasa una cosa muy grande.

[103] M: digas tu lo que quieras. ¿Por que no la dejaste casar con Enrique Humanes?

GT, AH: digas lo que tú quieras. ¿Por qué no la dejaste casar con Enrique Humanas?

MH: digas tú lo que quieras. ¿Por qué no la dejaste casar con Enrique Humanes?

día que iba a venir a la ventana le mandaste recado que no viniera?

BERNARDA *(Fuerte.)*[104]

¡Y lo haría mil veces! ¡Mi sangre no se junta con la de los Humanes mientras yo viva![105] Su padre fue gañán.

PONCIA

¡Y así te va a ti con esos humos!

BERNARDA

Los tengo porque puedo tenerlos. Y tú no los tienes porque sabes muy bien cuál es tu origen.

PONCIA *(Con odio.)*

¡No me lo recuerdes![106] Estoy ya vieja. Siempre agradecí tu protección.

BERNARDA *(Crecida.)*

¡No lo parece!

PONCIA *(Con odio envuelto en suavidad.)*

A Martirio se le olvidará esto.

---

[104] No aparece en GT y AH.

[105] M: ¡Y lo haria mil veces! Mi sangre no se junta con la de los Humanes mientras yo viva!

GT: ¡Y lo haría mil veces. Mi sangre no se junta con la de los Humanas mientras yo viva!

AH: ¡Y lo haría mil veces! ¡Mi sangre no se junta con la de los Humanas mientras yo viva!

MH: ¡Y lo haría mil veces. Mi sangre no se junta con la de los Humanes mientras yo viva!

[106] M: No me lo recuerdes!

GT, AH: No me lo recuerdes.

MH: ¡No me lo recuerdes!

BERNARDA

Y si no lo olvida peor para ella. No creo que ésta sea la «cosa muy grande» que aquí pasa. Aquí no pasa nada. ¡Eso quisieras tú! Y si pasara algún día, estáte segura que no traspasaría las paredes[107].

PONCIA

¡Eso no lo sé yo![108] En el pueblo hay gentes que leen también de lejos los pensamientos escondidos.

BERNARDA

¡Cómo gozarías de vernos a mí y a mis hijas camino del lupanar!

PONCIA

¡Nadie puede conocer su fin!

BERNARDA

¡Yo sí sé mi fin! ¡Y el de mis hijas! El lupanar se queda para alguna mujer ya difunta...[109]

PONCIA *(Fiera.)*

¡Bernarda, respeta la memoria de mi madre!

---

[107] M: Y si pasara algun dia estate segura que no traspasaria las paredes.
GT: Y si pasa algún día, estáte segura que no traspasará las paredes.
AH: Y si pasa algún día, estate segura que no traspasará las paredes.
MH: Y si pasara algún día estáte segura que no traspasaría las paredes.
[108] M: ¡Eso no lo se yo!
GT, AH: Eso no lo sé yo.
MH: ¡Eso no lo sé yo!
[109] M: ¡Yo si se mi fin! ¡y el de mis hijas! El lupanar se queda para alguna mujer ya difunta.....
GT, AH: ¡Yo sí sé mi fin! ¡Y el de mis hijas! El lupanar se queda para alguna mujer ya difunta.
MH: ¡Yo sí sé mi fin! ¡Y el de mis hijas! El lupanar se queda para alguna mujer ya difunta...

BERNARDA

¡No me persigas tú con tus malos pensamientos!
(Pausa.)

PONCIA

Mejor será que no me meta en nada.

BERNARDA

Es lo que debías hacer. Obrar y callar a todo es la obligación de los que viven a sueldo[110].

PONCIA

Pero no se puede. ¿A ti no te parece que Pepe estaría mejor casado con Martirio o ... ¡sí!, o con Adela?[111]

BERNARDA

No me parece.

PONCIA (Con intención.)

Adela. ¡Ésa es la verdadera novia del Romano!

BERNARDA

Las cosas no son nunca a gusto nuestro.

---

[110] M: Obrar y callar a todo es la obligacion de los que viven a sueldo.
GT, AH: Obrar y callar a todo. Es la obligación de los que viven a sueldo.
MH: Obrar y callar a todo es la obligación de los que viven a sueldo.
[111] M: A ti no te parece que Pepe estaria mejor casado con Martirio o .... ¡si! o con Adela?
GT: ¿A ti no te parece que Pepe estaría mejor casado con Martirio o..., ¡sí! con Adela?
AH: ¿A ti no te parece que Pepe estaría mejor casado con Martirio o..., ¡sí!, con Adela?
MH: ¿A ti no te parece que Pepe estaría mejor casado con Martirio o... ¡sí!, o con Adela?

PONCIA

Pero les cuesta mucho trabajo desviarse de la verdadera inclinación. A mí me parece mal que Pepe esté con Angustias, y a las gentes, y hasta al aire. ¡Quién sabe si se saldrán con la suya![112]

BERNARDA

¡Ya estamos otra vez!... Te deslizas para llenarme de malos sueños. Y no quiero entenderte, porque si llegara al alcance de todo lo que dices te tendría que arañar[113].

PONCIA

¡No llegará la sangre al río!

BERNARDA

¡Afortunadamente mis hijas me respetan y jamás torcieron mi voluntad![114]

PONCIA

¡Eso sí! Pero en cuanto las dejes sueltas se te subirán al tejado.

---

[112] M: A mi me parece mal que Pepe esté con Angustias y a las gentes y hasta al aire ¡Quien sabe si se saldran con la suya!

GT: A mí me parece mal que Pepe esté con Angustias y a las gentes y hasta al aire. ¡Quién sabe si se saldrán con la suya!

AH: A mí me parece mal que Pepe esté con Angustias, y a las gentes, y hasta al aire. ¡Quién sabe si saldrán con la suya!

MH: A mí me parece mal que Pepe esté con Angustias, y a las gentes, y hasta al aire. ¡Quién sabe si se saldrán con la suya!

[113] M: Y no quiero entenderte porque si llegara al alcance de todo lo que dices te tendria que arañar

GT: Y no quiero entenderte porque si llegara al alcance de todo lo que dices te tendría que arañar.

AH, MH: Y no quiero entenderte, porque si llegara al alcance de todo lo que dices te tendría que arañar.

[114] M: Afortunadamente mis hijas me respetan y jamás torcieron mi voluntad!

GT, AH: Afortunadamente mis hijas me respetan y jamás torcieron mi voluntad.

MH: ¡Afortunadamente mis hijas me respetan y jamás torcieron mi voluntad!

BERNARDA

¡Ya las bajaré tirándoles cantos!

PONCIA

¡Desde luego eres la más valiente!

BERNARDA

¡Siempre gasté sabrosa pimienta!

PONCIA

¡Pero lo que son las cosas! A su edad, ¡hay que ver el entusias-mo de Angustias con su novio! ¡Y él también parece muy pi-cado! Ayer me contó mi hijo mayor que a las cuatro y media de la madrugada, que pasó por la calle con la yunta, estaban hablando todavía[115].

BERNARDA

¡A las cuatro y media!

ANGUSTIAS *(Saliendo.)*

¡Mentira!

---

[115] M: A su edad! hay que ver el entusiasmo de Angustias con su novio! Y el tambien parece muy picado! Ayer me contó mi hijo mayor que a las cuatro y media de la madrugada que pasó por la calle con la yunta, estaban hablando todavia

GT: A su edad. ¡Hay que ver el entusiasmo de Angustias con su novio! ¡Y él también parece muy picado! Ayer me contó mi hijo mayor que a las cuatro y media de la madrugada que pasó por la calle con la yunta, estaban hablando todavía.

AH: A su edad. ¡Hay que ver el entusiasmo de Angustias con su novio! ¡Y él también parece muy picado! Ayer me contó mi hijo mayor que a las cuatro y media de la madrugada, que pasó por la calle con la yunta, estaban hablando todavía.

MH: A su edad, ¡hay que ver el entusiasmo de Angustias con su novio! ¡Y él también parece muy picado! Ayer me contó mi hijo mayor que a las cuatro y media de la madrugada, que pasó por la calle con la yunta, estaban hablando todavía.

PONCIA

Eso me contaron.

BERNARDA *(A* ANGUSTIAS.)

¡Habla!

ANGUSTIAS

Pepe lleva más de una semana marchándose a la una. Que Dios me mate si miento.

MARTIRIO *(Saliendo.)*

Yo también lo sentí marcharse a las cuatro.

BERNARDA

¿Pero lo viste con tus ojos?[116]

MARTIRIO

No quise asomarme. ¿No habláis ahora por la ventana del callejón?

ANGUSTIAS

Yo hablo por la ventana de mi dormitorio. *(Aparece* ADELA *en la puerta.)*

MARTIRIO

Entonces...

BERNARDA

¿Qué es lo que pasa aquí?

---

[116] M, MH: ¿Pero lo viste con tus ojos?
GT, AH: Pero ¿lo viste con tus ojos?

234

PONCIA

¡Cuida de enterarte! Pero, desde luego, Pepe estaba a las cuatro de la madrugada en una reja de tu casa[117].

BERNARDA

¿Lo sabes seguro?

PONCIA

Seguro no se sabe nada en esta vida.

ADELA

Madre, no oiga usted a quien nos quiere perder a todas.

BERNARDA

¡Ya sabré enterarme! Si las gentes del pueblo quieren levantar falsos testimonios, se encontrarán con mi pedernal[118]. No se hable de este asunto. Hay a veces una ola de fango que levantan los demás para perdernos.

MARTIRIO

A mí no me gusta mentir.

PONCIA

Y algo habrá.

---

[117] M: Pero desde luego Pepe estaba a las cuatro de la madrugada en una reja de tu casa
GT: Pero desde luego, Pepe estaba a las cuatro de la madrugada en una reja de tu casa.
AH, MH: Pero, desde luego, Pepe estaba a las cuatro de la madrugada en una reja de tu casa.
[118] M: Si las gentes del pueblo quieren levantar falsos testimonios se encontraran con mi pedernal
GT, MH: Si lás gentes del pueblo quieren levantar falsos testimonios se encontrarán con mi pedernal.
AH: Si las gentes del pueblo quieren levantar falsos testimonios, se encontrarán con mi pedernal.

BERNARDA

No habrá nada. Nací para tener los ojos abiertos. Ahora vigilaré sin cerrarlos ya hasta que me muera.

ANGUSTIAS

Yo tengo derecho a enterarme[119].

BERNARDA

Tú no tienes derecho más que a obedecer. Nadie me traiga ni me lleve. *(A* PONCIA.*)* Y tú te metes en los asuntos de tu casa. ¡Aquí no se vuelve a dar un paso que yo no sienta!

CRIADA *(Entrando.)*

¡En lo alto de la calle hay un gran gentío y todos los vecinos están en sus puertas![120]

BERNARDA *(A* PONCIA.*)*

¡Corre a enterarte de lo que pasa! *(Las mujeres corren para salir.)* ¿Dónde vais? Siempre os supe mujeres ventaneras y rompedoras de su luto. ¡Vosotras, al patio![121]

(Salen y sale BERNARDA. *Se oyen rumores lejanos. Entran* MARTIRIO *y* ADELA, *que se quedan escuchando[122] y sin atreverse a dar un paso más de la puerta de salida.)*

---

[119] M, GT, AH, MH: Yo tengo derecho de enterarme.
[120] M: En lo alto de la calle hay un gran gentio, y todos los vecinos estan sus puertas!
GT, AH: En lo alto de la calle hay un gran gentío y todos los vecinos están en sus puertas.
MH: ¡En lo alto de la calle hay un gran gentío y todos los vecinos están en sus puertas!
[121] M: ¡vosotras al patio!
GT, AH: ¡Vosotras, al patio!
MH: ¡Vosotras al patio!
[122] M: (Entran Mar y Ade que se quedan escuchando
GT: *(Entran* Martirio *y* Adela *que se quedan escuchando*
AH, MH: *(Entran* MARTIRO *y* ADELA, *que se quedan escuchando*

MARTIRIO

Agradece a la casualidad que no desaté mi lengua.

ADELA

También hubiera hablado yo.

MARTIRIO

¿Y qué ibas a decir? ¡Querer no es hacer!

ADELA

Hace la que puede y la que se adelanta. Tú querías, pero no has podido.

MARTIRIO

No seguirás mucho tiempo.

ADELA

¡Lo tendré todo!

MARTIRIO

Yo romperé tus abrazos.

ADELA *(Suplicante.)*

¡Martirio, déjame!

MARTIRIO

¡De ninguna!

ADELA

¡Él me quiere para su casa!

MARTIRIO

¡He visto cómo te abrazaba!

237

ADELA

Yo no quería. He ido como arrastrada por una maroma.

MARTIRIO

¡Primero muerta!

(Se asoman MAGDALENA *y* ANGUSTIAS. *Se siente crecer el tumulto.)*

PONCIA *(Entrando con* BERNARDA.)

¡Bernarda!

BERNARDA

¿Qué ocurre?

PONCIA

La hija de la Librada, la soltera, tuvo un hijo no se sabe con quién.

ADELA

¿Un hijo?

PONCIA

Y para ocultar su vergüenza lo mató y lo metió debajo de unas piedras; pero unos perros, con más corazón que muchas criaturas, lo sacaron y, como llevados por la mano de Dios, lo han puesto en el tranco de su puerta. Ahora la quieren matar. La traen arrastrando por la calle abajo, y por las trochas y los terrenos del olivar vienen los hombres corriendo, dando unas voces que estremecen los campos[123].

---

[123] M: Y para ocultar su verguenza lo mató y lo metio debajo de unas piedras pero unos perros con mas corazon que muchas criaturas, lo sacaron y como llevados por la mano de Dios lo han puesto en el tranco de su puerta. Ahora la quieren matar. La traen arrastrando por la calle abajo y por las trochas y los terrenos del olivar vienen los hombres corriendo dando unas voces que estremecen los campos

BERNARDA

Sí, que vengan todos con varas de olivo y mangos de azado-
nes, que vengan todos para matarla.

ADELA

¡No, no, para matarla no![124]

MARTIRIO

Sí, y vamos a salir también nosotras[125].

BERNARDA

Y que pague la que pisotea su[126] decencia.

(Fuera se oye un grito de mujer y un gran rumor.)

GT: Y para ocultar su vergüenza lo mató y lo metió debajo de unas piedras, pero unos perros con más corazón que muchas criaturas, lo sacaron y
como llevados por la mano de Dios lo han puesto en el tranco de su puerta.
Ahora la quieren matar. La traen arrastrando por la calle abajo, y por las trochas y los terrenos del olivar vienen los hombres corriendo dando unas voces
que estremecen los campos.

AH: Y para ocultar su vergüenza lo mató y lo metió debajo de unas piedras, pero unos perros con más corazón que muchas criaturas lo sacaron, y
como llevados por la mano de Dios lo han puesto en el tranco de su puerta.
Ahora la quieren matar. La traen arrastrando por la calle abajo, y por las trochas y los terrenos del olivar vienen los hombres corriendo, dando unas voces que estremecen los campos.

MH: Y para ocultar su vergüenza lo mató y lo metió debajo de unas piedras; pero unos perros, con más corazón que muchas criaturas, lo sacaron y
como llevados por la mano de Dios lo han puesto en el tranco de su puerta.
Ahora la quieren matar. La traen arrastrando por la calle abajo, y por las trochas y los terrenos del olivar vienen los hombres corriendo, dando unas voces que estremecen los campos.

[124] M: No no para matarla no!
GT, AH: No, no. Para matarla, no.
MH: ¡No, no, para matarla no!

[125] M: Si y vamos a salir tambien nosotras
GT: Sí y vamos a salir también nosotras.
AH, MH: Sí, y vamos a salir también nosotras.

[126] M, MH: su
GT, AH: la

ADELA

¡Que la dejen escapar! ¡No salgáis vosotras!

MARTIRIO *(Mirando a* ADELA.)

¡Que pague lo que debe!

BERNARDA *(Bajo el arco.)*

¡Acabar con ella antes que lleguen los guardias! ¡Carbón ardiendo en el sitio de su pecado!

ADELA *(Cogiéndose el vientre.)*

¡No! ¡No!

BERNARDA

¡Matadla! ¡Matadla!

(Telón.)[127]

---

[127] M: ¡Telon!
GT: *TELÓN*
AH: *Telón*
MH: TELÓN

Acto tercero

Cuatro paredes blancas ligeramente azuladas del patio interior de la casa de BERNARDA. *Es de noche. El decorado ha de ser de una perfecta simplicidad. Las puertas, iluminadas por la luz de los interiores, dan un tenue fulgor a la escena. En el centro, una mesa con un quinqué, donde están comiendo* BERNARDA *y sus hijas.* PONCIA *las sirve.* PRUDENCIA *está sentada aparte. Al levantarse el telón hay un gran silencio, interrumpido por el ruido de platos y cubiertos*[1].

---

[1] M: Cuatro paredes blancas ligeramente azuladas del patio interior de la casa de Bernarda Es de noche. El decorado ha de ser de una perfecta simplicidad. Las puertas iluminadas por la luz de los interiores dan un tenue fulgor a la escena
En el centro una mesa con un quinqué donde esta comiendo Bernarda y sus hijas La Poncia las sirve. Prudencia esta sentada aparte. (al levantarse el telon hay un gran silencio interrumpido por el ruido de platos y cubiertos)
GT: (Cuatro paredes blancas ligeramente azuladas del patio interior de la casa de *Bernarda*. Es de noche. El decorado ha de ser de una perfecta simplicidad. Las puertas iluminadas por la luz de los interiores dan un tenue fulgor a la escena.)
(En el centro una mesa con un quinqué, donde están comiendo *Bernarda* y sus hijas. *La Poncia* las sirve. *Prudencia* está sentada aparte.)
(Al levantarse el telón hay un gran silencio interrumpido por el ruido de platos y cubiertos.)
AH: Cuatro paredes blancas ligeramente azuladas del patio interior de la casa de Bernarda. Es de noche. El decorado ha de ser de una perfecta simplicidad. Las puertas iluminadas por la luz de los interiores dan un tenue fulgor a la escena.
En el centro, una mesa con un quinqué, donde están comiendo BERNARDA y sus hijas. LA PONCIA las sirve. PRUDENCIA está sentada aparte.
Al levantarse el telón hay un gran silencio, interrumpido por el ruido de platos y cubiertos.

PRUDENCIA

Ya me voy. Os he hecho una visita larga. *(Se levanta.)*

BERNARDA

Espérate, mujer. No nos vemos nunca.

PRUDENCIA

¿Han dado el último toque para el rosario?

PONCIA

Todavía no.

(PRUDENCIA *se sienta.)*

BERNARDA

Y tu marido, ¿cómo sigue?[2]

PRUDENCIA

Igual.

BERNARDA

Tampoco lo vemos.

PRUDENCIA

Ya sabes sus costumbres. Desde que se peleó con sus hermanos por la herencia no ha salido por la puerta de la calle.
Pone una escalera y salta las tapias del corral[3].

MH: *Cuatro paredes blancas ligeramente azuladas del patio interior de la casa de*
BERNARDA. *Es de noche. El decorado ha de ser de una perfecta simplicidad. Las puertas, iluminadas por la luz de los interiores, dan un tenue fulgor a la escena.*

En el centro, una mesa con un quinqué, donde están comiendo BERNARDA *y sus*
HIJAS. *La* PONCIA *las sirve.* PRUDENCIA *está sentada aparte.*

*(Al levantarse el telón hay un gran silencio, interrumpido por el ruido de platos y
cubiertos.)*

[2] M: ¿Y tu marido como sigue?
GT, AH, MH: ¿Y tu marido cómo sigue?

[3] M, MH: del corral.
GT, AH: y el corral.

BERNARDA

Es un verdadero hombre. ¿Y con tu hija?...[4]

PRUDENCIA

No la ha perdonado.

BERNARDA

Hace bien.

PRUDENCIA

No sé qué te diga. Yo sufro por esto.

BERNARDA

Una hija que desobedece deja de ser hija para convertirse en enemiga[5].

PRUDENCIA

Yo dejo que el agua corra. No me queda más consuelo que refugiarme en la iglesia, pero como me estoy quedando sin vista tendré que dejar de venir para que no jueguen con una los chiquillos. *(Se oye un gran golpe, como dado en los muros.)*[6] ¿Qué es eso?

---

[4] M: ¿Y con tu hija.......
GT, MH: ¿Y con tu hija?...
AH: ¿Y con tu hija?
[5] M: Una hija que desobedece deja de ser hija para convertirse en enemiga
GT, AH: Una hija que desobedece deja de ser hija para convertirse en una enemiga.
MH: Una hija que desobedece deja de ser hija para convertirse en enemiga.
[6] M: (se oye un gran golpe como dado en los muros)
GT, AH: *(Se oye un gran golpe dado en los muros.)*
MH: *(Se oye un gran golpe como dado en los muros.)*

BERNARDA

El caballo garañón, que está encerrado y da coces contra el muro[7]. *(A voces.)* ¡Trabadlo y que salga al corral! *(En voz baja.)* Debe tener calor.

PRUDENCIA

¿Vais a echarle las potras nuevas?

BERNARDA

Al amanecer.

PRUDENCIA

Has sabido acrecentar tu ganado.

BERNARDA

A fuerza de dinero y sinsabores.

PONCIA *(Interviniendo.)*[8]

¡Pero tiene la mejor manada de estos contornos![9] Es una lástima que esté bajo de precio.

BERNARDA

¿Quieres un poco de queso y miel?

PRUDENCIA

Estoy desganada.

---

[7] M: El caballo garañon que está encerrado y dá coces contra el muro
GT: El caballo garañón que está encerrado y da coces contra el muro.
AH, MH: El caballo garañón, que está encerrado y da coces contra el muro.
[8] M: (interviniendo)
GT: *(interrumpiendo.)*
AH: *(Interrumpiendo.)*
MH: *(Interviniendo.)*
[9] M: Pero tiene la mejor manada de estos contornos!
GT, AH: Pero tiene la mejor manada de estos contornos.
MH: ¡Pero tiene la mejor manada de estos contornos!

(Se oye otra vez el golpe.)

PONCIA

¡Por Dios!

PRUDENCIA

¡Me ha retemblado dentro del pecho![10]

BERNARDA *(Levantándose furiosa.)*

¿Hay que decir las cosas dos veces? ¡Echadlo, que se revuelque en los montones de paja![11] *(Pausa, y como hablando con los gañanes.)* ¡Pues encerrad las potras en la cuadra, pero dejadlo libre, no sea que nos eche abajo las paredes![12] *(Se dirige a la mesa y se sienta otra vez.)* ¡Ay, qué vida!

PRUDENCIA

Bregando como un hombre.

BERNARDA

Así es. (ADELA *se levanta de la mesa.)* ¿Dónde vas?

ADELA

A beber agua.

---

[10] M: ¡Me ha retemblado dentro del pecho!
GT, MH: ¡Me ha retemblado dentro del pecho.
AH: Me ha retemblado dentro del pecho.
[11] M: ¡echadlo que se revuelque en los montones de paja!
GT, AH, MH: ¡Echadlo que se revuelque en los montones de paja!
[12] M: Pues encerrad las potras en la cuadra pero dejadlo libre no sea que nos eche abajo las paredes!
G: Pues encerrad las potras en la cuadra, pero dejadlo libre no sea que nos eche abajo las paredes.
AH: Pues cerrad las potras en la cuadra, pero dejadlo libre, no sea que nos eche abajo las paredes.
MH: Pues encerrad las potras en la cuadra, pero dejadlo libre, no sea que nos eche abajo las paredes.

BERNARDA *(En voz alta.)*

Trae un jarro de agua fresca. *(A* ADELA.) Puedes sentarte.
(ADELA *se sienta.)*

PRUDENCIA

Y Angustias, ¿cuándo se casa?[13]

BERNARDA

Vienen a pedirla dentro de tres días.

PRUDENCIA

¡Estarás contenta!

ANGUSTIAS

¡Claro!

AMELIA *(A* MAGDALENA.)

¡Ya has derramado la sal![14]

MAGDALENA

Peor suerte que tienes no vas a tener.

AMELIA

Siempre trae mala sombra.

BERNARDA

¡Vamos!

---

[13] M: Y Angustias ¿cuando se casa?
GT: Y Angustias ¿cuándo se casa?
AH, MH: Y Angustias, ¿cuándo se casa?
[14] M, MH: ¡Ya has derramado la sal!
GT, AH: Ya has derramado la sal

PRUDENCIA *(A* ANGUSTIAS.)

¿Te ha regalado ya el anillo?

ANGUSTIAS

Mírelo usted. *(Se lo alarga.)*

PRUDENCIA

Es precioso. Tres perlas. En mi tiempo las perlas significaban
lágrimas.

ANGUSTIAS

Pero ya las cosas han cambiado.

ADELA

Yo creo que no. Las cosas significan siempre lo mismo. Los
anillos de pedida deben ser de diamantes.

PRUDENCIA

Es más propio.

BERNARDA

Con perlas o sin ellas, las cosas son como una se las propone[15].

MARTIRIO

O como Dios dispone.

PRUDENCIA

Los muebles, me han dicho que son preciosos[16].

---

[15] M: Con perlas o sin ellas las cosas son como una se las propone
GT, MH: Con perlas o sin ellas las cosas son como una se las propone.
AH: Con perlas o sin ellas, las cosas son como una se las propone.
[16] M: Los muebles me han dicho que son preciosos
GT, AH, MH: Los muebles me han dicho que son preciosos.

BERNARDA

Dieciséis mil reales he gastado.

PONCIA *(Interviniendo.)*

Lo mejor es el armario de luna.

PRUDENCIA

Nunca vi un mueble de éstos.

BERNARDA

Nosotras tuvimos arca.

PRUDENCIA

Lo preciso es que todo sea para bien.

ADELA

Que nunca se sabe.

BERNARDA

No hay motivo para que no lo sea.

(Se oyen lejanísimas unas campanas.)

PRUDENCIA

El último toque. *(A* ANGUSTIAS.) Ya vendré a que me enseñes la ropa.

ANGUSTIAS

Cuando usted quiera.

PRUDENCIA

Buenas noches nos dé Dios.

BERNARDA

Adiós, Prudencia.

LAS CINCO *(A la vez.)*

Vaya usted con Dios.

(Pausa. Sale PRUDENCIA.*)*

BERNARDA

Ya hemos comido.

(Se levantan.)

ADELA

Voy a llegarme hasta el portón para estirar las piernas y tomar un poco el fresco.

*(*MAGDALENA *se sienta en una silla baja, retrepada contra la pared.)*[17]

AMELIA

Yo voy contigo.

MARTIRIO

Y yo.

ADELA *(Con odio contenido.)*

No me voy a perder.

AMELIA

La noche quiere compaña.

(Salen. BERNARDA *se sienta y* ANGUSTIAS *está arreglando la mesa.)*

BERNARDA

Ya te he dicho que quiero que hables con tu hermana Martirio. Lo que pasó del retrato fue una broma y lo debes olvidar.

---

[17] M: (Magdalena se sienta en una silla baja retrepada contra la pared)
GT: (Magdalena *se sienta en una silla baja retrepada contra la pared.)*
AH, MH: (MAGDALENA *se sienta en una silla baja retrepada contra la pared.)*

ANGUSTIAS

Usted sabe que ella no me quiere.

BERNARDA

Cada uno sabe lo que piensa por dentro. Yo no me meto en los corazones, pero quiero buena fachada y armonía familiar. ¿Lo entiendes?

ANGUSTIAS

Sí.

BERNARDA

Pues ya está.

MAGDALENA *(Casi dormida.)*

Además, ¡si te vas a ir antes de nada! *(Se duerme.)*

ANGUSTIAS

Tarde me parece.

BERNARDA

¿A qué hora terminaste anoche de hablar?

ANGUSTIAS

A las doce y media.

BERNARDA

¿Qué cuenta Pepe?

ANGUSTIAS

Yo lo encuentro distraído. Me habla siempre como pensando en otra cosa. Si le pregunto qué le pasa, me contesta: «Los hombres tenemos nuestras preocupaciones».

BERNARDA

No le debes preguntar. Y cuando te cases, menos. Habla si él habla y míralo cuando te mire. Así no tendrás disgustos.

ANGUSTIAS

Yo creo, madre, que él me oculta muchas cosas.

BERNARDA

No procures descubrirlas. No le preguntes y, desde luego, que no te vea llorar jamás[18].

ANGUSTIAS

Debía estar contenta y no lo estoy.

BERNARDA

Eso es lo mismo.

ANGUSTIAS

Muchas veces miro a Pepe con mucha fijeza y se me borra a través de los hierros, como si lo tapara una nube de polvo de las que levantan los rebaños.

BERNARDA

Eso son cosas de debilidad.

ANGUSTIAS

¡Ojalá!

---

[18] M: No procures descubrirlas. no le preguntes y desde luego, que no te vea llorar jamas.

GT: No procures descubrirlas, no le preguntes y desde luego, que no te vea llorar jamás.

AH, MH: No procures descubrirlas, no le preguntes y, desde luego, que no te vea llorar jamás.

BERNARDA

¿Viene esta noche?

ANGUSTIAS

No. Fue con su madre a la capital.

BERNARDA

Así nos acostaremos antes. ¡Magdalena!

ANGUSTIAS

Está dormida.

(Entran ADELA, MARTIRIO *y* AMELIA.)

AMELIA

¡Qué noche más oscura!

ADELA

No se ve a dos pasos de distancia.

MARTIRIO

Una buena noche para ladrones, para el que necesite[19] escondrijo.

ADELA

El caballo garañón estaba en el centro del corral. ¡Blanco![20]
Doble de grande, llenando todo lo oscuro.

---

[19] M, MH: necesite
GT, AH: necesita
[20] M: El caballo garañón estaba en el centro del corral ¡Blanco!
GT, AH: El caballo garañón estaba en el centro del corral ¡blanco!
MH: El caballo garañón estaba en el centro del corral. ¡Blanco!

AMELIA

Es verdad. Daba miedo. ¡Parecía una aparición![21]

ADELA

Tiene el cielo unas estrellas como puños.

MARTIRIO

Ésta se puso a mirarlas de modo que se iba a tronchar el cuello.

ADELA

¿Es que no te gustan a ti?

MARTIRIO

A mí las cosas de tejas arriba no me importan nada. Con lo que pasa dentro de las habitaciones tengo bastante.

ADELA

Así te va a ti.

BERNARDA

A ella le va en lo suyo como a ti en lo tuyo.

ANGUSTIAS

Buenas noches.

ADELA

¿Ya te acuestas?

---

[21] M: Parecia una aparicion!
GT, AH: Parecía una aparición.
MH: ¡Parecía una aparición!

ANGUSTIAS

Sí. Esta noche no viene Pepe[22]. *(Sale.)*

ADELA

Madre, ¿por qué cuando se corre una estrella o luce un re-
lámpago se dice:
Santa Bárbara bendita[23],
que en el cielo estás escrita
con papel y agua bendita?

BERNARDA

Los antiguos sabían muchas cosas que hemos olvidado.

AMELIA

Yo cierro los ojos para no verlas.

ADELA

Yo, no[24]. A mí me gusta ver correr lleno de lumbre lo que
está quieto y quieto años enteros.

MARTIRIO

Pero estas cosas nada tienen que ver con nosotros.

---

[22] M: Si; esta noche no viene Pepe

GT, AH: Sí. Esta noche no viene Pepe.

MH: Sí, esta noche no viene Pepe.

[23] M: Madre! ¿Porque cuando se corre una estrella o luce un relampago se
dice:

Santa Barbara bendita

GT: Madre. ¿Por qué cuando se corre una estrella o luce un relampago se
dice:

Santa Bárbara bendita

AH, MH: Madre, ¿por qué cuando se corre una estrella o luce un relampago se dice:

Santa Bárbara bendita,

[24] M, GT, MH: Yo no.

AH: Yo, no.

BERNARDA

Y es mejor no pensar en ellas.

ADELA

¡Qué noche más hermosa! Me gustaría quedarme hasta muy tarde para disfrutar el fresco del campo.

BERNARDA

Pero hay que acostarse. ¡Magdalena!

AMELIA

Está en el primer sueño.

BERNARDA

¡Magdalena!

MAGDALENA *(Disgustada.)*

¡Dejarme en paz![25]

BERNARDA

¡A la cama!

MAGDALENA *(Levantándose malhumorada.)*

¡No la dejáis a una tranquila! *(Se va refunfuñando.)*

AMELIA

Buenas noches. *(Se va.)*

BERNARDA

Andar vosotras también[26].

---

[25] M, GT, MH: ¡Dejarme en paz!
AH: ¡Déjame en paz!
[26] M: Andar vosotras tambien.
GT, AH, MH: Andar vosotras también.

MARTIRIO

¿Cómo es que esta noche no viene el novio de Angustias?

BERNARDA

Fue de viaje.

MARTIRIO *(Mirando a* ADELA.*)*

¡Ah!

ADELA

Hasta mañana. *(Sale.)*

(MARTIRIO *bebe agua y sale lentamente, mirando hacia la puerta del corral[27]. Sale* PONCIA.)

PONCIA[28]

¿Estás todavía aquí?

BERNARDA

Disfrutando este silencio y sin lograr ver por parte alguna «la cosa tan grande» que aquí pasa, según tú[29].

---

[27] M: Mar bebe agua y sale lentamente mirando hacia la puerta del corral)
GT: (Martirio *bebe agua y sale lentamente mirando hacia la puerta del corral.)*
AH: (MARTIRIO *bebe agua y sale lentamente, mirando hacia la puerta del corral.)*
MH: (MARTIRIO *bebe agua y sale lentamente mirando hacia la puerta del corral.)*
[28] M: No aparece.
GT: LA PONCIA *(saliendo.)*
AH: LA PONCIA. *(Saliendo.)*
MH: [PONCIA]
[29] M: Disfrutando este silencio y sin lograr ver por parte alguna la cosa tan grande que aquí pasa según tu.
GT: Disfrutando este silencio y sin lograr ver por parte alguna "la cosa tan grande" que aquí pasa según tú.
MH: Disfrutando este silencio y sin lograr ver por parte alguna "la cosa tan grande" que aquí pasa, según tú.
AH: Disfrutando este silencio y sin lograr ver por parte alguna "la cosa tan grande" que pasa aquí, según tú.

PONCIA

Bernarda, dejemos esa conversación[30].

BERNARDA

En esta casa no hay un sí ni un no. Mi vigilancia lo puede todo.

PONCIA

No pasa nada por fuera. Eso es verdad. Tus hijas están y viven como metidas en alacenas. Pero ni tú ni nadie puede vigilar por el interior de los pechos.

BERNARDA

Mis hijas tienen la respiración tranquila.

PONCIA

Eso te importa a ti, que eres su madre[31]. A mí, con servir tu casa tengo bastante[32].

BERNARDA

Ahora te has vuelto callada.

PONCIA

Me estoy en mi sitio y en paz[33].

---

[30] M: Bernarda: Dejemos esa conversacion.
GT: Bernarda: dejemos esa conversación.
AH, MH: Bernarda, dejemos esa conversación.
[31] M: Eso te importa a ti que eres su madre
GT, MH: Eso te importa a ti que eres su madre.
AH: Eso te importa a ti, que eres su madre.
[32] M: A mi con servir tu casa tengo bastante.
GT: A mí con servir tu casa tengo bastante.
AH, MH: A mí, con servir tu casa tengo bastante.
[33] M, GT, MH: Me estoy en mi sitio y en paz.
AH: Me estoy en mi sitio, y en paz.

BERNARDA

Lo que pasa es que no tienes nada que decir. Si en esta casa
hubiera hierbas, ya te encargarías de traer a pastar las ovejas
del vecindario[34].

PONCIA

Yo tapo más de lo que te figuras.

BERNARDA

¿Sigue tu hijo viendo a Pepe a las cuatro de la mañana? ¿Siguen diciendo todavía la mala letanía de esta casa?

PONCIA

No dicen nada.

BERNARDA

Porque no pueden. Porque no hay carne donde morder. ¡A la
vigilia de mis ojos se debe esto![35]

PONCIA

Bernarda[36], yo no quiero hablar porque temo tus intenciones. Pero no estés segura.

BERNARDA

¡Segurísima!

---

[34] M: Si en esta casa hubiera hierbas, ya te encargarias de traer a pastar las
ovejas del vecindario.
GT, AH: Si en esta casa hubiera hierbas ya te encargarías de traer a pastar
las ovejas del vecindario.
MH: Si en esta casa hubiera hierbas, ya te encargarías de traer a pastar las
ovejas del vecindario.
[35] M: A la vigilia de mis ojos se debe esto!
GT, AH: A la vigilancia de mis ojos se debe esto.
MH: ¡A la vigilia de mis ojos se debe esto!
[36] M, GT: Bernarda:
AH, MH: Bernarda,

PONCIA

¡A lo mejor, de pronto, cae un rayo! A lo mejor, de pronto, un golpe de sangre te para el corazón[37].

BERNARDA

Aquí no pasará nada[38]. Ya estoy alerta contra tus suposiciones.

PONCIA

Pues mejor para ti.

BERNARDA

¡No faltaba más!

CRIADA *(Entrando.)*

Ya terminé de fregar los platos. ¿Manda usted algo, Bernarda?

BERNARDA *(Levantándose.)*

Nada. Yo voy a descansar[39].

PONCIA

¿A qué hora quiere que la llame?

---

[37] M: A lo mejor de pronto cae un rayo! A lo mejor de pronto, un golpe de sangre te para el corazon
GT: A lo mejor de pronto cae un rayo. A lo mejor, de pronto, un golpe te para el corazón.
AH: A lo mejor, de pronto, cae un rayo. A lo mejor, de pronto, un golpe te para el corazón.
MH: ¡A lo mejor de pronto cae un rayo! A lo mejor, de pronto, un golpe de sangre te para el corazón.
[38] M, MH: Aquí no pasará nada.
GT, AH: Aquí no pasa nada.
[39] M, MH: Yo voy a descansar.
GT, AH: Voy a descansar.

259

BERNARDA

A ninguna. Esta noche voy a dormir bien. *(Se va.)*

PONCIA

Cuando una no puede con el mar, lo más fácil es volver las espaldas para no verlo[40].

CRIADA

Es tan orgullosa que ella misma se pone una venda en los ojos.

PONCIA

Yo no puedo hacer nada. Quise atajar las cosas, pero ya me asustan demasiado. ¿Tú ves este silencio? Pues hay una tormenta en cada cuarto. El día que estallen nos barrerán a todas. Yo he dicho lo que tenía que decir.

CRIADA

Bernarda cree que nadie puede con ella y no sabe la fuerza que tiene un hombre entre mujeres solas.

PONCIA

No es toda la culpa de Pepe el Romano. Es verdad que el año pasado anduvo detrás de Adela, y ésta estaba loca por él, pero ella debió estarse en su sitio y no provocarlo[41]. Un hombre es un hombre.

---

[40] M: Cuando una no puede con el mar lo mas facil es volver las espaldas para no verlo.
GT, AH, MH: Cuando una no puede con el mar lo más fácil es volver las espaldas para no verlo.

[41] M: Es verdad que el año pasado anduvo detras de Adela y esta estaba loca por el pero ella debio estarse en su sitio y no provocarlo.
GT, AH: Es verdad que el año pasado anduvo detrás de Adela y estaba loca por él, pero ella debió estarse en su sitio y no provocarlo.
MH: Es verdad que el año pasado anduvo detrás de Adela, y ésta estaba loca por él, pero ella debió estarse en su sitio y no provocarlo.

CRIADA

Hay quien cree que habló muchas noches con Adela.

PONCIA

Es verdad. *(En voz baja.)* Y otras cosas.

CRIADA

No sé lo que va a pasar aquí.

PONCIA

A mí me gustaría cruzar el mar y dejar esta casa de guerra.

CRIADA

Bernarda está aligerando la boda y es posible que nada pase.

PONCIA

Las cosas se han puesto ya demasiado maduras. Adela está decidida a lo que sea, y las demás vigilan sin descanso[42].

CRIADA

¿Y Martirio también?...[43]

PONCIA

Ésa es la peor. Es un pozo de veneno. Ve que el Romano no es para ella y hundiría el mundo si estuviera en su mano.

CRIADA

¡Es que son malas!

---

[42] M: Adela esta decidida a lo que sea y las demas vigilan sin descanso.
GT, AH: Adela está decidida a lo que sea y las demás vigilan sin descanso.
MH: Adela está decidida a lo que sea, y las demás vigilan sin descanso.
[43] M: ¿Y Martirio tambien......?
GT, MH: ¿Y Martirio también?...
AH: ¿Y Martirio también?

PONCIA

Son mujeres sin hombre, nada más. En estas cuestiones se olvida hasta la sangre. ¡Chisssss![44] *(Escucha.)*

CRIADA

¿Qué pasa?

PONCIA *(Se levanta.)*

Están ladrando los perros.

CRIADA

Debe haber pasado alguien por el portón.

(Sale ADELA *en enaguas blancas y corpiño.)*

PONCIA

¿No te habías acostado?

ADELA

Voy a beber agua. *(Bebe en un vaso de la mesa.)*

PONCIA

Yo te suponía dormida.

ADELA

Me despertó la sed. Y vosotras, ¿no descansáis?[45]

---

[44] M: ¡chisssss!
GT: ¡Chissssss!
AH: ¡Chisss!
MH: ¡Chissssss!
[45] M: ¿Y vosotras no descansais?
GT: ¿Y vosotras, no descansáis?
AH: Y vosotras, ¿no descansáis?
MH: ¿Y vosotras no descansáis?

CRIADA

Ahora.

(Sale ADELA.*)*

PONCIA

Vámonos.

CRIADA

Ganado tenemos el sueño. Bernarda no me deja descanso[46]
en todo el día.

PONCIA

Llévate la luz.

CRIADA

Los perros están como locos.

PONCIA

No nos van a dejar dormir.

(Salen. La escena queda casi a oscuras. Sale MARÍA JOSEFA *con una oveja en los brazos.)*

MARÍA JOSEFA

Ovejita, niño mío,
vámonos a la orilla del mar.
La hormiguita estará en su puerta,
yo te daré la teta y el pan.

Bernarda, cara de leoparda.
Magdalena, cara de hiena.
Ovejita.

---

[46] M, MH: descanso
GT, AH: descansar

Meee, meeee.
Vamos a los ramos del portal de Belén[47].

(Ríe.)

Ni tú ni yo queremos dormir.
La puerta sola se abrirá[48]
y en la playa nos meteremos
en una choza de coral.

Bernarda, cara de leoparda.
Magdalena, cara de hiena.
Ovejita
Meee, meee.
¡Vamos a los ramos del portal de Belén![49]

---

[47] M: Bernarda cara de leoparda
Magdalena cara de hiena
Ovejita
Meee meeee
vamos a los ramos del portal de Belen
GT, AH: Bernarda,
cara de leoparda.
Magdalena,
cara de hiena.
¡Ovejita!
Meee, meeee.
Vamos a los ramos del portal de Belén.
MH: Bernarda, cara de leoparda.
Magdalena, cara de hiena.
Ovejita.
Meee, meee.
Vamos a los ramos del portal de Belén.
[48] M: Ni tu ni yo queremos dormir
La puerta sola se abrirá
GT, AH: Ni tú ni yo queremos dormir;
la puerta sola se abrirá
MH: Ni tú ni yo queremos dormir.
La puerta sola se abrirá
[49] M: Bernarda cara de leoparda
Magdalena cara de hiena
Ovejita
Meee meee
¡Vamos a los ramos del portal de Belen

(Se va cantando. Entra ADELA. *Mira a un lado y otro con sigilo, y desaparece por la puerta del corral*[50]. *Sale* MARTIRIO *por otra puerta y queda en angustioso acecho en el centro de la escena. También va en enaguas. Se cubre con un pequeño mantón negro de talle*[51]. *Sale por enfrente de ella* MARÍA JOSEFA.)

MARTIRIO

Abuela, ¿dónde va usted?[52]

MARÍA JOSEFA

¿Vas a abrirme la puerta? ¿Quién eres tú?

MARTIRIO

¿Cómo está aquí?

MARÍA JOSEFA

Me escapé. ¿Tú quién eres?

GT, AH: Bernarda,
cara de leoparda.
Magdalena,
cara de hiena.
¡Ovejita!
Meee, meeee.
Vamos a los ramos del portal de Belén.
MH: Bernarda, cara de leoparda.
Magdalena, cara de hiena.
Ovejita.
Meee, meee.
¡Vamos a los ramos del portal de Belén!
[50] M: Mira a un lado y otro con sigilo y desaparece por la puerta del corral.
GT, AH: *Mira a un lado y otro con sigilo y desaparece por la puerta del corral.*
MH: *Mira a un lado y otro con sigilo, y desaparece por la puerta del corral.*
[51] M: Se cubre con pequeño manton negro de talle.
GT, AH: *Se cubre con un pequeño mantón negro de talle.*
MH: *Se cubre con pequeño mantón negro de talle.*
[52] M: ¿Abuela donde va usted?
GT, MH: ¿Abuela, dónde va usted?
AH: Abuela, ¿dónde va usted?

265

MARTIRIO

Vaya a acostarse.

MARÍA JOSEFA

Tú eres Martirio, ya te veo. Martirio, cara de martirio[53]. ¿Y cuándo vas a tener un niño? Yo he tenido éste.

MARTIRIO

¿Dónde cogió esa oveja?

MARÍA JOSEFA

Ya sé que es una oveja. Pero, ¿por qué una oveja no va a ser un niño?[54] Mejor es tener una oveja que no tener nada. Bernarda, cara de leoparda. Magdalena, cara de hiena.

MARTIRIO

No dé voces.

MARÍA JOSEFA

Es verdad. Está todo muy oscuro. Como tengo el pelo blanco, crees que no puedo tener crías, y sí, crías y crías y crías. Este niño tendrá el pelo blanco y tendrá otro niño, y éste, otro, y todos con el pelo de nieve seremos como las olas: una y otra y otra. Luego nos sentaremos todos, y todos tendremos el cabello blanco y seremos espuma. ¿Por qué aquí no hay espuma? Aquí no hay más que mantos de luto[55].

---

[53] M, MH: Martirio: cara de martirio
GT, AH: Martirio, cara de Martirio.
[54] M: Pero ¿porque una oveja no va a ser un niño?
GT, AH: Pero ¿por qué una oveja no va a ser un niño?
MH: Pero, ¿por qué una oveja no va a ser un niño?
[55] M: Como tengo el pelo blanco crees que no puedo tener crias y si crias y crias y crias. Este niño tendra el pelo blanco y tendrá otro niño y este otro y todos con el pelo de nieve seremos como las olas, una y otra y otra Luego nos sentaremos todos y todos tendremos el cabello blanco y seremos espuma. ¿Por que aqui no hay espuma? Aqui no hay mas que mantos de luto.

Calle, calle.

MARÍA JOSEFA

Cuando mi vecina tenía un niño yo le llevaba chocolate, y luego ella me lo traía a mí, y así siempre, siempre, siempre. Tú tendrás el pelo blanco, pero no vendrán las vecinas. Yo tengo que marcharme, pero tengo miedo de que los perros me muerdan. ¿Me acompañarás tú a salir del campo? Yo no quiero campo. Yo quiero casas, pero casas abiertas, y las vecinas acostadas en sus camas con sus niños chiquitos, y los hombres fuera, sentados en sus sillas. Pepe el Romano es un gigante. Todas lo queréis. Pero él os va a devorar, porque vosotras sois granos de trigo. ¡No, granos de trigo, no! ¡Ranas sin lengua![56]

GT: Como tengo el pelo blanco crees que no puedo tener crías, y sí, crías y crías y crías. Este niño tendrá el pelo blanco y tendrá otro niño, y éste, otro, y todos con el pelo de nieve, seremos como las olas, una y otra y otra. Luego nos sentaremos todos y todos tendremos el cabello blanco y seremos espuma. ¿Por qué aquí no hay espumas? Aquí no hay más que mantos de luto.

AH: Como tengo el pelo blanco crees que no puedo tener crías, y sí, crías y crías y crías. Este niño tendrá el pelo blanco y tendrá otro niño y éste otro, y todos con el pelo de nieve, seremos como las olas, una y otra y otra. Luego nos sentaremos todos y todos tendremos el cabello blanco y seremos espuma. ¿Por qué aquí no hay espumas? Aquí no hay más que mantos de luto.

MH: Como tengo el pelo blanco crees que no puedo tener crías, y sí: crías y crías y crías. Este niño tendrá el pelo blanco y tendrá otro niño y éste otro, y todos con el pelo de nieve, seremos como las olas: una y otra y otra. Luego nos sentaremos todos, y todos tendremos el cabello blanco y seremos espuma. ¿Por qué no hay espuma? Aquí no hay más que mantos de luto.

[56] M: Cuando mi vecina tenia un niño yo le llevaba chocolate y luego ella me lo traia a mi y asi siempre siempre siempre. Tu tendrás el pelo blanco pero no vendran las vecinas. Yo tengo que marcharme pero tengo miedo de los perros me muerdan. Me acompañaras tu a salir del campo? Yo no quiero campo. Yo quiero casas pero casas abiertas y las vecinas acostadas en sus camas con sus niños chiquitos y los hombres fuera sentados en sus sillas. Pepe el Romano es un gigante. Todas lo quereis. Pero el os va a devorar porque vosotras sois granos de trigo. No granos de trigo no! Ranas sin lengua!

GT: Cuando mi vecina tenía un niño yo le llevaba chocolate y luego ella me lo traía a mí y así siempre, siempre, siempre. Tú tendrás el pelo blanco, pero no vendrán las vecinas. Yo tengo que marcharme, pero tengo miedo que los perros me muerdan. ¿Me acompañarás tú a salir del campo? Yo quiero

MARTIRIO *(Enérgica.)*

Vamos, váyase a la cama[57]. *(La empuja.)*

MARÍA JOSEFA

Sí, pero luego tú me abrirás, ¿verdad?

MARTIRIO

De seguro.

MARÍA JOSEFA *(Llorando.)*

Ovejita, niño mío,
vámonos a la orilla del mar[58].
La hormiguita estará en su puerta,
yo te daré la teta y el pan.

---

campo. Yo quiero casas, pero casas abiertas y las vecinas acostadas en sus camas con sus niños chiquitos y los hombres fuera sentados en sus sillas. Pepe el Romano es un gigante. Todos lo queréis. Pero él os va a devorar porque vosotras sois granos de trigo. No granos de trigo. ¡Ranas sin lengua!

AH: Cuando mi vecina tenía un niño yo lo llevaba chocolate y luego ella me lo traía a mí y así siempre, siempre, siempre. Tú tendrás el pelo blanco, pero no vendrán las vecinas. Yo tengo que marcharme, pero tengo miedo que los perros me muerdan. ¿Me acompañarás tú a salir al campo? Yo quiero campo. Yo quiero casas, pero casas abiertas y las vecinas acostadas en sus camas con sus niños chiquitos y los hombres fuera sentados en sus sillas. Pepe el Romano es un gigante. Todos lo queréis. Pero él os va a devorar porque vosotras sois granos de trigo. No granos de trigo. ¡Ranas sin lengua!

MH: Cuando mi vecina tenía un niño yo lo llevaba chocolate y luego ella me lo traía a mí, y así siempre, siempre, siempre. Tú tendrás el pelo blanco, pero no vendrán las vecinas. Yo tengo que marcharme, pero tengo miedo de [que] los perros me muerdan. ¿Me acompañarás tú a salir del campo? Yo no quiero campo. Yo quiero casas, pero casas abiertas, y las vecinas acostadas en sus camas con sus niños chiquitos, y los hombres fuera, sentados en sus sillas; Pepe el Romano es un gigante. Todos lo queréis. Pero él os va a devorar, porque vosotras sois granos de trigo. No granos de trigo, no. ¡Ranas sin lengua!

[57] M: Vamos vayase a la cama.
GT, AH: Vamos. Váyase a la cama.
MH: Vamos, váyase a la cama.
[58] M: Ovejita niño mio
vamonos a la orilla del mar
GT: Ovejita, niño mío.
Vámonos a la orilla del mar.

(Sale[59]. MARTIRIO cierra la puerta por donde ha salido MARÍA JOSEFA y se dirige a la puerta del corral. Allí vacila, pero avanza dos pasos más.)

MARTIRIO *(En voz baja.)*

Adela. *(Pausa. Avanza hasta la misma puerta. En voz alta.)* ¡Adela!

(Aparece ADELA. Viene un poco despeinada.)

ADELA

¿Por qué me buscas?

MARTIRIO

¡Deja a ese hombre!

ADELA

¿Quién eres tú para decírmelo?

MARTIRIO

No es ése el sitio de una mujer honrada.

ADELA

¡Con qué ganas te has quedado de ocuparlo!

MARTIRIO *(En voz más alta.)*[60]

Ha llegado el momento de que yo hable. Esto no puede seguir[61].

AH, MH: Ovejita, niño mío,
vámonos a la orilla del mar.
[59] No existe en GT y AH.
[60] M: (en voz mas alta).
GT: *(en voz alta.)*
AH: *(En voz alta.)*
MH: *(En voz alta.)*
[61] M: Esto no puede seguir

ADELA

Esto no es más que el comienzo. He tenido fuerza para ade-
lantarme. El brío y el mérito que tú no tienes. He visto la
muerte debajo de estos techos y he salido a buscar lo que era
mío, lo que me pertenecía.

MARTIRIO

Ese hombre sin alma vino por otra. Tú te has atravesado.

ADELA

Vino por el dinero, pero sus ojos los puso siempre en mí.

MARTIRIO

Yo no permitiré que lo arrebates. Él se casará con Angustias.

ADELA

Sabes mejor que yo que no la quiere.

MARTIRIO

Lo sé.

ADELA

Sabes, porque lo has visto, que me quiere a mí[62].

MARTIRIO *(Desesperada.)*

Sí.

ADELA *(Acercándose.)*

Me quiere a mí, me quiere a mí[63].

GT, AH: Esto no puede seguir así.
MH: Esto no puede seguir.
[62] M: Sabes (porque lo has visto) que me quiere a mi
GT, AH: Sabes, porque lo has visto, que me quiere a mí.
MH: Sabes (porque lo has visto), que me quiere a mí.
[63] M: Me quiere a mi, me quiere a mi

Clávame un cuchillo si es tu gusto, pero no me lo digas más.

ADELA

Por eso procuras que no vaya con él. No te importa que abrace a la que no quiere. A mí tampoco. Ya puede estar cien años con Angustias, pero que me abrace a mí se te hace terrible, porque tú lo quieres también, ¡lo quieres![64]

MARTIRIO *(Dramática.)*

¡Sí! Déjame decirlo con la cabeza fuera de los embozos. ¡Sí! Déjame que el pecho se me rompa como una granada de amargura. ¡Lo quiero![65]

ADELA. *(En un arranque y abrazándola.)*[66]

Martirio, Martirio, yo no tengo la culpa[67].

GT, AH: Me quiere a mí. Me quiere a mí.

MH: Me quiere a mí, me quiere a mí.

[64] M: No te importa que abrace a la que no quiere a mi tampoco Ya puede estar cien años con Angustias pero que me abrace a mi se te hace terrible porque tu lo quieres tambien, ¡lo quieres!

GT: No te importa que abrace a la que no quiere, a mí tampoco. Ya puede estar cien años con Angustias, pero que me abrace a mí se te hace terrible, porque tú lo quieres también, lo quieres.

AH: No te importa que abrace a la que no quiere; a mí, tampoco. Ya puede estar cien años con Angustias, pero que me abrace a mí se te hace terrible, porque tú lo quieres también, lo quieres.

MH: No te importa que abrace a la que no quiere. A mí tampoco. Ya puede estar cien años con Angustias. Pero que me abrace a mí se te hace terrible, porque tú lo quieres también, ¡lo quieres!

[65] M: ¡Lo quiero!

GT, AH: ¡Le quiero!

MH: ¡Lo quiero!

[66] M: (en un arranque y abrazandola)

GT: *(en un arranque y abrazándola.)*

AH: *(En un arranque y abrazándola.)*

MH: *(En un arranque, y abrazándola.)*

[67] M: Martirio Martirio yo no tengo la culpa

GT: Martirio, Martirio yo no tengo la culpa.

AH, MH: Martirio, Martirio, yo no tengo la culpa.

MARTIRIO

¡No me abraces! No quieras ablandar mis ojos. Mi sangre ya no es la tuya y, aunque quisiera verte como hermana, no te miro ya más que como mujer[68]. *(La rechaza.)*

ADELA

Aquí no hay ningún remedio. La que tenga que ahogarse que se ahogue. Pepe el Romano es mío. Él me lleva a los juncos de la orilla.

MARTIRIO

¡No será!

ADELA

Ya no aguanto el horror de estos techos después de haber probado el sabor de su boca. Seré lo que él quiera que sea. Todo el pueblo contra mí, quemándome con sus dedos de lumbre, perseguida por los que dicen que son decentes, y me pondré delante de todos la corona de espinas que tienen las que son queridas de algún hombre casado[69].

MARTIRIO

¡Calla!

ADELA

Sí, sí. *(En voz baja.)* Vamos a dormir, vamos a dejar que se case con Angustias. Ya no me importa. Pero yo me iré a una

---

[68] M: Mi sangre ya no es la tuya y aunque quisiera verte como hermana no te miro ya mas que como mujer

GT, AH: Mi sangre ya no es la tuya. Aunque quisiera verte como hermana, no te miro ya más que como mujer.

MH: Mi sangre ya no es la tuya, y aunque quisiera verte como hermana no te miro ya más que como mujer.

[69] M: y me pondré delante de todos la corona de espinas que tienen las que son queridas de algun hombre casado

GT, AH: y me pondré la corona de espinas que tienen las que son queridas de algún hombre casado.

MH: y me pondré delante de todos la corona de espinas que tienen las que son queridas de algún hombre casado.

casita sola donde él me verá cuando quiera, cuando le venga en gana[70].

MARTIRIO

Eso no pasará mientras yo tenga una gota de sangre en el cuerpo.

ADELA

No a ti, que eres débil. A un caballo encabritado soy capaz de poner de rodillas con la fuerza de mi dedo meñique[71].

MARTIRIO

No levantes esa voz que me irrita. Tengo el corazón lleno de una fuerza tan mala, que, sin quererlo yo, a mí misma me ahoga[72].

---

[70] M: Sí, si en voz baja, vamos a dormir, vamos a dejar que se case con Angustias. Ya no me importa, pero yo me ire a una casita sola donde el me verá cuando quiera, cuando le venga en gana.

GT, AH: Sí. Sí. *(En voz baja.)* Vamos a dormir, vamos a dejar que se case con Angustias, ya no me importa, pero yo me iré a una casita sola donde él me verá cuando quiera, cuando le venga en gana.

MH: Sí, sí. *(En voz baja.)* Vamos a dormir, vamos a dejar que se case con Angustias. Yo no me importa. Pero me iré a una casita sola donde él me verá cuando quiera, cuando le venga en gana.

[71] M: No a ti que eres debil. A un caballo encabritado soy capaz de poner de rodillas con la fuerza de mi dedo meñique

GT: No a ti que eres débil. A un caballo encabritado soy capaz de poner de rodillas con la fuerza de mi dedo meñique.

AH: No a ti, que eres débil; a un caballo encabritado soy capaz de poner de rodillas con la fuerza de mi dedo meñique.

MH: No a ti, que eres débil: a un caballo encabritado soy capaz de poner de rodillas con la fuerza de mi dedo meñique.

[72] M: Tengo el corazon lleno de una fuerza tan mala, que sin quererlo yo, a mi misma me ahoga.

GT: Tengo el corazón lleno de una fuerza tan mala, que sin quererlo yo, a mí misma me ahoga.

AH, MH: Tengo el corazón lleno de una fuerza tan mala, que, sin quererlo yo, a mí misma me ahoga.

ADELA

Nos enseñan a querer a las hermanas. Dios me ha debido dejar sola, en medio de la oscuridad, porque te veo como si no te hubiera visto nunca[73].

(Se oye un silbido y ADELA *corre a la puerta, pero* MARTIRIO *se le pone delante.)*

MARTIRIO

¿Dónde vas?

ADELA

¡Quítate de la puerta!

MARTIRIO

¡Pasa si puedes!

ADELA

¡Aparta! *(Lucha.)*

MARTIRIO *(A voces.)*

¡Madre, madre!

ADELA

¡Déjame![74]

(Aparece BERNARDA. *Sale en enaguas, con un mantón negro.)*[75]

---

[73] M: Dios me ha debido dejar sola enmedio de la oscuridad, porque te veo como si no te hubiera visto nunca.

GT, AH: Dios me ha debido dejar sola en medio de la oscuridad, porque te veo como si no te hubiera visto nunca.

MH: Dios me ha debido dejar sola, en medio de la oscuridad, porque te veo como si no te hubiera visto nunca.

[74] No existe en GT y AH.

[75] M: (sale en enaguas con un manton negro)

GT, MH: *(Sale en enaguas con un mantón negro.)*

AH: *(Sale en enaguas, con un mantón negro.)*

274

BERNARDA

Quietas, quietas. ¡Qué pobreza la mía, no poder tener un rayo entre los dedos!

MARTIRIO *(Señalando a* ADELA.)

¡Estaba con él! ¡Mira esas enaguas llenas de paja de trigo!

BERNARDA

¡Ésa es la cama de las mal nacidas! *(Se dirige furiosa hacia* ADELA.)

ADELA *(Haciéndole frente.)*

¡Aquí se acabaron las voces de presidio! (ADELA *arrebata el bastón a su madre y lo parte en dos.)* Esto hago yo con la vara de la dominadora. No dé usted un paso más. ¡En mí no manda nadie más que Pepe![76]

(Sale MAGDALENA.)

MAGDALENA

¡Adela![77]

---

[76] M: (Adela arrebata el baston a su madre y lo parte en dos) Esto hago yo con la vara de la dominadora. No de usted un paso mas. En mi no manda nadie mas que Pepe!
GT: (Adela *arrebata un bastón a su madre y lo parte en dos.)* Esto hago yo con la vara de la dominadora. No dé usted un paso más. En mí no manda nadie más que Pepe.
AH: (ADELA *arrebata un bastón a su madre y lo parte en dos.)* Esto hago yo con la vara de la dominadora. No dé usted un paso más. En mí no manda nadie más que Pepe.
MH: (ADELA *arrebata un bastón a su madre y lo parte en dos.)* Esto hago yo con la vara de la dominadora. No dé usted un paso más. ¡En mí no manda nadie más que Pepe!
[77] M: (Sale Mag) ¡Adela!
GT: MAGDALENA. *(saliendo.)*
¡Adela!
AH: MAGDALENA. *(Saliendo.)*
¡Adela!

(Salen PONCIA *y* ANGUSTIAS*.)*[78]

ADELA

Yo soy su mujer. *(A* ANGUSTIAS*.)* Entérate tú y ve al corral a decírselo. Él dominará toda esta casa. Ahí fuera está, respirando como si fuera un león.

ANGUSTIAS

¡Dios mío!

BERNARDA

¡La escopeta! ¿Dónde está la escopeta?

(Sale corriendo de detrás PONCIA*. Aparece* AMELIA *por el fondo, que mira aterrada, con la cabeza sobre la pared. Sale detrás* MARTIRIO*.)*[79]

ADELA

¡Nadie podrá conmigo! *(Va a salir.)*

ANGUSTIAS *(Sujetándola.)*

De aquí no sales con tu cuerpo en triunfo, ¡ladrona!, ¡deshonra de nuestra casa![80]

MH: *(Sale* MAGDALENA*.)*
MAGDALENA
¡Adela!
[78] M: Salen la Poncia y Angustias
AH: *(Salen* LA PONCIA *y* ANGUSTIAS*.)*
MH: *(Salen la* PONCIA *y* ANGUSTIAS*.)*
[79] M: (sale corriendo de detrás la Pon) aparece Amelia por el fondo que mira aterrada con la cabeza sobre la pared) (sale detrás Martirio)
GT: *(Sale detrás* Martirio*. Aparece* Amelia *por el fondo, que mira aterrada con la cabeza sobre la pared.)*
AH: *(Sale detrás* MARTIRIO*. Aparece* AMELIA *por el fondo, que mira aterrada con la cabeza sobre la pared.)*
MH: *(Sale corriendo.)* *(Aparece* AMELIA *por el fondo, que mira aterrada, con la cabeza sobre la pared. Sale detrás* MARTIRIO*.)*
[80] M: De aqui no sales con tu cuerpo en triunfo, ¡ladrona! ¡deshonra de nuestra casa!

276

MAGDALENA

¡Déjala que se vaya donde no la veamos nunca más!
(Suena un disparo.)

BERNARDA *(Entrando.)*

Atrévete a buscarlo ahora.

MARTIRIO *(Entrando.)*

Se acabó Pepe el Romano.

ADELA

¡Pepe! ¡Dios mío! ¡Pepe! *(Sale corriendo.)*

PONCIA

¿Pero lo habéis matado?

MARTIRIO

¡No! ¡Salió corriendo en su jaca![81]

BERNARDA

Fue culpa mía[82]. Una mujer no sabe apuntar.

MAGDALENA

¿Por qué lo has dicho entonces?

GT, AH: De aquí no sales con tu cuerpo en triunfo. ¡Ladrona! ¡Deshonra
de nuestra casa!
MH: De aquí no sales con tu cuerpo en triunfo, ¡ladrona!, ¡deshonra de
nuestra casa!
[81] M: ¡No! ¡Salio corriendo en la jaca!
GT, AH: No. Salió corriendo en su jaca.
MH: ¡No! ¡Salió corriendo en la jaca!
[82] M: Fue culpa mia
GT: No fue culpa mía.
AH: No fue culpa mía.
MH: Fue culpa mía.

277

MARTIRIO

¡Por ella! Hubiera volcado un río de sangre sobre su cabeza.

PONCIA

Maldita.

MAGDALENA

¡Endemoniada!

BERNARDA

¡Aunque es mejor así! *(Se oye como un golpe.)* ¡Adela! ¡Adela![83]

PONCIA *(En la puerta.)*

¡Abre!

BERNARDA

Abre. No creas que los muros defienden de la vergüenza.

CRIADA *(Entrando.)*

¡Se han levantado los vecinos!

BERNARDA *(En voz baja, como un rugido.)*[84]

¡Abre, porque echaré abajo la puerta! *(Pausa. Todo queda en silencio.)* ¡Adela! *(Se retira de la puerta.)* ¡Trae un martillo! (PONCIA *da un empujón y entra. Al entrar da un grito y sale.)* ¿Qué?

---

[83] M: ¡Aunque es mejor asi! (se como un golpe) ¡Adela! Adela!
GT, AH: Aunque es mejor así. *(Suena un golpe.)* ¡Adela, Adela!
MH: Aunque es mejor así. *(Se [oye] como un golpe.)* ¡Adela! ¡Adela!
[84] M: (en voz baja como un rugido)
GT: *(en voz baja como un rugido.)*
AH: *(En voz baja como un rugido.)*
MH: *(En voz baja, como un rugido.)*

PONCIA *(Se lleva las manos al cuello.)*

¡Nunca tengamos ese fin!

(Las hermanas se echan hacia atrás. La criada se santigua. BER-NARDA *da un grito y avanza.)*[85]

PONCIA

¡No entres!

BERNARDA

No. ¡Yo no! Pepe: irás corriendo vivo por lo oscuro de las alamedas, pero otro día caerás. ¡Descolgarla! ¡Mi hija ha muerto virgen! Llevadla a su cuarto y vestirla como si fuera doncella. ¡Nadie dirá nada! ¡Ella ha muerto virgen![86] ¡Avisad que al amanecer den dos clamores las campanas!

---

[85] M: Las hermanas se echan hacia atras La criada se santigua. Bernarda da un grito y avanza)

GT: *(Las hermanas se echan hacia atrás. La Criada se santigua.* Bernarda *da un grito y avanza.)*

AH: *(Las* HERMANAS *se echan hacia atrás. La* CRIADA *se santigua.* BERNARDA *da un grito y avanza.)*

MH: *(Las hermanas se echan hacia atrás. La* CRIADA *se santigua.* BERNARDA *da un grito y avanza.)*

[86] M: No! yo no! Pepe: iras corriendo vivo por lo oscuro de las alamedas pero otro dia caerás. ¡Descolgarla! Mi hija ha muerto virgen! Llevadla a su cuarto y vestirla como si fuera doncella. ¡Nadie dira nada! Ella ha muerto virgen! Avisad que al amanecer den dos clamores las campanas!

GT: No. ¡Yo no! Pepe: tú irás corriendo vivo por lo oscuro de las alamedas, pero otra día caerás. ¡Descolgarla! ¡Mi hija ha muerto virgen! Llevadla a su cuarto y vestirla como una doncella. ¡Nadie diga nada! Ella ha muerto virgen. Avisad que al amanecer den dos clamores las campanas.

AH: No. ¡Yo no! Pepe, tú irás corriendo vivo por lo oscuro de las alamedas, pero otra día caerás. ¡Descolgarla! ¡Mi hija ha muerto virgen! Llevadla a su cuarto y vestirla como una doncella. ¡Nadie diga nada! Ella ha muerto virgen. Avisad que al amanecer den dos clamores las campanas.

MH: No. ¡Yo no! Pepe: irás corriendo vivo por lo oscuro de las alamedas, pero otra día caerás. ¡Descolgarla! ¡Mi hija ha muerto virgen! Llevadla a su cuarto y vestirla como si fuera una doncella. ¡Nadie dirá nada! ¡Ella ha muerto virgen! Avisad que al amanecer den dos clamores las campanas

MARTIRIO

Dichosa ella mil veces que lo pudo tener.

BERNARDA

Y no quiero llantos. La muerte hay que mirarla cara a cara. ¡Silencio! *(A otra hija.)* ¡A callar he dicho! *(A otra hija.)* ¡Las lágrimas cuando estés sola! ¡Nos hundiremos todas en un mar de luto! Ella, la hija menor de Bernarda Alba, ha muerto virgen. ¿Me habéis oído? Silencio, silencio he dicho. ¡Silencio![87]

(Telón.)[88]

Día viernes 19 de Junio, 1936[89].

---

[87] M: ¡Silencio! (a otra hija) ¡A callar he dicho! (a otra hija) ¡Las lagrimas cuando estés sola! Nos hundiremos todas en un mar de luto! Ella, la hija menor de Bernalda Alba, ha muerto virgen Me habeis oido? Silencio, silencio he dicho ¡Silencio!

GT : ¡Silencio! *(A otra hija.)* ¡A callar he dicho! *(A otra hija.)* ¡Las lágrimas cuando estés sola! Nos hundiremos todas en un mar de luto. Ella, la hija menor de Bernarda Alba, ha muerto virgen. ¿Me habéis oído? ¡Silencio, silencio he dicho! ¡Silencio!

AH: ¡Silencio! *(A otra* HIJA.) ¡A callar he dicho! *(A otra* HIJA.) ¡Las lágrimas cuando estés sola! Nos hundiremos todas en un mar de luto. Ella, la hija menor de Bernarda Alba, ha muerto virgen. ¿Me habéis oído? ¡Silencio, silencio he dicho! ¡Silencio!

MH: ¡Silencio! *(A otra hija.)* ¡A callar he dicho! *(A otra hija.)* ¡Las lágrimas cuando estés sola! ¡Nos hundiremos todas en un mar de luto! Ella, la hija menor de Bernarda Alba, ha muerto virgen. ¿Me habéis oído? Silencio, silencio he dicho. ¡Silencio!

[88] M: Telon-
GT: *TELÓN*
AH: *Telón*
MH: TELÓN

[89] M: (dia viernes 19 de Junio 1936
GT: (Día viernes 19 de junio de 1936.)
AH: (Día viernes 19 de Junio de 1936.)
MH: *Día viernes 19 de junio, 1936*

Colección Letras Hispánicas